U0115962

中華文化思想叢書

滬江大學學術講演錄

上冊

上海理工大學檔案館　編

目次

政治篇 ……………………………………………………………… 235

下冊

序一

任何先進、生動的文化，都是在海納百川地與其它文化進行交流中保持生命力並不斷向前發展的，而宗教往往在其中扮演著極其重要的角色。季羨林先生在為《20世紀中國學術大典》（福建教育出版社）所作的序言中指出，中國文明之所以能夠成為世界文明中「只此一家」的「興旺發達垂五千年而未嘗中斷者」，其內因是有「有容乃大」的特點，其外因是有外來文化、外來的新鮮血液的輸入。而在談到外來文化與宗教的關係時，季羨林先生又指出，外來文化往往隨外來宗教而入，宗教與文化是孿生兄弟；中國歷史上兩次最重要最有影響的外來文化輸入，一次是佛教伴隨著印度文化的輸入，一次是天主教和耶穌教伴隨著西方文化的輸入——兩者相距一千多年且其影響一直到今天還沒有終結——都是伴隨宗教而來的。先生謂之「鐵證如山，無可否認」。

在我看來，歷史上的滬江大學可以看作是季羨林先生上述論斷的一個小小的注腳。滬江大學的濫觴，就是伴隨著基督教的傳入而創設的一所教會學校。其後，經過註冊登記，滬江成為中華民國的一所「合法」大學。滬江大學歷經清末、民國與新中國建國之初這三個時期，存世四十六年，在上海高等教育乃至中國高等教育的歷史上都有著不容忽視的印跡和影響。今天的上海理工大學就是在滬江大學校址上建立的，校園內至今仍完整地保留著當年西方學院哥特式的建築風貌。

當年，滬江大學在人才培養方面，最初是以培養教會人才為主，其後逐漸適應中國社會，進行雙重文化調適，最後確立了職業化的教學趨向。滬江大學在中國率先創辦社會學系，並在社會學、化學和工商管理學等領域頗有建樹，其在冊入學人數及男女同校比例，一度為全國教會大學之冠，是美國浸會在華教育事業的巔峰之作。作為教會大學，滬江的校長和主要教務人員，初期均繫由美國教會決定或委派。隨著民族鬥爭日益激烈，一九二八年，劉湛恩成為滬江大學第一任華人校長。在中華民族面臨生死存亡的危急關頭，劉湛恩毅然投身抗日救亡運動，剛毅不屈，最後為敵偽所害，向國家和人民交出了一份名垂青史的答卷，被政府和人民奉為革命烈士。顯然，作為一所在中國創立的教會大學，滬江大學集中了殖民主義性與民族獨立性的相互交替影響，時代印記表現得十分清楚而深刻。

歷史學是一門古老的學科。今天，以明清之際的歷史為背景的電視劇方興未艾，更因為諸多歷史學家以幾近說書的形式滿腔熱情地介入各類講壇，多方推波助瀾之下，歷史學一下子變得熱鬧起來，國人也比以往任何時候都更加關注歷史、關注過去。儘管人們對歷史知識普及的形式和途徑還見仁見智，但是，大家都樂意去關注和了解歷史，這對一個有著悠久歷史和文化的文明古國來說，無論如何都是一件幸事。部分出於風氣所及，部分出於自覺，在許多大學的校園內，也相繼出現了校史博物館、展覽館等機構，不少學校還設立了專門的校史研究室。我以為，這一變化對於高等教育的進一步發展無疑將起到重要的鋪墊與推進作用。

一直以來，社會對教會大學歷史的研究，相對於二十世紀國內教會教育的一度繁榮，其深度與廣度是極不相稱的。改革開放以後，教會大學的歷史開始受到關注。華中師範大學原校長、歷史學家章開沅教授曾經主編了一套關於教會大學的書籍，使我們對教會大學的了解得以加深。就滬江大學而言，曾在滬江大學執教的美國人海波士回國後所寫的《滬江大學》一書，以及復旦大學歷史系王立誠教授的博士論文〈美國文化滲透與近代中國教育：滬江大學的歷史〉，是目前關於滬江大學的兩部具有代表性的著作。尤其是王立誠博士關於滬江大學完整、系統的研究，探幽索隱，剖析入微，史料翔實，使沉寂史海半個世紀、鮮為人知的滬江大學重見天日。此外，上海檔案館收藏的滬江大學全宗檔案，以及散落於國家圖書館、北京大學圖書館、復旦大學圖書館、華東師範大學圖書館、吉林省圖書館等機構的當年滬江大學編輯的年刊、級刊等各種刊物，也為今天我們更加系統、深入地開展研究提供了可能。全面瞭解滬江大學的歷史，以史為鑒，有利於總結學校百年辦學過程中凝聚的人文理念，也有利於傳承文脈，促進學校的創新與發展。

治史是和過去對話，也是對未來的啟迪。斯人已逝，唯有那些不會說話的泛黃的文字和圖片，靜靜地守護著那些曾經的熱烈和興替。上海近代以來就是我國高等教育的重鎮，新中國成立後，特別是改革開放三十餘年來，上海高等教育更是有了日新月異的發展。近年來，經過佈局結構調整和民辦教育的蓬勃發展，目前上海普通高等院校已達六十一所，在校學生五十餘萬人，為國家和地方的經濟建設與社會發展作出了重要貢獻。我曾經在上海理工大學工作過，對上海理工大學的歷史和現狀有些了解。我個人以為，今日上海理工大學在國際交流與合作、科技創新與服務社會等方面所以能夠保持著鮮明的特色，在很大程度上是得益於滬江大學、國立上海高級機械職業學校的歷史性的鋪墊。上海理工大學組織力量，對滬江大學的歷史與文化進行挖掘、整理，出版「滬江文化叢書」，實際上也符合我的一個願望。也正是由於這個緣故，上海理工大學提出要我為這套叢書作序時，我欣然應允，我更願意以這樣的方式向上海理工大學致意並表示熱烈而衷心的期待。我同時相信，這套叢書的出版，必將有力地推進我國高校歷史與文化的研究。

聽聞這套叢書的出版得到了遍佈全球的滬江大學老校友的支持，曾經在滬江大學學習、執教過的徐中玉等前輩都給予了諸多指導，對此，我謹同樣以上海理工大學校友的身份表示感謝，沒有大家的支持與指導，這套叢書的出版不可能這麼順利而暢快。

是為序。

薛明揚

序二　我的滬江歲月

抗日戰爭爆發以前，我原在青島的國立山東大學中文系學習過三年，堅持抗日活動，參加中共的「民族解放先鋒隊」（簡稱「民先」）工作。後來隨校西遷，在重慶國立中央大學中文系畢業，並加入「中國文藝界抗敵協會」，發表許多抗日的文藝論文，擔任「中央大學文學會」的主席。接著又考入遷在雲南的國立中山大學研究院文科研究所深造，兩年後畢業留校，在中文系任講師後又任副教授。抗戰勝利後，山東大學在青島復校，一九四六年即回母校任教，並主編濟南《山東新報》的「文學周刊」及青島《民言報》的「每周文學」兩個周刊。因公開支持黨的「反內戰，反飢餓」的學生運動，竟受到國民黨政府迫害。由於青島警備司令丁治磐稱我支持革命學生的這些活動有「奸匪」嫌疑，報經教育部長朱家驊密令山大一定要把我中途解聘，讓我離開青島。這根本不是母校的意思。山大趙太侔校長把密令給我看了，他出於安全考慮，勸我暫時離開為妥。不得已，我就回到上海，借住在親戚家，艱苦寫作，維持一家生計。後承師友幫助，先後蒙大夏大學、滬江大學兩校聘請，最後決定接受滬江大學聘請，於一九四七年暑期後到中文系任教。稍後還曾同時在同濟大學中文系及復旦大學中文系兼過課。直到一九五二年全國高校院系調整，調到華東師範大學中文系，才離開滬江大學。我過去學習與任教，都在國立大學，與教會大學從無關係，很不瞭解，去了才感覺並無多少差異，同樣有貢獻、有成績。可能是因教會大學後已有所改制。在滬江大學中文系五年，我很有感情，相當順心，滬江中文系同事素質高，又很和諧、精簡。我除教課之外，先後還兼任過圖書館館長、工會副主席、「中國民主同盟」的滬江區分部負責人、校「革新會」成員等。我至今還牢記不忘的，是當年這些老同學、老朋友（即朱東潤、余上沅、施蟄存、章靳以、朱維之五位），都已逝去了。有些在中文系或別係我教過「大學語文」課的同學，見面時都很親切，各有成就。我的三個孩子，當年都曾在滬江小學讀過書，現在也仍牢記著當年的小學生活，說是環境好，地方大，老師們也教得好。他們有的至今還在美國任教任職，有的還回國推動貿易，目標是對雙方都有益。所有這些現象都使我欣慰，國家之間都有共同發展願望，便是人類都在進步的象徵。過去的滬江有不少成績，即教會大學依然同樣培養出了不少創下革命實績的英才。燕京大學、金陵大學、協和大學、嶺南大學、華西大學、滬江大學、聖約翰大學等等教會大學都是這樣的。「滬江大學」現在發展成了上海理工大學，一定能更加前進。

在抗日戰爭時期，滬江大學首任華人校長劉湛恩深受國內教育界和宗教界重視重用。他抗日救國的鬥爭精神特強，終遭日偽敵人暗殺，引起國際國內群情聲援。這些事蹟我們永志不忘。劉湛恩的犧牲是「滬江」的不幸，也是「滬江」的光榮。解放後，經過思想改造的「滬江」的教授們要求能去北京學習各大學的新生改革情況，消息傳到北京，得到周恩來總理的批准。滬江大學教授們自發組織的國內第一個大學參觀訪問團得以順利前往北京，同北京各大學的負責同志交流，請予賜教；還蒙周總理特在北京飯店開了一個大會表示歡迎，亦鼓勵我們多多自覺改造，辦好新的大學。可以說，這是「滬江大學」歷史上兩件最突出的事情，無論是抗日救國鬥爭還是革命解放後的力求前進，都是值得我們永遠牢記的大事。多少年過去了，學校會有各種改革創新，相信這些重大事件仍會對後來的同志起鼓勵作用，令他們不斷前進。劉湛恩校長的為國犧牲對我為耳聞、心照，周總理對滬江的指導與鼓舞，是我直接深刻的親身經驗。相信後來此地的同志們也會留下類似印象、產生感激之情。

上海理工大學百年校慶時，我也承邀回去參加祝賀過。知道上海理工大學已對滬江大學的歷史進行系統的挖掘和整理，並取得不少成果。我略知近年國內教育界對教會大學在我國的功過有了客觀、持平的研討，改變了過去由於國家關係不和、政治制度有異而致的一味懷疑、不顧事實的態度，對滬江大學也有直接的研討，這是很正常的進展。我相信將來能取得更多更確實的成績，對此我感到高興。

作為曾在滬江大學中文系工作過五年的人，雖然距今已近六十年了，我對「滬江」還是深有感情的。校慶時看到有不少校舍仍保存得很整齊牢固，更看到已增加了許多新的建築，各方面都欣欣向榮，深感振奮。「滬江」之後，會有更多、更大、更好的大學跟上，百年千年直到無窮的將來，我們中國的一切都會如此發展。我不久將會帶領當年在滬江小學讀書的兒女以及他們的兒孫一道再到老滬江來愉快地重遊。

匆匆雜寫此文，題名〈我的滬江歲月〉謹作為一個九十五歲老人對滬江大學久久的懷念之情吧。

徐中玉

二〇〇九年九月六日於上海寓中

教育篇

滬江大學最初設置四科：一是語言與教育科（又稱文科）；二是社會科學科（又稱社會科）；三是自然科學科（又稱格致科或理科）；四是宗教科（又稱道學科）。經過若干年的經營，滬江大學終於在社會學、化學和工商管理學等領域頗有建樹，享有良好的聲譽。

早期教會大學畢業生的主要出路是當中學教師，教會學校尤其歡迎滬江大學的畢業生。但在自由教育理念下，滬江大學長期沒有獨立設置大學程度的教育專科。一九一八年，滬江大學語言與教育科被分為教育與國文兩科，成為中國第一個獨立設置大學程度教育專科的教會大學，首任教育科主任為美國人韋雅谷[1]（1918-1925），後為汪宗海[2]（1925-1926）、劉湛恩（1928-1929）、林卓然[3]（1929-1946）、李好善[4]（1946-1947）、方同源（1947-1952）[5]。滬江大學教育科從一開始就表現出了良好的發展前景。在美籍教師汪宗海、安德生[6]先後回

---

1 韋雅谷（James Benjamin Webster），滬江大學美籍教授，美國裏士滿大學文學學士、克羅澤神學院神學學士、哈特弗德教育學院博士。曾任滬江大學神學院、教育學系教授，教育學系主任。

2 汪宗海（Charles Hart Westbrook），滬江大學美籍教授，美國麥瑟大學學士、哈佛大學碩士、哥倫比亞大學博士。曾任滬江大學教務長、外文系主任。

3 林卓然（Tsoerun L. Ling），九江同文書院畢業，衛理大學學士，沙拉克思大學碩士，美國艾奧瓦州立大學博士。

4 李好善（Howson Lee），滬江大學文學學士（1920屆）、伯羅大學碩士、備賓德大學博士，曾任滬江大學文學院院長。

5 方同源（1899-1999），浙江省吳興市（今湖州）人，字省之。滬江大學文學學士（1920屆）、賓西法尼亞大學碩士、博士。曾擔任杭州蕙蘭中學教導主任。1928年應聘出任私立舟山中學第二任校長（1928-1938年）。1947-1952年，任滬江大學副教授、教授、教育學系主任。後調到華東師範大學圖書館工作。

6 安德生（Elam J. Anderson），德雷克大學學士、康奈爾大學碩士、芝加哥大學博士。曾任滬江大學外文系主任。

美進修獲得博士學位，校友繆秋笙[7]也在美國獲得博士學位並回國後，滬江大學教育科的陣容顯得甚為強大。一九二〇年，萬應遠[8]之女萬尚潔從哥倫比亞大學畢業進入滬江後，更是首創了國內大學幼兒師範專科。

根據復旦大學王立誠教授的研究，一九二一年，雖然只有三人，但滬江總算有了第一屆教育專業畢業生。到了一九二五年，滬江教育系已經有了第一屆四名女畢業生[9]。其中最具傳奇色彩的周覺昧[10]先是應聘為浙江紹興濬德女子初級中學校長，一九二九年起任杭州基督教女子弘道學校[11]校長達二十餘年，直到退休。一九二五年，滬江教育

---

7 繆秋笙（Liao Tso Sing），滬江大學1916屆畢業生，1921年在芝加哥大學獲得碩士學位，後又獲得道學學士學位及博士學位。1931年，任中華基督教宗教教育促進會總幹事。抗戰期間，參與發起成立「基督教大學上海協會」。曾任教於滬江大學教育學系，1929-1930年出任滬江校董會董事長。1950年9月，「發起人致全國同道的信——中國基督教在新中國建設中努力的途徑」一文在《人民日報》發表，時為滬江大學校董的繆秋笙亦曾參與其中。

8 萬應遠（Robert Thomas Bryan），北卡羅來納大學、南浸會神學院畢業，1906-1911年曾任滬江大學神學院院長。

9 據復旦大學王立誠教授的研究，滬江大學1920年、1921年分別招女生4名，共8名。《滬江大學月刊》第12卷第2期頁70張維楨「本校女生概況」一文稱「本年（指1922年）新生有20人」。這樣，在1922年底滬江大學應有28名女生。但「本校女生概況」卻指出「連同舊同學一起有27人」，少了1人。這正和王立誠著《滬江大學簡史》第204頁上標記的1925屆只有3名女畢業生相吻合。也就是說，到1922年底，1921年進校的教育科4名女生中有1人沒有畢業。

10 滬江大學1925屆教育專業畢業生名錄中並沒有叫周覺昧的，只有周菊美。據周覺昧侄女周安文（現定居廣州）回憶，周覺昧曾改名叫周菊美。周覺昧（1903-2001），祖籍浙江鄞縣東鄉周韓村。參見《檔案春秋》2009年第9期章華明文「杭城師魂——百歲人瑞周覺昧」。

11 俗稱「弘道女中」。杭州弘道女中的英文名稱是 Hangchow Uuion Girles School，譯成中文是「杭州聯合（或協和）女子中學」，「弘道」是另一個具有基督教性質的譯名。後者叫得多了，耳熟能詳，世人對其真正的名稱「聯合女中」或「協和女學」反而知之甚少。參見弘道女中編《弘道女中紀念刊》。

科開始了研究生教育，一九一六屆畢業生陳子初於翌年成為第一個教育科碩士。至一九二七年，鍾魯齋、慎微之[12]、錢嘉集三人也成為該科碩士。至此，滬江教育科具備了從專科、本科到碩士的學歷教育，因而倍感驕傲：「我基督教大學之有完滿組織的教育科而人才設備又比較全備者，在北方有燕京、齊魯兩校，在南部則僅滬江一處而已」。[13]

哥倫比亞大學一度是中國留學生人數最多的大學，陶行知、劉湛恩等都是「哥大」的畢業生。約翰・杜威、保羅・孟祿、陶行知、張淑義等「哥大」教授或留學生來滬江大學講演也就在情理之中。這些講演的內容多集中在教育的實際效用和教育的出路上，一定程度上反映了杜威實用主義教育在我國的影響力。約翰・杜威甚至直言，「如果教育沒有實效（efficiency），那教育是沒有價值的」，好像只有這樣沉重的語言才能喚醒中國的教育。

本篇收錄了二十二篇中外人士在滬江大學的講演稿，其中兩篇涉及自然科學領域的化學專業，這從一個側面說明了滬江大學後來在化學教育方面取得的巨大成功並不是偶然的。據鄭章成[14]〈滬大理科之

12 慎微之（Weitz Zen, 1896-1976），浙江吳興（今湖州）人，考古學家，湖州地區錢山漾古文化遺址的發現者。1923年滬江大學教育科畢業，文學學士，1927-1928年任滬江大學講師。1940年，留學美國賓西法尼亞大學，獲哲學博士學位後回國。不久出任滬江大學商學院教務長，後又任之江大學教育系主任、教授。

13 出自魯（某滬江大學學生之筆名）撰寫的〈本校研究院小史〉一文，原發表於《滬江大學年刊》(1927)。

14 鄭章成（C. C. Chen），1887年生於福州，1913年畢業於滬江大學，是滬江大學首屆兩名畢業生之一，「私立滬江大學」校牌的題寫者。畢業後，鄭章成赴美國布朗大學學習生物學，1919年獲碩士學位回滬江大學任教，創設了生物系。1926年又赴美，後獲得耶魯大學博士學位。歷任滬江大學講師、副教授、教授，是滬江大學第一位具有高學歷的中國教授。後又任滬江大學副校長、理學院院長、滬江書院院長等職。

回顧與發展〉[15]一文記載：「民國九年（1910），美人捐築科學館一所……除已有化學物理課程外，添設生物與地質兩科……實驗各課程，亦有試驗之設備。化學系共有二十四課程，內三課為講演，二十一課為實驗，物理系共有十三課程，四課為講演，九課為實驗……」從此，實驗課聘請講演教授來校演講成為滬江大學的一大特色。

抗日戰爭爆發後，滬江大學校舍被日軍佔領，滬江大學失去校園，只得在租界裏辦「沒有校園的大學」。在最後學校做出無限期停辦的決議後，部分滬江大學校友辦起了「滬江書院」。此外，滬江大學在重慶與東吳、之江大學等合作辦學，等待時機。在這個時期，畢業生人數明顯減少。一九三八年，入校學生六十七人，畢業生為十一人；一九三九年入校學生六十五人，畢業生為十四人；一九四〇年，入校學生為一〇八人，畢業生僅三人；一九四一年，入校學生為九十三人，畢業生為十四人。在這個階段，學術講演活動更明顯減少，無疑，相關記錄的保存也變得困難起來。從時間跨度上看，二十二篇講演稿從一九一八年到一九四八年，多集中在二十世紀二〇年代至三〇年代中期，正是從一個側面說明了戰亂對教育的消極影響。一九五二年全國院系調整，滬江大學教育系因併入華東師範大學而告結束。

15 國家圖書館館藏《滬大科學》第1卷第1期（滬江大學三十週年紀念特號）（滬江大學理學院出版委員會編印，1936年11月），頁13。

滬江大學行畢業禮演說稿

唐文治

本文摘自一九一八年十月出版的《天籟報》第七卷第四號，記錄者不詳。唐文治當時任交通部上海工業專門學校（今上海交通大學前身）校長。

今日貴校諸君行畢業禮，鄙人敬為貴校校長魏先生賀！並為貴校諸君賀！鄙人學術淺陋，無足以益諸君。惟是敝校與貴校向來聯合，交情極厚，彼此誼若一家，且因魏先生殷殷之厚意，用特聊貢粗淺之辭，祈諸君諒之。

今日吾國未嘗不注重教育，然而世道人心愈趨愈下者，由於士皆空談教育，空談種種教法，而於教育之根柢並未究心也。教育之根柢，安在人格而已矣。人格不講，人之本心日昧，利欲薰於中，意氣哄於外。雖日言教育亦復何濟於時？竊嘗譬之各種科學猶房屋也，人格猶基址也。基址不固，房屋易於傾圮。猶學者各種科學雖極完備，而人格不修，品行卑鄙，一旦名譽掃地，幾與房屋之傾倒無異，豈不惜哉。故居今日而言，學問之道，當自人格教育始。鄙人嘗著《人格》一書，諸君試讀之，或不無裨益也。

人之德配乎天地，人格之論，非一言可罄。約而言之，必以治心為本。《大學》言「明德」。明其德，所以明其心也。《中庸》言「率性」，率其性，所以治其心也。《孟子》言「良心」，又言「良知」。蓋致其良知，乃可保其良心，保其良心，乃益擴其良知，二者有兼行並進之道。初學之法，首在提撕警覺，使此心虛靈不昧，乃可以不誤於歧途，不流於混濁。故世界無論如何昏暗，吾之心必須光明。世界無論如何搖動，吾之心必須堅定。《大學》云，欲修其身者，先正其心。蓋心學明，而後人格立，人格立而孝悌忠信禮義廉恥之說明於天下。自可舉今世卑鄙齷齪、爭權奪利之思想一掃而空之。如是而各種科學乃盡歸於有用，無論為農為工為商，皆不染欺詐浮囂之習，教育之本孰有大於是者乎？

至於國學，尤當注重。鄙人所著《人格》中曾詳言之，大抵立國以文化為主，文化明而其國乃謂之交明，未有自滅其本國之文化而其國能自存者。況今日吾國尤重普及教育，普及之道當以國文為主。倘使學校諸生不知注重國文，縱使出洋留學各種科學備極精深，一旦回國，筆不能述其意，言不能達之於文。則所謂輸人文明者，庸有效乎？故凡世界極有智識之學生，無不愛護其國學。國學明，而吾國乃能自存於世界之上。

諸君諸君，勉之勉之。敬祝滬江大學萬歲，並祝魏先生教育發達，身體康強；諸君德業日新，前程遠大。

普通教育與職業教育之關係

約翰・杜威

約翰・杜威（John Dewey, 1859-1952），美國實用主義教育思想的代表人物。一八九四～一九〇四年，杜威進入芝加哥大學，擔任芝加哥大學哲學、心理學和教育學系主任；一九〇四～一九五二年，杜威離開芝加哥來到哥倫比亞大學，逐漸成為具有世界影響力的大教育家。應胡適、陶行知、蔣夢麟等邀請，一九一九年四月底，杜威抵達上海，開始了對中國的訪問。一九一九年五月上旬，杜威離開上海，前往浙江、江蘇、北京等地，第二年五月底又回到上海，直到一九二一年七月啟程回國。「普通教育與職業教育之關係」就是約翰・杜威回到上海後一九二〇年六月四日[1]在滬江大學的演講，由劉伯明[2]口譯，馮樹華（滬江大學學生，1922年畢業，專業不詳，當時在讀）記錄。

1 這是《民國日報》所注明的時間。另據華東師範大學圖書館館藏《滬江大學周刊》第10卷第9-10期（1921年1月1日出版）頁18民國九年大事記：「6月2日，本校敦請近代大哲學家杜威博士來校演說」，題為「職業教育」，和此時間略有出入。

2 劉伯明（1887-1923），名經庶，字伯明，江蘇南京人。著名哲學家、教育家。少時學於匯文書院，習中西文。畢業後遊學日本，曾參加同盟會，從事民主革命活動。1911年入美國西北大學攻讀哲學及教育，1915年獲哲學博士學位，1915年回國，任金陵大學國文部主任，兼任南京高等師範學校教授。1919年辭去金陵大學教職，專任南京高師教授兼訓育主任及文史地部主任。1921年任國立東南大學副校長。1923年11月24日，因積勞成疾而英年早逝，時年37歲。

本文摘錄於上海圖書館館藏一九二〇年六月六日《民國日報》[3]。單中惠、王鳳玉主編，教育科學出版社二〇〇七年出版的《杜威在華教育講演》也收錄了此講演稿。

我今天講的題目是「普通教育和職業教育之關係」。諸君知道現在職業教育的聲浪一天高似一天，因為人人都要有謀生的機會，人人都要有職業的企求，所以，職業教育是最切實要緊的了。

如果教育沒有實效（efficiency），那教育是沒有價值的。現在既然人人都要有職業，用相當的職業去滿足他的人生需求，當然他要有充分的預備，足以應用於社會。如果有人未曾受訓練，就在社會活動或者濫竽充數，那社會就多出許多寄生物來了，非但於個人有害，而且有害社會呢！照上面講來，相當的訓練是很重要的。有些人以為單單訓練一種專門人才就夠了，殊知不然，專門人才固然要緊，工程師呢、工藝家呢、鐵路管理員呢、製造家呢、農人[4]呢、工人呢，都是要緊的。學校裏頭無論直接訓練或間接訓練，都可以的，但這種教育，現在不是十分注意。為什麼緣故呢？設有人有了這種本事，不去謀公共的利益，專去謀他的私利，這豈不是對於社會沒有益嗎？所以，現在要造就專門人才的時候，就不能不灌輸一種「新人生觀」和「新社會觀」入他們的腦筋裏頭，使他們曉得學習種種技能，並不是為了私利，也要為社會公共利益。個人能夠明白這層道理，他的「人格」才有發展的機會，人格能完全發展，他的本能、他的智慧也一齊發展了。

各種專門人才有此種觀念，受相當教育，人格發達，生命也有興味、有效果，種種危險不能侵犯他，私心自利的惡習也可以除去，將

3 刑建榕，〈哲學大師在上海——世界名人在上海之久〉，《上海灘》2009年第1期。

4 即農民。這一時期對農民的習慣稱呼，下同。

來他出來服務社會、去尋職業，哪有害人害己的事呢？人格發展，智慧本能發展，做起事來一定有興味、有注意力，專心致志在他的職分上，盡他的技能，哪裏還有什麼功夫去自私，哪裏還有外物去引誘他呢？否則，沒有相當的教育，好比一件不成器的東西，到社會上去謀事，真要發生危險，好像圓枘入方鑿一樣了。

所以，單有專門的技能，沒有相當的教育，是很不好的。必定要有種種機會去發展個人，使人人都有機會受教育。實施這教育的時候，要注意社會方面，要注意個人前途之增進，要注重個人自能認識其本能。如要使此種種發展完滿，普通教育是很重要的了。但單有普通教育，沒有職業教育，也會不好。頂好是兩個同時並行，就是說普通教育和職業教育同時並授。

現在中國此種教育尚不發達，多因為種種阻礙尚未剷除的緣故，有時方針也覺弄錯。我且講那免除危險的種種方法：

中國宜有一種根本教育去訓練人才。在實業開始發展的時候，切不可忽略不成熟或太過分的舉動，（相反）應該有相當的教育。職業教育也是很要緊的，總要放大眼光，不要專門在機械一方面從事，因為機械教育是局部的。譬如訓練鐵路人才，不過一個職業，若沒有別的教育，豈不是局部的嗎？美國工廠團到中國來調查織棉紗的行業，看見中國每碼棉紗比美國要貴得很多，中國工資比美國工資賤得很多，美國工人的工資約十倍於中國，但出產的東西何以反比美國貴呢？中國是不是因為工業的知識不及美國，機器不及美國呢？不是。中國缺少一種能力，就是注重公共利益。許多人以為機械完備之外，就要發展本能和創造利益，就要開發天然產品。但這種訓練還存在不足，更須在社會方面著想，有害社會的東西應該除去。中國對於這層還沒有注意，所以實業不甚發達，物價比美國昂貴。照經濟學講起來，做工時間不可過長。過長則使人厭倦，做出來的東西也不會好。

十點鐘做出來的工夫，比十二點鐘做出來的好，八點鐘做出來的更好。價錢便宜的工作，並不便宜，童工更加不好，因為：(1) 童子做工，則必占成人工人的地位，童子愈多則工作愈壞，童子的能力哪有成人的大；(2) 童子也使用機器，他的實效固然不好，機器也要損壞；(3) 童子和成人一塊做工，一部分好，一部分壞，使全部工作都受損失。有時還有一部分發達、一部分不發達之虞。所以，現在中國宜在造就專門人才教育之外，訓練普通人民、工人等，使他們曉得「人生觀念」、「社會觀念」，有普通知識、科學知識、科學方法。總之，職業教育之外，還要有普通教育，二者相連訓練，方才可以適應社會、發展實業、振興國家。

我們所以應極力奮鬥，反對專門講機械的教育，因為機械的教育是捷法（shot cut）[5]，不必在學校裏，在商店裏工廠裏也可以學，何必單在學校專學它呢？我們在學校，要同時造就有遠大眼光、科學知識、創造能力、冒險精神的人。我聽說中國向來有學徒制度，這就是機械教育的例子。但是我們不必反對它，我們想法去改良它就好了。最好設立一種補習（supplementary）學校，提倡它，發展它。此種學校，宜有寫字、讀書、初等算術等科，更要授以公民（citizen）應有的知識、科學的律令、遠大的眼光、人生的和社會的觀念。

中國向來有一種實驗所得之經驗（imperical experience），無非是相傳下來的經驗方法，並沒有系統的知識。如果拿這種經驗改良、發展，再加上科學，中國將來的希望是很大的。所以，現在有二要素：(1) 增進和改良已有經驗的實效；(2) 從國外介紹新實業之方法。

現在我有兩個主張，貢獻諸君，總使智慧、本能、創造、冒險的精神發展。

---

5 shot cut，亦可譯為「捷徑」。

一，教育發展。包括普通教育和職業教育。總要學說與實驗同時舉行，不要專講學說，不要專運用腦筋，也要用手，就是有了學說就要施行。從前相傳下來的教育，不過注重文章方面，不去實驗，那是沒有用的。專門讀書不去力行是貴族教育，他們以為用力是可恥的事，所以思而不行，更不從事研究種種職業和技能，所以變成抽象的貴族教育了。還有那相傳下來保守技藝的人，不過有狹小的實驗，並沒有文章的思想。如果二者互相改良，豈不是範圍擴充了嗎？就是說，職業教育與普通教育要發生關係，普通教育要有職業教育去幫助它，職業教育要有普通教育去救濟它。

二，職業教育不是為了個人設立的，不是為了私人利益興辦的。職業教育有社會目的，是為公共利益而生的，是要免除種種經濟上不改良之點和社會上困難而起的。現在中國正在實業發展起頭時候，更宜注意有沒有私人自私自利使社會受害。如果有這種私心的傾向，宜速除去之。當此物質發展的時候，萬萬不能有這害物。一方面除去私心，一方面增加社會觀念，使社會有利，使國家有益。此種教育更宜注意，不得以為提倡職業教育就算了事；有此等教育，經濟也自然發展了。

諸君！問題並不限於一方面的，無論政界、商界，哪一界都要以社會為主位，不可以個人為主位。凡做一事，無論普通專門，都要有道德，拿我的本能、智慧去做事，更須有服務、合作、犧牲的精神。

在滬江大學的演講[1]

保羅・孟祿

華東師範大學圖書館館藏、一九二二年一月二十日出版的《滬江大學月刊》[2]第十一卷第二期第五十九頁記載——孟祿[3]講演：一月二

---

1 本文由上海理工大學教師廖穎翻譯。

2 《滬江大學月刊》（又稱《滬大月刊》）或《滬江大學周刊》，英文名為「The Voice」（又譯成《天籟》），多為中英文並用，有的直接稱《天籟》或者《滬大天籟》，分為中英文版（本書中除注明英文版外，均指中文版），由滬江大學首屆畢業生鄭章成在校期間創辦。「天籟」為「the Voice of the People」之意，亦為鄭章成所定。據上海理工大學檔案館藏1926年12月18日出版的《天籟》第16卷第6期卷首語「天籟創刊迄今已歷程17載」推斷，《滬江大學月刊》創刊當在1910年前後。總編金冬日曾自豪地說：「以學校性質而博得社會之榮譽者，除北京大學之新潮，清華大學之清華學報，本校之天籟亦將鼎足而三焉。」據華東師範大學圖書館館藏《滬江大學月刊》第12卷第1期（1922年11月25日出版）鍾魯齋（《滬江大學月刊》中文編輯部總編輯）文「我對於本刊的兩個希望」，「月刊出世以來，經過許多變動，由周刊而月刊，由月刊而周刊，由周刊又變到月刊，幾乎合了一個迴圈律。」由此可見月刊或周刊實際上是滬江大學月（周）刊社編輯的同一種刊物，只是因為編輯、稿源、發行及經費等問題，導致了出版周期的變化，因而相應地稱為月刊或者周刊。王治心、蔡尚思（S.S.Tai）、朱博泉等滬江大學校內名家經常為其撰稿。1935年秋，在停刊一年後重又恢復的第24卷第1期直接稱「天籟」，為季刊，書中也不再有月刊或者周刊的標記。

3 保羅・孟祿（Paul Monroe, 1869-1947），美國教育家、教育史學家。1869年生於美國印第安那州。1892年，畢業於印第安那大學，獲理學學士學位。1897年，在芝加哥大學獲哲學博士學位。1915-1923年，任哥倫比亞大學教育學院院長，其間擔任滬江大學首任校長劉湛恩的導師。1931-1933年，創辦美國中國學院，並任院長。1921年，保羅・孟祿來華訪問，宣傳其教育思想，對中國1922年的學制改革和「新學制」的制訂，產生了一定的影響。

日，本校校董保羅・孟祿博士到校演講。演辭大旨，謂學者宜有知識、效能與道德觀念三項，然後足以改良社會。

一九二一年夏，由陶行知等組織的實際教育調查社邀請保羅・孟祿來華調查科學教育的實際情況。保羅・孟祿抵華後，南到福州，北至東北，一路上頻頻宣講「共和與教育」、「科學教育」等西方教育思想，口譯工作主要由陶行知擔任。在滬江大學的講演應為保羅・孟祿此次中國之行中的計劃之一，因為當時他還是滬江大學的董事會成員[4]。而此時，劉湛恩正在哥倫比亞大學攻讀博士學位，保羅・孟祿正是其導師。該講演稿由滬江大學學生陳建勳（DjanSueh Chen, 1922 年畢業，專業不詳，當時在讀）記錄整理，原題為「Dr. Paul monroe's chapel address」，現題目為編者所加。

另據上海理工大學檔案館館藏《滬大民二十級年刊》「滬大大事記」（1919年9月至1920年3月）記載，民國二十年（1931）二月三日，「今日早會有美國教育家孟祿博士講演」，但講演稿已無從查找。

（1922）一月二日，保羅・孟祿博士訪問我校並做了一場演講。保羅・孟祿博士是學校理事會成員之一，近來一直在調查中國的教育情況。他的演講體現了他的個人魅力、他的簡樸與高效，也讓我們瞭解了他在中國及其它國家的豐富閱歷。

演講一開始，保羅・孟祿博士就下了一個結論，即私立中學比國立中學辦得要成功。以他的聲望，以他對中國教育狀況的了解，可以

4 為了籌備在美國的立案，美國南北浸會總部於1915年在裏士滿成立滬江大學董事會，使之成為一個獨立法人，在一定程度上不再依附教會。在美董事會每年開會一次，輪流以里士滿和波士頓（後為紐約）兩個總部的所在地為會址。它由六人組成，南北浸會各為三人。但董事人選已不僅限於兩個本部的幹事，還吸收如美國著名教育家保羅・孟祿等社會知名人士。

說這個結論是極其權威的（中國官方歷來干涉教育體制，這已經是事實，中國必須首先整頓自身的教育體制，使之高效）。

接著，保羅・孟祿博士以其在一所技術學校的所見做了一個類比——他把學校比作測試金屬特性的儀器，學校是儀器，學生是測試材料，認為將來中國所有的希望在很大程度上掌握在當今的中學生手中（保羅・孟祿博士著重強調中學，很可能是因為中學是中國教育體系中最高級別也是最重要的發展階段。如果在美國，他就很可能提到大學了）[5]。

他說，中國需要許多新事物，尤其是科學發展和民族精神。但是一旦這些新事物被引進中國，一開始肯定會和舊事物相互牴觸，會因其誤用而造成諸多混亂。

例如民族主義精神，它有可能因人們對其過分狹隘的應用而導致地方主義的形成，這點可從其內政的分歧中略見一斑（本人沒能夠確切引用保羅・孟祿博士的原話，但這是給我印象最深刻的）。同樣，毫無疑問，中國的舊教義跟西方的新學識之間存在著對抗性。而能把所有這些不同因素修訂成一個有效計劃的動力即是教育。教育是一個國家的凝聚力，就像水泥賦予建築物牢固的地基一樣。

如保羅・孟祿博士所說，中國教育的主要缺陷是我們太容易滿足於對事物外部的瞭解了。當然這種傾向具有一定的普遍性，但比之其它任何國家，中國要明顯得多。多數學生想要了解的東西和多數老師要求他們了解的東西，是一些事物的術語和原理，而非對這些原理的真正研究和運用。這是多麼荒唐的事情。保羅・孟祿博士還舉例來說明以上觀點。北方有一所學校，想在學校開設足球課，他們先是訂閱了足球教材，在課堂上把踢球的所有規則教給學生，而沒去球場進行

5　此處原記錄者的分析有誤。其時中國已有大學，雖然總體數量較少。

實地教學，以為這樣學生們就完全懂得踢足球了。保羅・孟祿博士的另一個例子講到，如果老師堅持提問，學生就會罷課。

保羅・孟祿博士認為，所有這些都說明了一個道理，那就是，中國的教育應該強調知識的運用，而非對知識的單純理解。不過，這顯然還是不夠的，更重要的是要能引導學生運用所學知識。這就是所謂的「道德觀」。如果一個人道德準則缺失，即使他受過良好教育，知道如何為自己謀取最大利益，那是更危險的事情。道德準則是一個國家真正的凝聚力。簡單地說，道德準則就是為了社會利益，個人最大限度地發展自身和奉獻自我。中國人必須通過接受教育，才能開拓視野，從更廣的角度看待事物，而非從一己私利出發。戰爭期間，中國的金屬行業獲利甚多，但是其中的五分之四流入了日本人的手中。為什麼呢？因為有那麼一些中國人，他們為了得到更多的利益，更快地富裕起來，他們把這些賺錢的行業賣給了日本人。現在這樣的例子數不勝數。大戰期間及戰後[6]，人們比以前更懂得對集體忠誠的意義了。中國人一直都對自己及家人忠貞不貳，但他們需要更大程度地調整他們的忠誠度，使其達到其它民族的集體忠誠度。有很多人總是時刻準備利用中國人集體忠誠度的缺失來做對中國不利的事情。

讓中國的年輕人在西方受教育而後受外國人剝削是件悲哀的事情。只要有才智的中國人仍然受到外國人的剝削，那麼就沒有希望建立一個新中國。中國是否會被外人掠奪，這完全取決於你們學生（此時此刻，我覺得保羅・孟祿博士是在陳述一個簡單的事實。不像外交官的用語，保羅・孟祿博士的用辭不加修飾，很真誠）。

在演講中，保羅・孟祿博士還提醒聽眾要熟悉中國的狀況，並批評了一些歸國留學生對中國事物的一無所知。

6 指第一次世界大戰（1914-1918）。

自然科學的社會屬性[1]

葛學溥

本講演稿為葛學溥（Daniel Harrison Kulp）[2]一九二三年四月十九日在滬江大學的講演，載於一九二三年六月出版的英文版《滬江大學月刊》（華東師範大學圖書館館藏）第十二卷第五期頁三～七，由滬江大學社會學專業學生潘恩霖（Pan En Ling）[3]記錄整理。

四月十九日，葛學溥教授在（滬江大學）科學社發表了一個題為「自然科學的社會屬性」的講演。下面就是這次講演的內容摘要，是為了方便那些沒機會當場聽他演講的人而特別寫的。

葛學溥教授首次把資本主義工業制度解釋為一種經濟秩序，一切要素和價值觀都歸結為利益。例如，一個工程師在進行一項發明創造的時候，他先會把設想提交給經理。經理反覆研究後，如果認為這項

1 本文由上海海洋大學教師杜義美翻譯。

2 葛學溥（Daniel Harrison Kulp, 1888-1980），美國布朗大學文學碩士，1914-1916年任滬江大學英文系主任，1914年2月在滬江大學開辦社會學系，1914-1923年任社會學系主任。1918年開始在廣東鳳凰村調研，著有《華南的鄉村生活：廣東鳳凰村的家族主義社會學研究》一書（美國哥倫比亞大學教育學院出版社1925年版）。

3 潘恩霖，滬江大學辯論隊的主要成員之一，滬江大學月刊社英文主筆之一，1924年畢業，畢業後留校工作，教授英文。1943年4月10日，由15人組成的非常時期滬江大學校董會在重慶正式成立，選舉校友梁寒操為董事長，校友林天驥（T.G.Ling）博士為副董事長，潘恩霖為會計。據《聯合法商學院院刊》頁3中記載，期間潘恩霖還曾為學生講演「領袖欲」等問題。

發明的確能夠改進目前的技術，就推薦給董事會。如果董事們接受經理的意見，就會買下這項發明。但是，他們會問這樣一個問題：用新發明替代舊設備需要多少費用。如果支出太大，該計劃就會束之高閣，就像什麼都沒有發生過一樣。換句話說，如果該方案能夠立竿見影或者在不遠的將來能產生效益，那麼就會被採納。如果該方案不能帶來經濟效益，他們寧願放棄。也就是說，當工人的發明創造與老闆的利益得失發生衝突的時候，工人就會「出局」。在上次賓西法尼亞鐵路事件[4]中，資方拒絕聽取整體上的安排，就是因為他們的利益受到了威脅。葛學溥教授問道，現在當我們走進社會時，我們這些基督徒是否會把利益作為衡量一切的標杆，或者是將追求利益當作終極目標呢？

卡爾・馬克思在經濟學領域做出了傑出的貢獻，但其「價值是凝結在商品中的無差別的人類勞動」的觀點不夠確切。我們分析資本主義不能單就一個因素而言，對資本主義的分析應當基於職能的分工而非根據人的不同階級來劃分。因此，我們認為管理屬於一種「職能」，而非管理者本身，也非銀行家。同樣，是人類勞動而非勞工聯盟或勞動者本人構成了「職能」之一。如果我們進行系統的分析，就會發現產業具有龐大的金融功能——大量的財力，技術處理能力，以便實現各種方案的機械化，和把資金利用到極致；勞動只是把機械化轉換成某種功效。所有這一切都必須得到相應的回報。財力要轉換成可觀的收益；資方要有較好的薪金才能竭盡全力進行有效管理，當然勞方也會得到相應的報酬。

4 在鐵路公司多如牛毛的美國經濟發展早期，賓西法尼亞鐵路公司控制著一個大鐵路系統。系統中的一部分鐵路分別由其子公司凱撒西鐵路公司和海岸鐵路公司控制並經營。後來，子公司的火車撞上了一輛汽車，造成了嚴重的經濟損失。由於子公司僅僅是母公司經營鐵路系統的一個媒介，因此，法官判定母公司賓西法尼亞鐵路公司要對事故的傷者負責。

這三個狀況何時相吻合，要視技術人員的衡量標桿而定——他採取怎樣的態度，怎樣的行動，究竟要達到怎樣的目的。也許是想獲得經濟回報，也許想通過和工人合作以證明財力沒有白白投入（而不是加入剝削者的行列），以提高人民的社會福利，而不是作為經濟投入的合理回報。當一個年輕人離開學校去找工作時，他也許會說：「我要以我的技術換得最高的報酬。」但問題遠沒那麼簡單。一個人只有努力奉獻謀福利才能真正成為成功的技師，而不是靠投機和剝削他人。

沒有技術支持，經濟投入本身是無效的；沒有技術指導的勞動也是無效的，不會有什麼產出回報。處於中間立場的技術人員，只要他樂意，就能為企業提供有效的服務。如果科學僅僅只為培訓員工以獲取好的薪酬而服務，那科學本身就是對人的詛咒而不是祝福。真正有用的科學家就是站在財力投入和勞動中間，利用前者來提高勞動的品質。

從最高層次上講，實業包括四個因素，商品就是四個因素結合的產物。這四大因素就是資本、資方、勞方和行銷。所以生產是一個四重企業，既需要完成一切責任，又得讓各方滿意。每一方都作出了自己的貢獻，那也要得到相應的回報。因此，投入的成本應有生息；技術人員的付出應有相應的回報；勞動者不能僅得溫飽，而是要能過上富裕的生活——不是僅解決他們的生存問題，而是真正意義上的享樂和提高。人人都能買得起所需商品，個個都受尊重。

美國正朝這方面努力邁進：工程技術崗位實行社會化；他們發表調研報告以期改善工人的工作環境，並對消耗行業提出補救措施；工程師和科學家們也被要求勇於承擔起總結過去開拓未來的使命；工會組織大量湧現以促進產業秩序改革；資本家們雇傭技術專家查找自身缺陷並提出變革措施。

葛學溥教授說，現在大家能來這裏學習，這本身就是一件很幸運的事情，因為很多人沒有這個機會。據此，大家可以獲得專項技能，增加參與服務社會的機會。身在學堂，你們能夠高談理想，一旦步入社會，受人雇傭，你們水準高低才能見分曉。你們情願為了錢而出賣自己的專項技能，犧牲工人的勞動嗎？就像別人說的那樣：「一切都是社會體製造成的，大家都這樣，我有什麼辦法？」如果你們想藉此躲避責任，那麼幫助企業守住在行業中地位的科學講壇就是對中國的一種詛咒。如果為了多掙錢而背叛自己的良心，那麼即使贏得全世界有又什麼意義？

也許，中國學生從事社會服務的最佳途徑之一就是走到工人中間去，和他們一起勞動。這樣他們可以理論聯繫實際，學以致用，發現問題並解決問題。這不是什麼難事，只要你有足夠的勇氣。杭州就有一個這樣的學生。儘管他沒能避免錯誤的發生，最終被淘汰，但他的勇氣令人佩服。如果他袖手旁觀，不身體力行，又怎能激發他的同伴？如果他不勇敢地站出來代表大家拒絕受奴役，又怎能說明他是一個勇於承擔責任的人？

如果你準備為人民的利益而努力學習科學知識，那你就要勇於奉獻，以天下大事為己任。這樣，你才無愧於那些提供你受教育機會的人。

教育與人生

李石岑

李石岑（1892-1934），原名邦藩，湖南醴陵人。一九一二年赴日本東京高等師範學校留學。一九一九年回國後，任商務印書館編輯，主辦《民鐸》雜誌，後受聘為大夏大學、光華大學、暨南大學哲學教授。一九二〇年與張東蓀陪同著名哲學家羅素到湖南講學，倡言「人生哲學」。一九二七年赴歐洲各國考察西方哲學，一九三〇年回到上海，先後在中國公學、復旦大學、大夏大學、暨南大學任教。一九三四年十月二十九日，李石岑在貧病交加中去世，年僅四十二歲。主要著作有《人生哲學》、《中國哲學十講》、《哲學概論》等。

本文為李石岑在滬江大學教育研究會的講演。摘自廣西師範大學出版社二〇〇四年出版的《李石岑講演集》。

年來國內學術界漸漸地注意到教育問題，近幾個月來更漸漸地注意到人生問題，這確實是學術界一種可喜的現象。但什麼叫教育？換句話說，教育之目的何在？什麼叫人生？換句話說，人生之目的何在？恐怕能夠明白答覆的，大約尚占少數。最近更有談到教育與人生之關係問題的，但其間究竟是什麼一種關係，恐怕更少有人能夠說出其所以然，兄弟不揣冒昧，欲提出這幾個難題和諸位討論。現把這回講演，分作三項說。

一　教育之目的何在？

自來教育學家、心理學家、哲學家、文學家乃至社會學家、文化學家討論教育目的的，雖不乏其人，但能觸到教育之中心問題的卻是很少，現在先敘述論教育目的的幾種主要學說，然後用淺見加一番批評。

一，教育單在造就「人」，別無目的。如盧梭。

二，教育以「完全」為目的，但有兩種：有以合理的完全為目的的，如康德（Kant）；有以道德的完全為目的的，如赫爾巴特（Herbart）[1]。柏拉圖（Plato）為圖一切之圓滿完全，他的主眼全在美。

三，教育以「發展」為目的——在人類一切能力之諧和的發展。如裴斯泰洛齊（Pestalozzi）[2]。

四，教育以「幸福利益」為目的。如巴譯多（Basedow）[3]一流之泛愛派。

五，教育以「完全之生活」為目的。如斯賓塞爾（Spencer）。

六，教育以「自己發展」為目的。如黑格爾（Hegel）、洛蓀克蘭慈（Rosenkranz）[4]等。

---

1 赫爾巴特（1776-1841），德國近代著名的哲學家、心理學家和教育家，科學教育學的奠基人。他根據兒童心理活動規律，將課堂教學劃分為明瞭、聯想、系統、方法四個階段，即著名的「形式階段理論」，這一理論後來被他的學生發展成「五段教學法」。主要著作有《普通教育學》、《論世界的美的啟示為教育的主要工作》、《教育學講授綱要》等。

2 約翰・亨利赫・裴斯泰洛齊（1746-1827），瑞士教育家。一生從事平民教育及教育改革實驗，開辦過孤兒院和學校。主要著作有《隱者夕話》、《論教育方法》、《林哈德與葛驛德》。

3 巴譯多（J. B. Basedow, 1723-1790），德國教育家。

4 洛蓀克蘭慈（Rosenkranz.Karl, 1805-1879），德國哲學家，教育家。

七，教育以「社會的命運」為目的。如今日許多社會的教育學者，都是屬於這一派。但其中有以人類社會全體為主眼之世界主義者，例如威爾曼（Willmann）[5]一派之出於「羅馬加特力教」[6]者及以國家國粹為主眼之國家教育學者皆是。

八，教育以「適應」為目的。如近頃之巴特勒（Butler）[7]、霍冷（Horne）[8]等皆是。

由上所列各種目的觀之，或著眼社會命運，或著眼道德，或著眼幸福利益，憑心而論，都未能道出教育的神髓，我都無取。我所最服膺的就是盧梭的單在造就「人」別無目的一個意思。因為照社會派所說，教育專為社會發展，結果就不免把人當作社會發展的工具。照合理派所說，就不免以一概全而為形式化。照道德派所說，就不免重外輕內而為機械化。這幾派的主張，統犯了輕蔑個性的毛病。照幸福利益派所說，就不免有所而為；有所為而為，便傾斜於外，自己失了重心。照適應派和完全生活所說，就完全重在適應而失掉創造的精神。這幾派都中了功利主義的毒害，很不容易把我們的生活弄得安穩的。所以只有盧梭說的最好，老老實實地說，教育之目的，只在造就「人」。其次則裴斯泰洛齊也能闡明人的價值，他的心性開發主義，

5 威爾曼（Otto Willmann），德國教育家。

6 即天主教。天主教亦稱「公教」，原意為「普世的」和「大公的」。天主教拉丁文名稱為Ecclesia Catholica Romana，直譯為「羅馬公教」，音譯為「加特力教」，意譯為「羅馬天主教」。16世紀傳入中國時，其信徒將所崇奉的神稱為「天主」，故在中國稱天主教。

7 巴特勒（Butler, 1862-1947），美國教育家，曾長期（1902-1945）擔任哥倫比亞大學校長。1931年，因他為《巴黎和約》做出的貢獻，與簡．亞當斯（Jane Addams）共獲諾貝爾和平獎。

8 又譯「霍恩」（H. H. Horne），美國教育家。1904年，霍恩第一次以《教育哲學》為書名撰寫著作，從生物學、生理學、社會學、心理學和哲學5個方面闡述教育基礎理論，在他看來教育哲學基礎是制約教育觀念的主要方面。

實在增進人的地位不少。人之所以為人，畢竟非簡單數語所能闡發的；有了達爾文的種源論，而人與自然界的關係才稍稍明白，有了斯賓塞爾的社會哲學，而人與人的關係才稍稍明白，有了詹姆士[9]的實用主義，而人的本身的意義和價值才稍稍明白，人究竟要到何時才能顯出他的本來面目，這不能憑教育力以為斷。所以教育之最終的目的，只在表現真「人」。但真「人」為何，請在次節講明。

二　人生之目的何在

人生問題到近代很惹起一般人的注意，其中有顯著的三個原因：一，物質觀的原因。十九世紀物質文明發達的結果，使我們的生活日日感著不安，好像事事都脫不了機械的圈套；於是不知不覺之中，使我們日陷於苦悶煩惱，冷淡凝滯，慘刻寡思。又因資本主義得勢，私有財產製度日見發達，社會上的組織日見其不自然，最顯著的便是貧富的懸隔，人民的生計因此困難達於極度，於是對於人生遂起一種疑念。自由身的貧苦望他人的安樂，以為人生或係由於宿命。二，精神觀的原因。由上面所述的情形生了一種反動，以為宿命說太無意思，而由於知識發達的結果，遂排去種種妄信妄念；又因一般人醉心於物質生活之故，遂極力提倡精神生活，這時候對於人生之考慮，不似從前那樣單純的而且低度的，就是生活上感著貧困或壓迫，以為這不是無因而至，必有所以招致貧困或壓迫的理由在裏面，便不斷地去探索這個理由。還有一層，這派人把精神看作萬能的，以為凡事都可以用精神去支配，便一切問題都不難迎刃而解。三，物質上精神上過度發達的原因。人所以為萬物之首出，就因為人有和萬物不同的腦和手；

9　詹姆士（W.James, 1842-1910），美國實用主義的奠基人和早期代表。

但是由物質文明發達的結果，我們的手足都成為機械化；不僅是手足，便是五官，都漸漸減了作用。眼所接的都是些精細或閃爍一類的東西，於是目力就不及從前了；耳所接的都是些雜沓或霹靂一類的聲音，於是耳力又不及從前了；推而至於全身之構造，都莫不日見退化。至論到腦，那更退化加甚。神經過敏，不平懷疑的心念，日深一日；情緒渙漫，意志薄弱，訥爾導（Nordau）[10]所陳述的變質者和「希斯特里亞」（hysteria）[11]患者幾種特徵，都一天一天地增多。這樣看來，人類所以成功原靠腦和手，如今卻將要淘汰在腦和手裏面。今後的情形雖未可測，然總不會向好的一方面走，卻未嘗不可以預斷。況且據統計學家所報告，快要到農田產量供應不上、食物不足的日子了，人類終究逃不了滅亡，因此有一般人常起一種意外的恐慌。這三種原因確是惹起一般人注意人生問題的重要點。因此對於人生便有幾種不同的看法，而厭世觀、樂天觀等就因之而產生。本來討論人生問題的，大概分三派：一派是厭世說（pessimism），一派是樂天說（optimism），一派是改善說（meliorism）。厭世說完全否定人生，以為現世不過是些未掩埋的枯骨，絲毫不必留戀。像蘇格拉底、柏拉圖、基督、福祿特爾福[12]、盧梭、卡萊爾（Carlyle）[13]、叔本華、哈特曼

10 又譯為馬克斯·諾度（Max Nordau, 1849-1923），出生於匈牙利，是一位醫生，又是政論家、作家。著有政論《變質論》(《退化》)、小說《感情的喜劇》等。

11 現一般譯作「歇斯底里」。

12 祿特爾（Voltaire, 1694-1778），即伏爾泰，出生於巴黎，原名弗朗索瓦馬利·阿魯埃，伏爾泰是他的筆名。法國啟蒙思想家、文學家、哲學家，18世紀法國資產階級啟蒙運動的旗手，被譽為「法蘭西思想之王」、「法蘭西最優秀的詩人」。他提倡天賦人權，認為人生來就是自由和平等的，一切人都具有追求生存、追求幸福的權利。

13 湯瑪斯·卡萊爾（Thomas carlyle, 1795-1881），蘇格蘭散文家和歷史學家，英國19世紀著名史學家、文壇怪傑，被尊為「切爾西的聖哲」(切爾西是英國倫敦文人名士聚居的地方)。他一生著述甚豐，散文、評論、歷史、社會批評無不涉獵，是一位極為關注社會現實的作家。主要作品有《法國革命》、《論英雄、英雄崇拜和歷史上的英雄業績》、《過去與現在》等。

（Hartmann）[14]一流人都是屬於這一派。樂天說完全肯定人生，以為人世是充滿善和美的一個樂土，像希臘古代哲學者黑拉克里特斯（Heraclitus）[15]、亞里斯多德等以及笛卡兒、斯賓諾莎、康德、菲希特、謝林[16]、黑格爾、詩來馬哈爾、弗里德里希・帕爾遜（Paulsen）[17]、斯賓塞爾一流人，都是屬於這一派。改善說以為前兩說都犯了走極端的毛病：如照樂天說，便不免流於放任；如照厭世說，又不免流於消沉，因起而折衷二說，為人生立一正鵠。這在大多數學者都無異辭，用不著舉出代表者的名字。不過此派的創始，不能不推喬治・愛裏阿特（George Eliot）。統上三大派觀之，無論哪一派裏面，都包括不少相異的根據；雖在同派，而所根據的也不一致。譬如安塞姆（Anselm）由主意的見解講樂天；梭麥士、湯瑪斯・安葵奈斯（Thomas Aquinas）[18]由主知的見解講樂天；叔本華、哈特曼由哲學的思索講厭世，霍布士[19]由倫理的見地講厭世。由這些根據所形成的厭世觀、樂天觀等，都可算是些解決「人生之謎」的鎖鑰。與上面所述由三個原因而產生的厭世觀樂天觀等，實在同為研究人生問題增加了不少的考證。人生觀經了這許多考證去推求，或許容易發現人生之

14 哈特曼（Heinz Hartmann, 1894-1970），出生於德國，醫學博士。二戰爆發後，移居美國，研究自我心理學，主辦《兒童精神分析研究》雜誌。曾任紐約精神分析學會會長和國際精神分析協會主席，被認為是二戰後精神分析自我心理學方面最著名的理論家、自我心理學之父。

15 黑拉克里特斯（Heraclitus，約公元前540～公元前480），古希臘哲學家、愛弗斯學派的創始人。列寧稱其為「辯證法的奠基人之一」。

16 謝林（Friedrich Wilhelm Joseph von Schelling, 1775-1854），德國哲學家，德國唯心主義發展中期的主要代表人物。

17 弗里德里希・帕爾遜（Friedrich Paulsen），德國著名的教育家、哲學家、倫理學家，著有《倫理學原理》（蔡元培譯）、《德國教育史》等。

18 湯瑪斯・安葵奈斯（Thomas Aquinas，約1225-1274），中世紀意大利神學家、經院學家、基督教哲學家。

19 霍布士（Thomas Hobbes, 1588-1679），英國哲學家。

真諦。但我的意思，對於這幾種說法，都有不滿之點。因為他們所講的，都是價值的問題，不是存在的問題，都是「不可不這樣」的問題，不是「本來是這樣」的問題。樂天觀厭世觀云云，乃是計算我們活在世間值得不值得的問題，這和柏林大學教授黎爾（Riehl）[20]一類的見解不相出入。黎爾在所著《現今之哲學》內論〈人生觀之問題〉一文，完全不出這些「價值批判」的見解。但近來學者多不主是說，像倭伊鏗（Eucken）[21]便另具一副眼光，不是這般狹隘。他以為人生觀乃是理想上人類生活的性質。這種說法，較黎爾確勝一籌。不過我對於人生的看法，卻另是一個出發點。我以為我們赤裸裸的面目，只是盲目的生，換句話說，就是一種「生的衝動」。正和飛蛾撲火一樣，飛蛾只顧向燈光撲去，不管自己所受的影響如何，我們只是朝著「生」的一條路子走去，不管作聖作狂，為賢為不肖，結果非達到表現「生的衝動」不止。英雄的征服欲，學者的知識欲，詩人的感情激昂，小孩子的遊戲衝動，老人的一息不懈，都莫不是這種「生的衝動」的結果。因為我們赤裸裸的人生，原來如此。所以那些「價值批判」的說法，都是不中用的。論人生目的的，每喜作架空之論調，如快樂說、幸福說、名譽說、動業說、道義說、功利說、自我說、愛他說、社會說、未來說等，其實何嘗是人生之本然。如果說人生有目的，那種目的必係一時的假設，如在滬江大學當學生時，便以在大學畢業為目的，但畢業後則這種目的即消失，而他種目的又隨之而起，如此演進不已，直到蓋棺之日；但回想當初，卻是為何。所以目的係

---

20 黎爾（AloisRiehl, 1844-1925），柏林大學教授，德國哲學家，康德派中的實證主義者。

21 倭伊鏗（udolf Eucken, 1846-1926），即魯道夫・克利斯托夫・奧肯，德國哲學家。早年主要從事哲學史的研究，後來轉向宗教哲學，並自成體系。1890年出版《新人生哲學要義》(The Problem of Human Life)，該書出版後至1920年共再版16次，並被譯成多種文字。1908年獲得諾貝爾文學獎，從而聲名鵲起。

一時的假設，而人生的衝動，乃人生之本然，這樣推論下去，可以知道我們人生本來無目的可說，而這樣無目的的人生，便是真「人」的人生。真人乃不受任何染污之謂，所謂「本來無一物，何處惹塵埃」。在真「人」上做教育功夫，那教育才不失其真價值。

三　教育與人生的關係

人生既是一任「生的衝動」，便不受任何羈勒，但事實上羈勒是免不掉的。就是全能夠免掉，而我們的人生，豈可就此終止，於是不能不圖生之增進與生之綿延；換句話說，就是圖生之無限。生之增進，是想在空間方面圖生之無限；生之綿延，是想在時間方面圖生之無限。但無論時間空間，在現實的世界總是有限的。生之增進，達到某程度，便不免與周邊相衝突，或與內部生理的心理的精力之極限相矛盾；生之綿延，達到某程度，便不免為生理的年限——死所阻止。所以生之無限，常常與現實世界之有限相牴觸，我們的人生到這個時候，便不能不變形。所謂變形，便如大石之下所生的草芽，無法伸出，只好婉轉委屈以求曲達旁通。生之無限就好比這根草芽，現實世界之有限就好比這塊大石，變形就如婉轉委屈以求曲達旁通；而此變形即道德宗教等之所從出。道德為調攝無限和有限的矛盾，乃使無限稍為讓步，所謂消極的解決；如與周邊衝突，便立恭敬謙讓等德目，如內部發生矛盾，便立自重節制等德目；結果為欲得到永遠之增進，故寧犧牲暫時之增進。宗教亦然，宗教為道德無可如何之又一面，為解決無限和有限之矛盾，形成一種精神狀態，導無限之綿延於超現實之世界，所以有種種變態及許多宗教的現象。又對於生之痛苦，亦歸之於超現實的關係，借宗教的解決而予以慰藉，彷彿把我們內心所抱的無限圓滿之人生，都令其客觀化。於是生之無限，終究可以得到，推而至於道德宗教以外的現象，都可用這種功利的說法；把道德和宗教以及其它現象當作功利現象——變形去說明，那生之無限，便無往而不可能。我們在這裏可以總括地說一說。生之無限，是我們本來的面目，也是我們不斷的欲求。欲達到生之無限所需的功利現象，是為第二境界。從這種功利現象更進化，把第一、第二境界都忘卻，使道德宗教等的威嚴可以獨立，好像是先天作用一般，是為第三境界。這些道德宗教更和第一境界的生結合，是為第四境界。而這第四境界，即又同時為第一境界。由此迴圈演進，教育功用即便存於第二境界與第四境界當中。所謂功利現象，換句話說，所謂變形，就完全是這種教育的功用。我們的生活至此乃日益豐富，教育和人生的關係，至此才明瞭真切。由這種分析的說法，就知道我們人生直是本來如此——盲目的生，生之無限——用不著厭世，也用不著樂天，完全離開了一切「價值批判」的見解；而教育之所以貢獻於人生，也不煩言而喻了。

以上三項，均已講明，因為諸位於教育學術，研究有素，故不敢以膚淺泛常之語相餉。今日所講，在拙著《教育哲學》中也稍稍說過。盼望諸位加以指正或批評！

對於第十屆全國教育聯合會的感想

朱經農

朱經農（1887-1951），生於浙江浦江。一九〇四年赴日本留學。一九〇五年加入同盟會。同年回國，參與創辦中國公學。一九二五年參與創辦上海光華大學，並任教務長。一九二八年起先後任國民政府教育部普通教育司司長、教育部常務次長，中國公學代校長，齊魯大學校長，湖南省教育廳廳長，中央大學教育長，國民黨政府教育部政務次長、上海商務印書館總經理兼光華大學校長。一九四八年後留居美國。一九五〇年後在美國哈德國福神學院任職。著有《近代教育思潮》等。

全國教育會聯合會是近代中國最重要的教育組織之一，對推動中國近代教育發展和改革起著相當重要的作用。一九二四年十月十五日，全國教育聯合會第十屆年會在河南開封開幕，共有十九個省區的代表出席會議。與會代表提出《取締外人在國內辦理教育事業案》和《學校內不得傳佈宗教案》兩項議案，獲大會表決通過。從此，教會教育權問題成為中國教育家共同關注的嚴重問題。朱經農此次在滬江大學的演講涉及第十屆全國教育聯合會的諸多內情，是對此次會議和二十世紀二〇年代中國教育的真實記載。

本文摘自一九二四年十二月出版的《天籟》第十四卷第五期，記錄者為朱亞松。有部分字跡不清，無法辨認（文中以□表示）。朱亞松，滬江大學一九二六屆教育科畢業生，當時在讀。他在文末還注明：「其餘如學校訓育，正當娛樂等問題，因為篇幅關係，且比較起來，又不是十分重要，所以節去。望講者、讀者原諒！」

□□□□□□□□□□□□□□□□□□□□□□□□□□□□□□□□□□□□上，組織上，全國能夠合作，這不是一線曙光嗎？今年全國教育聯合會，聚會在河南；各省代表，除了東三省的領袖因東北戰爭的緣故，新疆因為路遠的緣故，不能到會以外，其餘都能跋涉長途，按時出席。貴州某君，為了那塊地方土匪猖獗，省政府派了二營兵士護送，才得安然出境，也可算是奇聞！又浙江代表因被疑為間諜，拘留於南京兩日，後來釋放到會。所以這次各省代表，雖則大半是新人物，年紀很輕，但是能夠十分熱心，備嘗艱苦，精神因此很好。

議決底案件，想諸君統統知道了，不必再逐條解釋罷，現在我提起的，大概是頂重要的幾樁：

一　義務教育

中國目下所需要的教育，並不是培植少數的人材，目的乃在「普及」二字，使得全中國學齡的兒童，個個受些民主教育，了解國民對於國家所應盡的義務和應享的權利。我們知道一國的基礎，決不能夠建設在少數人的身上，須要靠託全體國民——群眾運動□□□□□□□□□□□□□□□□□□□□□□□□□□□好，此外各省，因為經費關係，或種種原因，進步很少。所以本屆出席代表很注意到義務教育一層，議決從一九二五年起，各省對於義務教育應當實實然然作番工夫。不但在城市裏著想，並且設法推廣到農村的社會。

（一）培養師資

（二）推廣方法著重農村教育

1 先辦農村模範學校

2 設立農村師範學校

3 農村調查

4 發展農村社會事業

二　女子教育

自從民國成立以後，女子教育進步確是很快，大有一日千里之勢，這是中外公認的吧！不過也有美中不足。

（一）男女同校，豈可以給他們同等教育，就算畢事？男女個性，也應思考。什麼是他們德性區別的地方？怎樣適應他們的個性，更非研究不可。

（二）家庭教育家庭是社會的基礎，那麼家庭教育便是一切教育的根本了。如其家庭裏沒有良好的教育，學校裏一天五六鐘點的教育，哪有成效？譬方教師天天講著如何清潔，怎樣節制，甚至唇疲舌焦，豈知學生家裏起居飲食，齷齪非常，並且雪茄煙、白蘭地，當做日常的應酬品。試問這教師所發廢的光陰和精神，有什麼大的功效？這樣看來，一方面學校家庭應該聯絡，一方面，家庭教育——女子教育一部份的工作——應該改進才好。

（三）職業教育婦女運動極大的目的在「平等」。但是要達到平等的目的，決非紙上空談能夠成功。隨便你怎樣喊——自由呀，解放呀——假使沒有鞏固的基礎——腳踏實地——那麼仍舊等於不喊一樣！中國女子在社會上、政事上不能和男子立在同等的地位。推厥其故，經濟依賴 Economic Dependence 實在是一個大原因。所以女子經濟獨立，也是時人□□□□□□□□□□□□□□□□□□□□□□力提倡。

三　學校調查

近幾年來，在通商大埠，私立大學雖然增加，好像春花怒放一樣，只北京一處，大學也有數十所。有些學校，果然認真辦理，但是也有不少學校，營業性質，實非取締不可。所以此屆聯合會議決，把私立大學，應詳細的調查一下子：

（一）學校經費

（二）學校科目

（三）教員資格

（四）學生程度

四　規定學額

國立大學入學考試大都很嚴，邊遠省份投考的學生，往往落第；每年錄取新生，省份分配頗不均勻。因此聯會議決，以後國立大學招生的時候，對於各省，特設名額，俾機會可以均等。要曉得學生的程度不免降低了！什麼是大學？大學是高等學府，研究專門學術，培植專門人材為目的，這樣辦法，恐怕要降低程度，所以□□□□□□□□□□□

□□□□□□□□□□□教會學校，議案已經通過，（一）教會學校應當向中國政府註冊；（二）教會學校應當施行中國教育方針；（三）未註冊教會學校畢業生不得享同等權利。註冊是應該的，不過學校中不談宗教，事實上恐怕難於執行。

(一)議案動機

現在議案已經通過，無挽回底可能。是否能夠實行，這是一個困難的問題。不過我們應當知道這議案的動機在什麼地方，為什麼外界對於教會學校不能信任，甚至反對？內中總有一個道理。照我個人目光看來，不外乎「誤會」兩字。

1 辦教會學校的人，因為大概是外國人，不熟悉中國的情形——風俗、習慣、潮流、需要，很多內地教會學校不能容納中國教育界的建議，自尊自大，於是漸漸地隔膜起來，無形中不免有衝突的地方了。

2 社會輿論教會學校的學生（不是全體），他們求學的目的，要多識幾個ABCD，多講幾□□□□□□□□□□□□□□□□□□□□□□□□□□□像拋到九霄雲外一樣，甚而至於上國文課的時候，當作休息機會！因為這個緣故，教會學校畢業生國文程度，比較起來，總覺太淺，天然社會上有一種反對的聲浪來了！

(二)宗教教育

宗教教育，在美國公立學校，確已取消；在私立學校，仍舊照常訓練。試觀中國情形，不是大同小異麼？我想教會學校講解聖經，並無大妨礙。我們知道「信仰自由」，學生到教會學校讀書，他們對於宗教，到底信仰與否，這是個人可以作主，學校決不能強迫。況且宗教原則——平心而論——足以提高青年人的道德，安慰青年人的情感。既有很大的幫助，我們為什麼要起來反對宗教教育呢？

(三)解決方法

解決這個問題的方法，不外乎兩端：一方面辦理教會學校的人，應該了解中國的情形，改去他們傲慢的態度，變成合作的精神；一方面，教會學校的學生應當自己覺悟，注重國學——保守本國的國粹——不要說這是老生常談，沒有意思——確是治膏肓的藥石呢！

五　庚子賠款

這次開會，對於庚子賠款問題，很多建議，大半的時間，恐怕就費在這問題上。結果議決（一）用度，大部份的款子用來辦理義務教育；其餘用來推廣平民教育、科學教育等；（二）分配款子，用百分之十辦理屬於國家的教育，百分之九十，辦理屬於地方的教育；（三）組織：A. 全國委員會，B. 中西董事會，C. 各省委員會。

中國基督教教育問題

程湘帆

程湘帆，安徽蕪湖人，生於一八八七年（清光緒十三年）五月二十日，早年喪父，靠母親養育成人。曾就讀南京金陵大學，獲文學士學位。後留學哥倫比亞大學，獲得教育學碩士學位和師範學校教員證書之後回國，出任金陵大學國文系主任和東南大學教育學教授。一九二四年九月，前往上海，受聘為中華基督教教育會副總幹事，負責編輯出版中文刊物《教師叢刊》，併兼任大夏大學教授。程湘帆是中華教育改進社公民教育組成員，也是好幾期《教務雜誌》的編委，在《教育雜誌》、《中華教育界》發表了多篇有關教育學的文章。著有《小學課程概論》、《教學指導》、《演講學》、《中國教育行政》、《當前基督教教育之三大問題》等。

本文摘自一九二五年三月出版的《天籟》第十四卷第十期，由閻人俊、左景鑾記錄。閻人俊，滬江大學社會學系一九二五屆畢業生，後留校任社會學系助教。左景鑾，左宗棠曾孫，滬江大學工業化學專業一九二六屆畢業生，當時在讀。後留學德國，獲化學博士學位，曾任上海第一醫學院教授。

記錄者在文末稱，本講演發表於一九二五年三月一日，又說：「本篇是演講會後一星期才照當時速記稿寫下來的，錯誤和遺漏地方，要請讀者和程先生原諒。」

鄙人覺得很榮幸，可以有機會和諸君討論到中國基督教教育問題。什麼是基督教教育呢？基督教教育就是一般西國傳道使設立的學校。這種學校的經濟是獨立的，行政方面也是由傳道使與教會共同負責，不歸中國政府管轄。我們都知道近來國內反對基督教教育的運動，一天比一天推廣了。這實在不是一件可以輕忽的事。因為有許多反對和作反對派底領袖的，都是曾經在教會學校裏念過書的，或是曾作過基督徒的人。結果，反對基督教儀式的，就是和我們一樣，曾在禮拜堂作過許多次數禮拜的人。反對《聖經》的理由，就是他們好幾年在聖經班裏研究《聖經》所得來的理由。反對基督教教育的，也就是曾經受過基督教教育的人，所以我們實在不得不把這個運動，來仔細研究分析一下子。

現在反對基督教教育的人，大概有三派。第一派是教育家。他們反對的理由就是在一個獨立的國家裏，同時不當有兩種教育機關和制度。在中國呢，尤其是有礙於國家的統一。若是教會一定要辦教育，那麼，所有的學校，必須向政府註冊，採取教育部所頒行的條律，也向著國家教育的一面走去，方才可以。這種人尚是有一點建設思想的。第二派人是破壞的分子。他們的目的，是要借反對某種事情上，博得社會一部分人底同情，以便宣傳他們的主義。所以他們說，教士都是贊成資本主義的人，不過要用教育為其侵略政策的工具，就是了。第三派人，是主張收回教育權者。他們以為教會教育就是一種文化侵略。政府應當急速設法收回。但我們知道，「文化侵略」這名詞，實在有一種特別的意義和範圍。最初是單指南滿洲的日本學校而言。因為在南滿洲日本立的學校裏，所用底教員，所有的課程，全是純粹照日本制度。並且不准說中國語言。所以說是「文化侵略」。而在基督教設學校裏，則沒有這種情形。不過反對教會教育者，要把這名詞用到基督教教育上就是了。但也很動聽，有許多人附和他們。

以上都是反對的一方面，現在讓我們看一看，教會教育的自身，究竟有什麼價值？對於中國究竟有何貢獻呢？我以為第一點，教會學校乃是中國唯一的普及教育底工具了，教會學校在過去時代，已經輔助國立學校不少。而當現在政局紛紜不定的時候，仍然能夠安穩求學，不為政潮所影響的還是要算教會學生。然則教會學校，雖是有許多缺點，和不滿意的地方。而中國教會得以不絕如縷，豈非仍是靠教會學校麼。教會學校，在將來必仍立於私立的地位，在國立教育停頓的時候，來代作普及教育的工作。第二點，教會學校與國立學校之不同，是教會教育能以基督教義為中心點，教授聖經道德，來創造健全的人格。中國目前最大底危險就是，歐美新文化潮流大批輸入，而青年人舊有道德宗教之藩籬，於以撤去，而又沒有善後的辦法。可是，教會教育仍能在此新潮澎湃中，使我們有一個道德的標準，並用極大的助力，使我們易於達到這標準，這實在是國立學校所不能及的地方。所以現在有許多教育家，要討論「用何種方法方可補救普通學生，使他們雖沒有聖經的教授，而仍能夠表現他們的宗教精神」。這是一個很有討論價值的宗教教育問題。

雖然如此，我們仍然不得不承認，中國的教會教育確是有許多缺點，而說出幾種對於教會教育所希望的事來。因為當現在這種反基督教教育運動劇烈的當兒，正是教會學校改良的好機會。（一）教會學校必須立案。不過是時間遲早的關係罷了。（二）教會學校的課本問題。現在有一大部分，因為我們缺少本國人才和中國教科書的原故。除科學為一種世界的學術，各國都有自己的名詞和教科書外。這種課程如公民學、社會學等，都是請西國教員教授，並用英文的課本。這實是不滿意。因為美國的人，哪能很適當的教中國人如何為中國的公民呢？雖然目前無法補救，將來總希望可以有中國人才出來擔任，並少用外國文字的課本。（三）教會學校應當注重國文。因為職業的需要，總是以國文為中心的。我並且希望，教會學者能多有文學方面的貢獻。現在普通的學者，大概每人都看過一兩本佛經的，幾乎以不看佛經為不時髦的舉動。這豈不是可以證明，佛教之所以能在中國推行，占大勢力，是為了歷代文學界的人，已竟漸漸把佛教的微言奧旨，都融化包蘊到中國文學裏面。而現代的人，因為佛教與文學有特殊的關係，就容易研究和明白佛教的道理麼。可是，在現代出版物中，能代表耶教真精神的，有幾種呢？可以說極少極少。我常以為教會的新生命，不在教育，而是在於文學方面。耶教須有文學的推行，自然能減少許多的困難了。

教會學校若能夠改善現有的缺點，並註冊，則第一派反對的人，自然無可反對了。社會上漸漸徹底了解，教會教育之目的。則第二派反對者，自然也無可藉手。若辦基督教教育的人，皆能在行事上，顯出基督徒真精神，以基督的人格為標榜。那麼第三派，恐怕也漸能領悟，具更和平的態度了。中國基督教教育的前途，就是要以今日一般教會學校學生的態度為轉移。推廣之改善之的責任，也是在乎今日的學生的肩頭上。我很希望我們能與西國人合作，以冀能共濟於成功之域，而為中國前途創造無限的幸福。

教會中學國文教學問題

孟憲承

孟憲承（1899-1967），中國現代教育家。一八九九年九月二十一日生，江蘇省武進縣人，早年畢業於上海南洋公學中院和聖約翰大學。一九一八年留學美國，入華盛頓大學專攻教育學，獲教育學碩士學位後又赴英國，在倫敦大學研究生院深造。一九二一年回國後，受聘於東南大學任教授。一九二三年，受聖約翰大學校長卜舫濟之邀，前往任教。之後的一個時期，孟憲承先後在浙江大學等國內多所知名高校任教，後專任華東師範大學首任校長，一九五六年被評為一級教授。今華東師範大學設有「孟憲承書院」。

本文摘自一九二五年五月十五日出版的《天籟》第十四卷第十四期，由陸淵、邱培豪同記。邱培豪是滬江大學一九二七屆政治係畢業生，浙江湖州人，當時在讀。陸淵生平不詳。

一

近幾年來，社會上對於教會中學的國文教學，常有責難的論調。就在教會學校自身，也感覺到這問題的急迫。究竟他的現狀如何？改進的方法怎樣？我們非探本溯源，先了解教會教育歷史的背景，不能作合理的解答。

教會學校，最初原是很注重國文的。為什麼呢？因為教會目的，既在傳佈宗教，而要拿一個外來的宗教信仰，宣傳到中國來，非用中國的語言文字是不易普及的。五十年前的教會教育家如丁韙良[1]、狄考文、林樂知、傅蘭雅等，都很通曉中國語言文字。而且在一八七七年，他們曾組織委員會，想著手編輯各科教科書，用中國言文介紹西洋科學，眼光很是正大。到晚清廢科舉，設學堂，教外國文字，二十年來，教育思潮，愈演愈進。而教會辦學既早著先鞭，到了中國需要西洋文學和科學的時候，當然也不落後，繼續的跟著推廣。所辦的學校，外國文教得好，功課管理都很認真，培養的人材也有一種實用，因此很博得許多人的同情。據民國十一年歐美教育考察團報告，教會在華所設中學和師範，共有三三九所，在中國教育上，占著一個重要的地位。這種突然的發展，一方面我們要欽佩那教會教育家的慘澹經營，一方面我們也承認他是時勢和環境所造成，並沒有依照什麼預定的方針和計劃，這一點歷史背景，是今日觀察教會教育者所不可不知道的。

二

現在要談到國文教學的狀況了。一個學校的三要素，是課程、教師、學生。我們就從這三點來討論教會中學的國文教學。

---

1 美國基督教長老會傳教士，字冠西，號惠三。1846年畢業於印第安那州大學，入新奥爾巴尼長老會神學院研究神學。1849年被按立為長老會牧師。熟諳漢語，善操方言，1850-1860年在中國寧波傳教。創辦北京崇實中學（即今北京21中學），並在1865-1885年任該校校長。1865年為同文館教習，1869-1894年為該館總教習，並曾擔任清政府國際法方面的顧問。1898-1900年，任京師大學堂總教習，官至二品。曾參與起草《天津條約》。

（一）課程

要講課程，先問一問編制課程的人是誰呢？當然是外國教士了。以前說過，在教會初期，教士對於中國言文、習尚，很是注意，比較不甚隔膜。到了教會教育突然進展，從外國派來的人數驟然增加，教士的事務驟形繁重，自己漸沒有工夫來講究中國的言文，而且中國學生多習英文，往往也無須再學中國的言文。這一來使他們對於中國已往深厚的文化遺傳，和現在劇變的思想運動，缺乏了充分了解的機會。所辦的教育，也逐漸的畸重畸輕，所定課程，多數把「西文」和「中文」分成二部。「西文部」仿照外國中學課程，而有時連中國歷史、地理等科，也包括在內，也用英文來教。功課已很重要了，再加上「中文部」那個中文課程，就好似額外的贅疣的了。況且，還有少數學校，連升級和畢業，都是兩部分算。形式上還是中西並重，而實際上喧賓奪主，國文已摒之正課之外了。

（二）教師

課程既然偏重西文，學校經費也大部分用在西文部上，所以國文教員的待遇，非常的薄。所聘的人，不少時代落伍的老先生，既不能得青年學生的信仰，當然也沒有管理學生的能力。教會學校國文教室裏的滑稽狀態，不一而足，也不必描畫了。加以這種教師，自覺在外人雇用之下，對於學校當局，情意不通，一切隔膜，只要俯首下心，敷衍過去，也說不到師嚴道尊了。

（三）學生

講到中學的學生呢，他們方在青年期，在心理上是最容易感受印象，最會變化的。他們在那種課程和教師之下，對於國文怎樣會有興趣？那濃厚的西洋式的環境，有很大的暗示力。孟子所謂「一齊人傳之，眾楚人咻之，雖日撻而求其齊不可得」，是很對的。又況英文功課，那樣偏重，即使有特別的個性，感覺國文上的興趣，也沒有時間和餘力去旁及呢？對於青年，我們原不能苛求責備的。

從以上課程、教師、學生三方面觀察教會中學的國文教學狀況，結果是怎麼樣呢？中學畢業生的出路，不外升學和職業。而教會學校的課程既與普通公私立中學不同，升學也就以教會大學為原則，升入國立大學很有問題。職業呢？因為通英文似乎很便利。其實除了郵政海關洋行以及教會小學以外，稍需應用中國文字和文化常識的地方，也格不相入。這樣說，豈不是升學職業，並見形格勢禁嗎？所以不待人家打著「文化侵掠」、「摧殘國性」等口號來唱「收回教育權」的高論，就從教會教育事業本身而言，這中學國文教學，已非積極改進不可了。

三

講到改進，頭緒很繁。我們仍舊可從上面三點，概括為三大綱：（一）改變課程的內容；（二）改換教師的人選；（三）改造學生的心理。

（一）怎樣改變課程的內容呢？

具體的講，就是要採用中國所定的學制課程。學校辦在中國，學生是中國人，與普通學校不同的，僅在以基督教精神陶冶學生人格的一點。當然不能因為注重宗教上的陶冶，而把學校課程，統行特別編制。究竟所謂課程，究竟不過是人生經驗中的材料。宗教信仰，在教會學生，認為是人生經驗中重要部分，但是其它生活經驗，如職業、公民、文化等方面，教會學生，不能和其它學生有什麼根本分別。因此理由，我主張現在教會中學，應完全適用中國新學制課程。在初中裏，公共必修科一百六十四學分中，除外國語三十六學分外，各科均用國語教學。高中分科選修，性質較專門。中國所有各科課本和參考書，或還沒有西洋完備。而且教會學校教員，許多是外國人。暫時過渡，未嘗不可用英語教授。但高中公共必修科中，如人生哲學、社會問題、文化史等科和一國的歷史文化有關，也不能不用國語教授。這個全部課程改組了以後，才可談到改良國文教材的問題。準照自由發表思想、閱讀古書和欣賞中國文學三個目的編配教材，自然不至如以前用《東萊博議》[2]、《古文筆法百篇》[3]等的淺陋而不合現代思潮，空泛而不合學者的興趣和需要了。

(二) 怎樣改換教師的人選呢？

國文教員，是最難請的。單有舊學而沒有新知識不懂新方法的人，固然不算理想的國文教師。而新的學校畢業生，似乎領解新方法了，對於國文的學識，又往往不夠用。所以要兼有舊學識新方法二者之長，已經很難了。而在教會學校，這時方在改革，步步須戰勝困難，教師又須另有兩種資格：一是積極負責的精神，二是管理學生的能力。合於這樣標準的教員，非有相當的待遇，是不能羅致的。所以經費支配，先須改弦更張了。羅致了恰合標準的教員，教授方法問題，即可迎刃而解。Foster 說得好：「方法不是遵守著什麼固定的刻

---

2 南宋呂祖謙的史學著作，又稱《左氏博議》。因呂祖謙號東萊，人稱「東萊先生」，故亦稱《東萊博議》。

3 清李扶九原編，黃仁黼校訂。所選古文以時代先後為序，以「筆法」名書，立意於古文之寫作技法，收有〈可樓記〉、〈客山記〉、〈吳山圖記〉、〈豐樂亭記〉、〈馬說〉、〈愛蓮說〉等古文，多為名家名篇。

版的程序，乃是在教學上運用教育的原理而已。」運用原理的是人，有了人，斯有法了。

（三）怎樣改造學生的心理呢？

現在教會學校的國文，只有先生教，沒有學生學。以後改革，須側重學生自動的學習。教師的職務，只在引起學習的動機，指導學習的方法，考查學習的成績。學生國文成績不好，不能專歸咎於先生，自己的努力是要緊的。我想倘使在辦學者一方面，從課程、教師兩層，切實改進，學生方面，再加以誘掖指導，心理的改造，諒也不難。如果「法語之言」「從而不改」，「巽與之言」「說而不繹」，那麼連孔夫子也說「吾未如之何也已矣」。在教育上對於這等學生，有兩種辦法。一是嚴定入學考試的標準，使不能率教的人不得入學。一是嚴定考查成績的標準，使已經入學而不率教的人，淘汰出去。

四

關於以上種種，有人要有一個疑問，即是恐怕辦不到，理論不就是事實，坐而言的不就能起而行，又將怎樣呢？對於這一問，我只有一個答覆，就是，這要看以後教會教育，採取何種方針。沒有適當的教育方針，原用不著支支節節的改進國文教學。我上面說了，教會教育的特異發展，一半是時勢和環境所造成，而沒有什麼確定的方針和計劃。這不是我一個人的武斷，貴校教授韋雅各博士[4]所著《Christian Education and National Consciousness in China》一書中第三章，「論基

4 即韋雅谷（James Benjamin Webster），里士滿大學文學士、克羅澤神學院神學士、哈特弗德教育學院博士，1913-1925年任滬江大學教授，其中1918-1925年任教育學系主任。

督教教育的目的」，就是如此說法。他說結果與目的不同，有結果，不一定就是有目的。他說教士從神學院裏出來辦學，所學的神學、哲學、希伯來文、拉丁文，不能給他們什麼教育的眼光。他說這種事實，應當同情的、勇敢的、謙卑的承認。這種議論，是最使人感動的。

以後教會教育方針的問題，據私見看來，就是，是否把教育單看作傳佈宗教的工具，還是認教育自身有他的目的，而除了宗教的方面以外，還須兼顧到職業、公民、文化等方面的需要。如採後一種方針，則我所說的改進國文教學方案，實行也不難了。可是方針是要各校採定的，各校所屬的教會不同，各「差會」的眼光政策不同，談到方針，當然不是我們在某一教會學校當國文教員的人，所能越俎代謀的。然則改進國文教學的總關鍵何在，也不難明白了。我們就事論事，討論國文教學問題，也就只可以此為止。

以上是客觀的討論大多數教會學校的，自然少數極優良的學校不適用我的批評。如貴校的附屬中學，現在有中國教育家主持行政，又有中國教育家專任指導國文教學，為全國教會學校的模範。我們方表示十分的敬意，更從哪裏來批評？這須請諸君分別觀之，勿以辭害意為幸。

明年之日蝕

斯戴生氏

本文摘自一九二六年一月一日出版的《天籟》第十五卷第七期，由俞伯霞摘記，於一九二五年十二月三日晨完成整理。文末的「記者附識」中寫道：「科學家之口吻，庸人聞之，竟以荒謬怪談，而似不足取信者。噫！人類知識誠如牛頓所謂猶小孩在海邊上拾一粒沙。昂首自傲輩見之，敢問作何感想！」俞伯霞，滬江大學學生，生平不詳。

美國哈佛大學天文學系教授斯戴生氏（Prof.Statson），偕其友來亞洲南部之蘇門答臘，考察明年之日蝕。該氏近日抵滬，本校汪教務長[1]請其來校演講。該氏天文精博，言語詼諧，並佐以日蝕之幻燈影片，使同學滿載而歸。其所講大旨，可分四段錄後：

一　日蝕之理

斯氏謂昔日世人不明天然界現象之原理，故嘗以迷信妄談來誤解。如日蝕一端，謂太陽被天龍或天狗所吞噬（月蝕亦然），故人們必須鳴鑼放爆，將天龍或天狗嚇走，日光始能復初。而後天文學興，

1　即汪宗海（Charles Hart Westbrook），麥瑟大學文學士、哈佛大學碩士、哥倫比亞大學教育學院博士。長期任職於滬江大學，1921-1927年任教務長，1912-1914年、1946-1948年任英文系主任，1925-1926年任教育學系主任。

若遇日蝕，不鳴鑼放爆，稍頃，日光亦復出。從此即逐漸推詳其理。吾儕今日始知其理非常簡單。總言之，月亮每月環繞地球一周，有時月亮經過太陽與地球之間，將太陽遮沒，其影移到地球上，在此月影內之人遂見日蝕。如下圖。

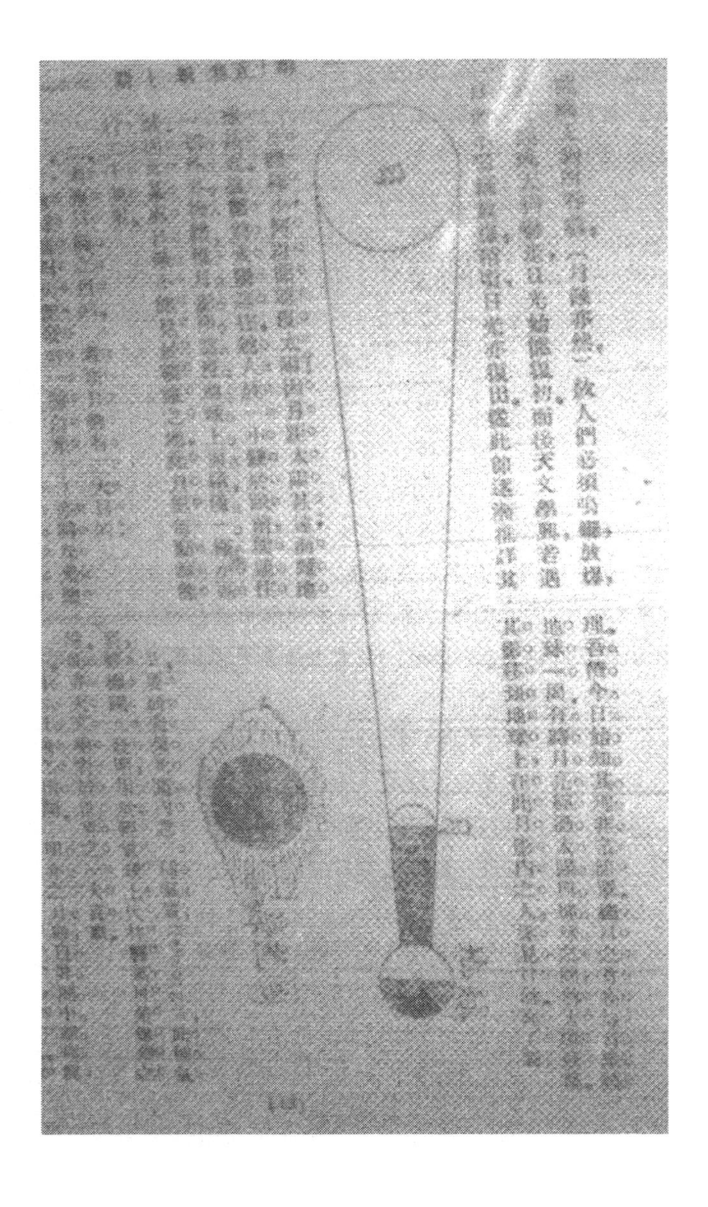

月體極小何以能遮沒太陽？因月距太陽甚遠，而離地球甚近，故能將太陽遮住。猶人放一小錢於眼前，能遮住一切外界物體。惟月影所遮沒地球上面積僅一極小區域，因此某處日蝕不能見於較遠之地。此月影每點鐘能行兩千英里。

二　考察日蝕之目的

考察日蝕有兩大目的：

（一）日蝕時其四周圍發射一種白光，亦稱榮光圜（Corona）。如圖。此種榮光圜，天文家尚未詳悉其真相與內容，因其變化年年不同，發射之時間亦短長無定。去年之日蝕見於合眾國之東北部，僅延一百數十秒，不克詳細研究考察日蝕，即欲研究此榮光圜。

（二）要研究榮光圜內之一種氣質（Helium gas）。此種氣質經德國人發明，用於輕氣球上，代替輕氣可免爆裂之險。此亦天文學對於世界之一大貢獻。

三　明年日蝕之預測

明年之日蝕自非洲中部起經印度洋蘇門答臘及南洋群島至太平洋一帶，均可見，惟蘇門答臘西部考察最宜，故斯氏直赴該地。日蝕之日期在一九二六年（明白）陽曆正月十四日。此次日蝕，中國亦能見其一部分，惟需黑玻璃探照，方能看見。據云三年後（一九二九年），在蘇門答臘又有同樣之日蝕。此次往該地考察，無非等候時機而已。因天有不測風雲，藉令該日黑雲漫密，則斷不能日蝕，然而亦不得不冒險而往。明年往該地之天文考察隊共有三隊。

四　斯氏此次考察之目的

斯氏此次往蘇門答臘考察日蝕之目的，在測量榮光圜之熱度。照往成績，此榮光圜之熱度是華氏五千度，未知明年如何？明年日蝕時間能延至三分十二秒之久，故考察必能較詳（最長之日蝕是七八分鐘）。彼攜有測量榮光圜熱度之器具，昨晚僅帶來影片。據雲此種器具亦能測量月亮及星辰之熱度（北斗星之熱度，以一匙冷水曝於北斗星下數百萬年，方得華氏一度之熱度）。

社會與學校

陶行知

陶行知（1891-1946），人民教育家，民主革命家。一八九一年十月十八日生於安徽歙縣。一九一四年畢業於金陵大學，一九一五年赴美國哥倫比亞大學留學。一九一七年回國，歷任南京高等師範學校教授、教務主任等職。「五四」運動後，推行平民教育，創辦曉莊師範。一九三〇年四月，曉莊學校被查封，陶行知被迫避難日本。一九三一年春，陶行知返回上海，任《申報》總管理處顧問，對當時《申報》的革新起了相當大的作用。一九三二年起，陶行知先後創辦了「山海工學團」、「晨更公學團」、「勞工幼兒團」，並首創「小先生制」，成立「中國普及教育助成會」，開展「即知即傳」的普及教育運動。一九三四年主編《生活教育》半月刊。一九三四年七月，正式宣佈將自己的名字由「知行」改為「行知」。「九一八」事變後，陶行知積極從事抗日救亡運動，並力所能及地繼續推進教育事業。抗戰勝利後，陶行知回到上海，立即投入反獨裁，爭民主，反內戰，爭和平的鬥爭。一九四六年七月二十五日患腦溢血逝世，享年五十五歲。

本文由姚堃（滬江大學1933屆教育系畢業生，當時在讀）、曾寶荀（滬江大學學生，專業不詳，當時在讀）記錄，摘自上海理工大學檔案館館藏、一九三二年十月二十三日出版的《滬江大學周刊》第二十卷第一期。

社會即學校。從歷史上講，學校可分成三個時期。第一時期為社會是社會，學校是學校。在此時期，學校與社會是不發生關係的，社會上只管有水災，有外人侵略，但是學校的先生仍是教死書，教書死；學生則死讀書，讀死書，讀書死。不但學校與社會是相隔閡的，就是先生與學生中間，也有很大的隔閡，連彼此討論的機會都沒有，所謂「假師生買賣在書本，如果要打倒，因少給幾分」[1]。這是因為少給了學生的分數，所以學生要打倒先生。

第二時期為學校即社會，學校社會化。最近二三十年來，杜威主張學校社會化，先生與學生在活動上交換經驗，一般人受著這種學說的影響，於是產生了兩種現象：

一　學校的組織都照社會的組織。如社會上有市政府，學校亦設立市政府，社會上有公安局、衛生局、銀行及郵政局等，學校亦照樣的有公安局、衛生局、銀行、郵政局。這種影響不易見於大學，但易見於小學、中學，學校內的活動，完全社會化。

二　彼此合作。師生間的界限，不如昔日之嚴，先生與學生可以打球、賽跑、遊戲。這種學說，與制度之改變，亦有他的缺點：學校即社會，想把整個的社會縮小搬到學校裏來，不是容易做得到的。好像以小籠代替山林，以池子代替水澤，將鳥魚捉到小籠裏，放在小池裏，將鳥魚獸捉到屋裏來，這如同我們將社會捉到學校裏來一樣，試問籠中的鳥與天空的飛鳥同不同？山中的虎與籠中的虎同不同，他們是不同的。因為失去了自由，當然不如在山中在天空的自由，所以小學校的市政組織，也是很勉強，很不自然的。在第二時期將社會搬入學校，試問講臺、凳子、黑板是如何的枯燥，怎麼可以將社會關入這種小課堂，豈不是像池魚籠鳥嗎？

1　此處記錄有誤。全文應該是：「假師生假師生，買賣在書本；一旦要打倒，只因少給分。」

第三時期為社會即學校。學校為一群童子，整個的社會為我們的學校。所以至第三階段時，我們立刻覺得教育的豐富偉大，同學、教師是多極了。我有一首詩來代表此意：

宇宙為學校，自然是吾師。
眾生皆同學，書呆子不在此。[2]

自第二階段至第三階段的手續就是「拆牆」，使學校的人，自由地往社會去，社會的人，自由地到學校裏來，使人不知學校與社會的分別，學校如社會，社會如學校。我有一首詩說：

誰說非學校，就是非學校。
依樣畫葫蘆，未免太無聊。

什麼叫做「拆牆」？我也有一首詩：

人人都說路不通，走到水盡山又窮。
萬山重疊何處是？障礙都在此心中。
拆牆須要拆心牆，拆得心牆天自空。
大家都來拆心牆，問路要我做先鋒。

此詩代表拆「心牆」主義。我非唯心主義，不過為什麼要拆心牆，因為「心」乃代表我們的感情和思想。我們要改造思想，便不可輕視窮人，我們吃農人的米，但我們不恥他，工人替我們做工，也不

2 這是陶行知在〈兒童科學教育〉一文中提到的一首白話詩。

恥他。這種（輕視農人、工人的）思想不好，應該改變，同學與社會中人的思想圍牆要拆。口頭上講拆是不實在，要從行動上拆起，拆牆為建造新社會的第一步。從前俄國的皇宮都變為博物院、影戲院，好位置都為工人農人所有，也只有窮苦的人，可以進去享受。我對於俄國，無甚意見，無論是哪一國，只要是好的，我們都可採用。今年夏天，我穿著一雙布鞋，赤著腳，手拿一把扇子乘風涼，我也有一首詩，

赤腳穿布鞋，赤膊穿布褂。
把風一扇了，扇倒斯文架。

有一天，我赤腳布鞋的走到中央大劇院看影戲，收票人不准我進去。我問他為什麼不准我進去？他說我沒有穿襪子，我沒有說什麼，回頭一看，有個穿高跟鞋的，也是赤腳，收票的人讓她進去，我就質問收票的人，為什麼同樣的不穿襪，她可以進去，我不可進去，若是他說得出理由，我就不進去，若是說不出理由，我是要進去的。他沒有理由可說，只好讓我進去。

中國的社會是一個傳統的社會，我們須將這觀念打破。我希望滬江成為農工的社會，滬江的學生都不輕視工人。須知我們的食物，是農人的禮物，我們的衣服是工人的禮物；我們愛國須愛我們的平民，愛國即在我們四圍的村莊；做事須從近處作手，遠處作眼。

農村社會與農村教育

陶行知

本文由姚堃（滬江大學教育系學生，1933年畢業，當時在讀）記錄，摘自上海理工大學檔案館館藏一九三二年十二月十五日出版的《滬大》[1]第二十卷第八期。原編者指出：「吾們一看陶先生的名詞，就知道他是一個實行的教育家。記得陶先生演講那天晚上，大二有戲劇表演，以為本刊自會刊印的，因此都棄此而去就彼，現在急急錄出，讀者不以為太遲吧？」原來陶行知作此講演時，正趕上滬江大學校內有文藝演出，很多學生都去看演出了。因為他們都認為《滬大》會刊登講演內容。由此可見，滬江大學學生對《滬江大學周刊》的信任與依賴。

教育社會雖有分別，但從生活上講，生活即教育，教育即生活，社會不能離開教育，社會所至之處，即教育所至之處，社會制度即教育制度。今天講的題目是農村社會與農村教育。先講農村社會，再講農村教育之分析及辦法。

1 封面上印著「滬大」二字，實際就是《滬江大學周刊》。

一　農村社會

農村社會之分析，很少研究，此刻的幾個研究，極不完備，缺點很多。如中國共產黨進行的，皆根據俄國對中國鄉村之分析，究竟他們的分析對不對，要我們社會學家去回答和研究。由我們在鄉村工作的分析，農村社會無富農。要有富農，就不是農。一個人有幾百畝地，租給人用，或雇人用（村莊內有錢的人是有的，但不是農），這種不能稱他為農，他是地主。當然我們不能稱地主為農。將地主除去，在那地方只有自耕農、貧農、佃農三種。這三種的比例研究一下，窮一點的為多。自耕農有百分之四十，雇農有百分之二十，貧農有百分之四十，貧農比較多。再將農人別的方面報告一下，他們的特性是什麼？

（一）農人有一種脾氣，就是無政府。不是無政府主義者，乃自由主義者。「日出而作，日入而息，鑿井而飲，耕田而食。帝利何有於我哉」[2]。不管政治，政府不壓迫，不會反抗。所以農人完全為個人主義者。

（二）無知識——普通教育沒有受，普通學校之外的知識，如關於鄉村的常識是有的，其它國家世界的知識沒有。迷信非常深，為了迷信可以犧牲一切。家中無飯吃，可以抽一點錢上九華山去。修路不肯，若廟中做佛請酒，為菩薩生日倒肯出錢，若有人不出，不能在鄉中立足。迷信的事情，可以舉幾個例：鄉村二三里路有一個土地廟，卻沒有學堂，土地廟是一村的，人民皆為土地菩薩管轄，若是那一個

2 晉皇甫謐《帝王世紀》記載：帝堯之世，天下大和，百姓無事，有五十老人擊壤於道：「吾日出而作，日入而息，鑿井而飲，耕田而食。帝利何有於我哉？」這就是《擊壤歌》。意思是說，我過著日出而作，日入而息，鑿井而飲，耕田而食的生活，皇家的權力和我有什麼相干啊（對我有什麼功德呢）！

人得罪了土地菩薩，就問他這一村的生命財產能否擔保？蝗蟲為天上放來的神蟲，不能打的。因為不打倒可飛去，否則要吃盡稻豆。同時神蟲能分別出那一家的豆麥，不會亂吃的。

（三）農人生孩子太多，無法叫他們不要生。生第一個有紅蛋吃，生第二個，成雙，生第三個時，於未生時已愁眉，因為人太多不夠吃。朋友說他福氣好，多不要緊，接連又是第四，甚至五六個。生得多，死得也多。留的只有三四個，其餘生一人死一個。第二個生了第一個死了，第三個未生，第二個又死了。但也有不死的。這樣一來，有的人家三四個，五六個，十三四個，十七八個十九個也有。十三四個是頂少的例子。拿這件事來分析一分，生一個孩子要多少錢？很窮的人家，預備等費，要五塊錢，費的時間要三天，二天就做事（上海人家生一個孩子要一百元，一月二月不做事）。家裏若有人照應，可有一星期休息。平常人家十天。死一個小孩子，比生一個小孩子的費用要多。因為一件棺材要錢。若是生下地就死了，那倒少一點錢，但小孩多半半年或一年就死了。

中國一年要生兩千萬小孩子，費一千八百多萬元。死去一千二百多萬小孩。農村生的人多，死的人也多。在這種經濟情形之下，為什麼不少生幾個，多活幾個呢？

農村生產過度的結果是農村破產，生兒子也可以破產，生女兒倒不破產。為什麼生兒子破產呢？若是自耕農有三十畝地，有兩個兒子，至少受一些初等教育，兒子長大，兩房媳婦一討，生四個兒子。於是四口之家，變成十口之家。老頭子死了，兄弟分家，每人十五畝。兒孫子不能受教育，否則挨餓。但勉強有吃有穿。再下一代，小孩子長大四房媳婦一討，每家再生兩個，即成為八個家庭。八家分三十畝地一家只有三畝多地。那麼，沒有辦法，自已為人家做雇農。農村就發生天然的破產。現在有帝國侵入，所以農村破產後的農人，只有往城裏做工，或往城裏做生意，或在鄉下做手藝。但手藝有限，要親戚朋友介紹，同時城裏面的工廠不要工人，於是就拉東洋車。無車可拉，就去當兵。中國兵之多，中國農村人口過剩，農村不能安居，軍閥之跋扈等是大原因。雖然「好鐵不打釘，好男不當兵」兩句話力圖阻止農人當兵。中國正式兵有二百多萬，非正式的軍隊土匪共有幾百萬，都是農村人口過剩的緣故。

鄉村人民多病。我們以為鄉下人身體好，其實不然。不是這樣病，就是那樣病，病的最多的是瘧疾及寄生蟲。這兩種病頂厲害，差不多各個人年年生。南京的鄉下如此，上海的鄉下也是如此，各種寄生蟲的病使他們黃皮枯瘦。

鄉下人無錢者向人借錢，出的利錢很高，十塊錢只有九塊。三分利照十塊算，九折三分，還要有擔保。以麥擔保，明年還我麥。要照頂便宜的價，別人五元債主三元或四元，所以對折四元都要。鄉村高利是很苦的，曉莊被封後，此種情形又出現了。

江南鄉村免不了土匪。未辦自衛團以前，我們的主張是以為土匪濟貧，所以他們來時，請他們吃茶，吃餅乾吃飯，有什麼就讓他們吃什麼。以後就發現附近有發現一個土匪窩放槍。有一次土匪綁架，將一個小孩綁去，要八百塊錢贖，農人賣家當產，四方八面助成四百元向土匪贖小孩。錢被土匪取去，而小孩早被土匪弄死。當老人問他要時，他說:「你到地下去拿吧！」老人看見自己的孩子已死放聲大哭。

二　農村教育

在這種社會，辦教育應該怎樣辦法。「應當」很難說。不過將自己辦教育的情形報告如下。

農人很窮，我們也很窮，我們辦學校只有一千塊錢，什麼也不能做。大家說，只有一千塊錢，做一千塊錢的事。不能造房子，做四個布蓬開學，有客人來，在農人家裏租一個客堂。第一天住農人家，第二天開學，六個人打地鋪，還有一條牛，江問漁[3]先生也去了，牛就做招待員。露天開學，鄉下人問：「開學沒有學堂？」我們說：

天是天花板，地球是地板，
四時八節是圍牆，花草樹木是教材。
農夫農婦小孩，是先生，也是學生。

無政府的脾氣是很大的敵人，非用團體生活以糾正，不可以打破此種脾氣。此種脾氣，乃一年後所發現，也是自衛團所作成。大家都有小孩，大家都要來組成自衛團。槍不夠，於是大家買槍保衛自己的小孩和親戚，一共買了二十九支槍。無子彈不行，大家只有幾十粒子彈，於是贊成買槍買子彈，即刻買來。當時政府對於我（陶行知）很信任，於是向衛戍司令部商量，告訴他們關於土匪種種焦頭爛額的事情，於是司令部送三十枝槍，三千粒子彈，大家操練，有伍長，什長，排長，大家組織起來。若不會用槍，被土匪搶去又怎麼辦呢？於是請馮玉祥的六個軍官當晚訓練人民，若當晚有事，請六個軍官抵

3 江問漁（1885-1961），名恒源，別號補齋，江蘇灌雲縣人。近代職業教育界和中華職業教育社的一員，和黃炎培、楊衛玉並稱中華職教社的「三老」。1928年7月，受聘為中華職業教育社辦事部主任，後任總幹事、副理事長，同時兼上海光華大學、大夏大學及南京中央大學教授。1932-1950年間，任中華職業教育學校校長、中華職業補習學校校長、中華工商專科學校校長、比樂中學校長等職。1938年任重慶國民參政會參政員。1941年參與中國民主政團同盟的建立並任第一屆中央執行委員會委員。1949年9月，作為教育界代表出席中國人民政治協商會議第一屆全體會議。新中國成立後，歷任中央文化教育委員會委員、政協全國委員會委員、華東文化教育委員會委員、上海市人民代表大會代表、上海市人民委員會委員、上海市文史館館務委員等職。

禦，教人民怎樣用槍、子彈，當晚將要塞占住，小孩女人皆高枕而臥。他們膽子變大了，無政府的脾氣，也就被打掉了。

還有和平門的井。大家認為喝了水，就會太平的（故事很長從略）。開頭是人人爭先恐後的去搶水，於是召集鄉村人民會議，每家須派代表一名，不管男女老少皆可。會長為一小孩，告訴他們怎樣作主席和會場應有的規則。開會後，大家發表關於井的意見，其中老太婆說話最多，因為他們每日煮飯是要水的，同時他們都能遵守會場秩序。末了他們議決幾條：（1）要給井有睡覺的時候；（2）在五點鐘以前，十點鐘以後不准挑水；（3）挑水不准爭先恐後，照著秩序，先來先挑，後來後挑；（4）推舉監察員監視；（5）若有犯法者罰一元，作為修井之用。

打破迷信要靠科學的方法，如紅水變白，白水變紅，鄉下人以為有神，由於呼神喚鬼所致，要他曉得並不稀奇。再有無線電播音，他們很稀奇，於是解釋給他們聽，要他們自己去試。如農夫農婦在播音機前說話，在另一個地方可以聽見。用這種方法，間接地破除迷信。土地菩薩並沒有直接地要他們廢除，所以城裏人說曉莊不行，為什麼將土地菩薩留住，以為別有作用。有一個青年，將土地菩薩的頭打掉，鄉下人將他修好，但城裏的客人絡繹不絕地來，看見土地菩薩又有了，他又將他打壞多次。如此，農人也不願再修，於是做一塊牌位，作土地公、土地婆。城裏客人又來了，在土地菩薩上面寫男毛廁，女毛廁。有一次，在茶館與八個村莊代表談心喝茶，講土地菩薩的事，問他們有誰真正相信土地菩薩的站起來，再問他們為什麼信？他們說：「母親信，我也信。」又有一個人說：「見了信土地菩薩的說信，見了不信土地菩薩的說不信。」還有一個人說：「從前信，現在不信，因為將土地菩薩毀壞的人，土地神應該捉住他們，但是沒有。」因此知道相信的人少。於是，我對他們說：「把土地菩薩放在路旁邊，太不敬重，還是做一個土地廟。要將犯法、吸大煙等做壞事的人送至土地廟，要他自省幾個鐘頭。」他們都很贊成，問他們為什麼贊成？因為到公安局，非出十塊錢不能出來，若在土地廟站幾個鐘頭，倒不要出錢。

鄉下人害病，最需要醫道醫藥。鄉下人生小孩極慘，小孩不能生下，用剪刀剪。牛頓為科學泰斗，愛因斯坦對他也不懷疑。牛頓生下來的時候，只有三磅重，若在農村，必不能活。如高橋[4]接生的很好，有濟良所，醫所治病的人很多，重病可以送到城市去。在鄉村做事，不能像天主教一年兩年的等，一定要用方法。阿司匹林，金雞納丸，塗頭上的藥，都要預備。鄉下人的病多，他們的經濟問題，也很難解決。但不是全無辦法，最易幹的是組織農人，以其信用組織合作社（合作社之人與非合作社之人有別，在前者可以借錢，後者不可借）。米店的人反對在門口寫共產黨，但農人的勢力大，與自衛團差不多，有武力，所以他們不能過分地幹。談到鄉村經濟，不能不談到城裏的經濟，年成好，米不能賣出的原因是有錢的人往城內跑，白銀子也帶到城內去，怕土匪搶。平常有，今年更甚，為什麼呢？因為去年水災，到美國購麥，穀麥相比，穀價要落，美麥若來，中國的農人要沒得命。

教育不是關起門來辦，教育與社會須打成一片，若各自為謀，那是辦不了的。

---

4 高橋鎮位於上海市浦東新區北部，北毗長江口，西鄰黃浦江，東與外高橋保税區相接，南與高行鎮相連。因境內有「高橋」（又名翁家橋）而得名。

三　研究的方法

中國的教育社會是洋八股[5]，使他不變成洋八股而成為真正的學問，就是要實驗。自然科學得實驗，社會教育學科也得實驗，所以要「動」的研究法，行動即合於科學的研究法，那就是實驗。頂少要有一個實驗地，如果坐在家裏發一點問題，徵求答案，就算事實，根據事實下斷語，說這是教育學、社會學，未嘗沒有幫助，但仍須從實驗著手，在活的事實中發現新的原理。

5 八股文也稱「時文」、「時藝」、「制藝」、「八比文」、「四書文」。因為文字分破題、承題、起講、入手、起股、中股、後股、束股八個組成部分，多稱八股文。八股文是明清科舉考試制度所規定的一種特殊文體，講求形式、忽視內容，文章的每個段落都有固定的格式，連字數都有一定的限制，人們往往只按照題目的字義敷衍成文。

歐美教育之新趨勢

劉湛恩

劉湛恩（Herman C. E. Liu, 1896-1938），湖北省陽新縣白沙鎮人，出生於基督徒家庭，教育家，著名愛國人士。一九一四年畢業於東吳大學，後赴美芝加哥大學、哥倫比亞大學留學，先後獲得教育學碩士和博士學位。一九二二年，劉湛恩回國後在東南大學任教，後任滬江大學教育學教授、第一任華人校長（1928-1938）。華北事變後，參與上海文化界發表的救國宣言。為爭取國際輿論對中國抗戰的同情，與胡愈之等人發起組織國際聯誼會，積極宣傳抗日救國。盧溝橋事變後，被選為上海各界人民救亡協會理事、上海各大學抗日聯合會負責人、中國基督教難民救濟委員會主席等，積極從事支持前線、救濟難民、培訓進步青年等工作。上海淪陷後，南京偽政權欲聘其為教育部長，遭嚴辭拒絕。一九三八年四月，劉湛恩被日偽殺害，安葬在虹橋公墓，武漢國民政府電令褒揚撫恤。一九八五年四月，中華人民共和國民政部追認劉湛恩為烈士。一九九八年十二月十二日，劉湛恩墓遷往上海龍華烈士陵園[1]。如今上海理工大學校園中保留有劉湛恩故居。

1 「文革」期間，虹橋公墓被毀，劉湛恩墓也未能倖存。現在龍華烈士陵園中的劉湛恩墓是園裏唯一因抗日而犧牲的民主人士墓，實際上只有從原滬江大學故居前取來的一抔泥土。

本文為劉湛恩在某次教育學會會議席上的講話[2]，陳一冰（滬江大學政治係學生，1937年畢業，當時在讀）記錄，摘自一九三四年六月出版、國家圖書館館藏《滬大教育》第二期。北京大學圖書館也有收藏。《滬大教育》創刊於一九三三年六月，由滬江大學教育研究社出版，時任校長劉湛恩曾為其撰寫發刊詞，原計劃每學期一本，年出兩冊。

諸位，想不到今天與會的有這樣多，非常榮幸！兄弟現在把說過的都不說，但是揀精剔肥的把特殊各點向諸位報告一下。

兄弟到過歐美各國已有四五次，於教育方面特別注意，可是看不出有什麼了不起的變動，可是這次不大相同了。自從十九世紀至二十世紀，在歐美各國都有下列三個趨勢：

一，教育「化」社會。歐洲當中世紀時，社會與學校完全隔絕，與以前的中國教育方法相彷彿。但於十九世紀之初，已漸有「學校即社會」之呼聲。實為認清社會與學校之關係所致。美國尤其注意。唯是此次重臨歐美，發現彼邦人士，不單單注重於適應社會，已在利用學校與教育力量，去「化」社會，再進一步地去改良社會。假使教育僅僅去適應社會，則社會復何需夫教育？故第一種趨勢是以教育「化」社會，而已脫離教育社會化的範圍。

二，職業教育與文化。文化與職業，本為中古時代的兩大教育思潮，可是一世紀以前，各國都注重職業教育，求在生產方面，利用教育力量，得到一個滿意的結果。當時如德國，尤為出色。我國受其影響，而有實科之設立。不過近數年來，世界經濟達到總崩潰的程度，

2 這是1934年劉湛恩從歐美考察歸來後發表的講演。據西安交通大學檔案館網站，同年3月19日，劉湛恩還在交通大學做了〈歐美考察歸來後之感想〉講演。參見 http://202.117.16.53/archives/News/Show.asp?id＝1690。

此雖為資本主義經濟制度必有之現象，但生產過剩，分配不均要不失為原因之一。於是一方面限制生產，而他方面亦就職業教育予以改良，略為偏重文化。以為教育目的不在埋首案頭，去學得一種技能，做一個工程師等，而在使受學者堂堂的做一個「人」。

因之，大學編制，向來在二年級便可選科者，現在都覺得在整個大學四年全不應選科，為的是不單純謀生產的訓練，故無需乎專門人才的陶冶。故第二個趨勢為重職業教育生產技能而轉到重文化教育和「人」的訓練。

三，教育民眾化的限制。歐美各國，由普及小學教育，而進至普及中學教育，近來文明程度比較高的各國差不多都已達到是種目標。可是不景氣的恐慌，彌漫全世界，教育普及愈成功，失業的人數愈為增高，目前不是常有大學畢業生拉黃包車做飯館侍役的傳聞嗎？大學畢業生尚如此，中學的不用說了。故德國希特勒已有限制大學生意見發表，美國共有大學約七百餘所，大學生一二百萬，再不加以限制，大學畢業將更不值錢了。故教育民眾化的發達極點卻是對普及教育的限制，這可算得是第三個趨勢。

以上是泛論教育思潮方面一般的趨勢，以下再略為分析歐美初等教育，中等教育及高等教育方面的新趨勢。

先論初等教育。初等教育在歐洲主張整齊劃一，尤其是德國，在美洲重自由，最好者為實驗教育。迨一九一一年後，美國派克赫斯特（Parkhurst）[3]女士之道爾頓制研究成功，而教法為之一新。在我國

3 派克赫斯特（H.Parkhurst, 1887-1973），美國教育實驗家，道爾頓制的創始人。道爾頓制是教學的一種組織形式和方法，又稱道爾頓實驗室計劃（Dalton laboratory plan），由派克赫斯特於1920年在麻塞諸塞州道爾頓中學所創行，因此得名。其目的是廢除年級和班級教學，學生在教師指導下，各自主動地在實驗室（作業室）內，根據擬定的學習計劃，以不同的教材，不同的速度和時間進行學習，用以適應其能力、興趣和需要，從而發展其個性。此制在20世紀20年代後曾在一些國家試

大學始用參考書，中學已很少，但在美國有幾所小學中已完全廢置教科書，單指定參考書若干種，課室中亦不分前後排，僅以桌椅成圓形，圍教師而坐。課室中有的懸刺繡甚多，亦有中國的刺繡精品，蓋如此已完全打破師生間的隔膜，而收到訓教合一之效。

次論中等教育。中等教育亦漸趨向於自由方面。在德國漢堡有一所中學，便是趨重絕對自由。德國最重軍紀化的，可是已有這種嘗試，殊為難得。在英國亦有一所，則是上午讀書，下午做工，大自然即是課本，一切教育課之於實際生活之中。在美國亦有忽視課本現象，如歷史社會等，均已不用書本。

最後則為高等教育方面。大學無論在哪國，總是保守的，故在此方面改革比較的為最少。可是在美國芝加哥大學最近竟有出乎意料的改革。一向沿襲用的主修輔修制度已全部廢棄，大學教授亦不是巡警，考試時出了題目便可獨自出去，學生盡可帶書入考室，參考材料愈富愈好。且畢業的年限不一定，如大二的學生，能經過規定的考試而及格，也算大學畢業。芝加哥大學此次變革，全世界為之驚駭不止[4]。此外於讀書之餘，偏重做工者甚多，不具舉。

時間不多，諸位尚有討論，不多講了。可是有一點得附帶提醒諸位的：各國的國情不同，各國的需要亦異，在我們中國不能說歐美怎麼樣我們便怎麼樣，在中國做教授不做巡警，學生便有被開除的危

行，中國的上海、北京、南京、開封等地也曾進行過實驗。30年代後，採用此制者日漸減少。

4 此處指20世紀30年代開始，芝加哥大學校長羅伯特・梅納德・哈金斯（Robert Maynard Hutchins）發起的教育改革。哈金斯主張開展通識教育，提倡精英教育，捍衛學術自由。在他的大力推動下，芝加哥大學成了美國精英大學中的革命者，而通識教育也成為美國精英高校的標準。哈金斯的著作《美國高等教育》和「西方文化巨著」叢書成為20世紀六七十年代哈佛等精英大學的核心課程藍本。今日在中國正在興起的「通識教育」其實就源於20世紀30年代的芝加哥大學。

險；在中國生產落後，經濟恐慌不在剩餘而在不足，生產教育有提倡的必要。凡此俱足證明各國國情之不容忽視，各國特殊情形之所在，各國特殊教育精神之所繫：德國之軍國民教育不能施之於瑞士，而歐美普及教育之限制不能實行於中國。其間權衡輕重，要在座同學善自鑒別之。

怎樣準備做一個新聞記者

嚴諤聲

嚴諤聲（1898-1969），字文泉，浙江海寧人。早年肄業於上海大同書院。二十世紀二〇年代起，長期擔任上海《新聞報》編輯、記者，兼任上海市商會秘書長。一九二九年創辦《新聲通訊社》。「九一八」事變後，該社因最早發表日本侵華秘密文件《田中奏摺》而出名。一九三五年參與創辦小型日報《立報》，反對內戰，宣傳團結抗日，後被勒令停刊。在主持《新聞報》副刊期間，嚴諤聲以「小記者」為筆名深受讀者歡迎。日軍侵佔上海租界後，他繼續發表愛國言論，堅決不當漢奸，後避居香港。抗戰勝利後，曾任上海市參議員，復兼任市商會秘書長，並另辦《商報》。一九四九年後，當選上海市人大一至五屆代表、市政協一至四屆常委、市工商聯常委、民主建國會中央委員。一九五一年任上海市財經委員會委員，後兼任副秘書長。一九五五年任上海市工商行政管理局副局長。一九六一年受聘為上海市文史館副館長。「文化大革命」中含冤去世，一九七八年平反昭雪。

本文由李哲文（滬江大學學生，專業不詳）記錄，摘自國家圖書館館藏《新商業》[1]一九三七年季刊第二卷第二號下。

---

1 據上海圖書館館藏的1944年秋至1946年春的《私立東吳大學滬江大學之江大學聯合法商工學院校刊》第9頁記載：該刊為滬江大學商學院之定期刊物，原由周璉教授主編，執筆者多係知名人士。「八一三」戰起停刊，至三十三年冬在渝復刊，由淩憲揚院長任社長，所有編輯發行廣告等改由同學辦理。

今天我想諸位都要覺得奇異的吧，大家一定以為小記者的年紀很小，卻不料已經是這樣老大的人了。所謂「大年不憜」，看其人不如聞其身，諸位或許要感到一種失望！並且諸位在聽講以前，都想我一定可以指導大家一下，其實這正一樣的可能要使大家感到失望。

講到新聞學，我雖然是一個服務於新聞界的報人，卻是一個無學者；不過稍微有些術而已，這一種術是我慢慢地由經驗上面積起來的。我既沒有學，不妨談談術，不過一時亦覺很難講起，並且我是一個患神經衰弱的人，醫囑每晚十時非睡不可，今天我只有隨便講講，不成其為系統。

諸位的目的，須備將來做一個新聞記者。不過做一個新聞記者，非要有相當的準備不可，現在我把大家應有的準備，分別說明如下：

一　文字的技術

這是一個基本的條件。上海滬江與復旦兩個大學，都設有新聞學這一科[2]，並且都已有幾年的歷史了。在北平則有燕京大學新聞學系與北平新聞學院等。這許多新的人才，一年一年在那裏增加，但是他們在新聞界裏服務，文字的技術，大都不合理想標準。要怎樣才能使文字的技術好呢？我想「通」是不成問題的。除了「通」之外，第一要寫得暢快，能把全部的意思表達出。第二點就是要寫得有力。暢與

2　1920年9月，聖約翰大學首創新聞系，這是中國大學正式創辦的第一個新聞系科。1923年起，大夏大學、南方大學、光華大學、國民大學等校報學科相繼創立。1929年9月，復旦大學新聞系創立。滬江大學新聞學課程最初於1929年開設在英文系，由剛從美國接受新聞專業訓練回國的梁士純等教授，使用英文教學逐漸成為滬江的一大特色，直到20世紀40年代末，但最終沒有獨立的新聞系。另外，上海市地方志網站（www.shtong.gov.cn）稱，1926年「滬江大學、上海大學設立新聞系。復旦大學文科內設立新聞學組」。此說恐有誤。

有力看起來似有連帶關係，不過寫文章與說話不同，我就是一個說話不暢的人，文字方面還好些。但是文字怎樣才能使人注意，有吸引力呢？這是很重要的。譬如寫一篇描寫的文章，有的人寫起來能使人注意，引起美感；有的人寫起來反使讀者覺得討厭，這就是看寫作者的文字技術有沒有力量。像這一次工部局加捐問題，各位看報，對於這一種枯燥材料的記載，一定會感覺有興趣。再看有數目字的東西，雖然很詳盡，可是人家最不要去看它，這一要用文字的力量，使讀者彷彿與看小說一樣的感覺興趣，而非將這篇東西看完不可，這就要賴寫作者的手筆如何了。其次就是要有情感，因為寫的東西是要活的，不要死的。現在新聞紙上的特寫，就要寫得與小說一樣的活潑有趣。但是新聞與小說是有界限的，新聞一定要以事實來作根據，而文字則要與小說一樣的要寫得很有情感，這樣方會使人要非看這種報紙不可。再有一點就是要真確。警方的新聞記者要記載人家的談話與演說，記得好的人或者比講的人更有次序些，這種基本的技術要怎樣才能使他成功呢？普通讀到高中，文學的基本技術，可說已經停當，在中人以上再學是不容易的了。本來文字的技術，在高小初中時代，就要打好基礎，到了大學時代再想去學，已是不能挽救的事了。假使一個新聞記者不能記人所詳，人家便要不歡迎他，因此做一個好的新聞記者，的確是很難的。

諸位要養成文字基本的能力，在可能範圍內，我可以介紹兩部書給大家讀讀，一部是《孟子》，一部是《左傳》。如果我們不能多讀，亦要揀《孟子》好的文章研讀，《左傳》至少要讀熟幾十篇，這是一個實際的問題（商務印書館出版的學生國學叢書，很可一讀）。

現在有許多人，主張國文不必死讀，不過我認為要國文好則非多讀讀熟不可，這兩部書能把精的部分讀熟，我覺得就很可以了。再有梁任公[3]的著作，有許多是演講文字，我就不必去細論他的思想怎樣，他那文字的技能，卻一定很可以說明諸位在文字的技術方面做到暢快、有力、有情感。

前兩部書是給我們讀的，後面則是給我們看的。

二　常識的補充

現在的新聞記者，除掉要有文字的技術外，就是要有豐富的常識，常識的豐富一定要平時隨處地留意，並非一日之功。我就是一個比較注意常識的人。不過從小我就喜歡抄報，那時我不預備現在做新聞記者，是一種嗜好罷了，但我只喜歡抄報，卻不肯做那輕而易舉地將報剪貼下來，而這樣日復一日的抄報，給我現在的影響和幫助的確很大。在那時候雖不覺得什麼，到需要時就覺得有用了。所謂「養兵千日，用兵一時」就是這個意思。所以我們要使常識豐富，一定要平時多多留意。以前的新聞紙與現在的編法不同，以前都將電報排列在一起，無論是南京或是某地拍來的電報，編者就把他登在一起。本外埠的新聞亦是如此排法。不過現在的編制已經變化了。像這一次洋米免稅問題[4]，內中不但牽涉到上海、廣東與國內，更有國際關係在內，有的新聞甚至有政治、外交、經濟、軍事的問題，所以做新聞記者非要有專門知識不可。以後更是一天重要一天，國際的普遍常識與法律社會等知識，都要注意到才是。此外各地方言亦要注意，否則發生錯誤就要鬧出笑話。舉兩個例子來說。去年西安事變時，中央委員

3　即梁啟超。

4　由於外國勢力把持著中國海關，進口洋米享受免稅或半稅優惠，因此售價低廉，對中國國內生產與市場形成衝擊，曾引起社會強烈反響。

張沖[5]奔波頗力，而中央電影檢查處的處長亦叫張沖，於是不明了的人，以此當彼的作為一人，不分明白，豈非笑話。所以這種情形，平時非留意不可，否則就要發生誤會。再如有一種名叫「哥哥」的蟲類，不懂的人就以為是叫其兄弟了。諸如此類的笑話，都因為平時不留意常識的緣故。所以諸位預備獻身於新聞界做記者，不可一日不知，知者不恥，若沒有豐富的常識，就要感覺許多困難，尤其是當編輯的記者，一定要用常識的眼光來判斷新聞的是非，這種常識全要隨時地留意，養成摘記的習慣。近來關於撤廢領事裁判權這一個問題，平常若不留意這種情形採集材料，到應用時就知其難了。如果平時已有準備，這時檢考便利，其樂可知。此外要多看雜誌報章，至少要看三種刊物，就是《東方雜誌》[6]、《中華》[7]、《國聞周報》[8]。這三種雜誌，無論你忙得怎樣亦要看。要是真沒時間去詳讀一遍，亦得要翻閱一遍，這樣方才有印象，等到要應用時，就可以在這裏面找尋材料。如果經濟可以從《圖書彙報》、上海圖書館與中山文化教育館那裏參考，《東方雜誌》每年有一本總目錄可以檢查，能多看其它雜誌當然更好。不過看得太多雜誌，恐怕亦不容易消化。現在我就建議以這三

---

5 張沖（1904-1941），字淮南，浙江樂清人。曾任國民黨執行委員、中央組織部代理副部長等職。抗戰期間作為國民黨代表參加國共談判。在抗戰中，張沖堅決贊成國共合作，共禦外侮，同周恩來建立了良好的合作關係。1941年8月，張沖病逝，周恩來深為哀悼，親自參加追悼會，對張沖在團結抗戰中的作用，給予了充分肯定的評價。

6 《東方雜誌》由商務印書館創辦於1904年3月，為我國期刊史上首屈一指的大型綜合性雜誌。初為月刊，後改半月刊，至1948年12月停刊，共出44卷。它忠實地記錄了歷史風雲變遷，是名人發表作品的園地。梁啟超、蔡元培、嚴復、魯迅、陳獨秀等著名思想家、作家都在該刊發表過文章，杜亞泉、胡愈之等出任過主編。

7 《中華》，是一份畫報，月刊，與《良友》、《時代》、《文華》並稱民國四大攝影畫報。

8 《國聞周報》，1924年8月創刊於上海，周刊。1926年9月移至天津出版。1936年又遷返上海。1937年12月27日出版第14卷第50期後停刊，共出14卷。

種雜誌，作為諸位充足常識的基本資料。像這次領事裁判權問題，這三種雜誌裏都有，更可以從這三種雜誌裏，觸門旁類，引出其它的書報材料，這亦是做一個新聞記者所必須要有的準備，否則就不會成為好的記者。在從前，因為沒有專門的人才，所以稍能掉文弄墨之士，都可以搖身一變的做新聞記者，不過將來這種人才增多，人的競爭，亦就一天激烈一天，同時常識判斷的能力，亦一天高如一天，因此預備將來做記者的人，應當在現在就利用時間，多做準備。

三　興趣的培養

這一點亦很重要。最近新聞界的前輩，中央宣傳部部長邵力子[9]先生發表談話。他說現在有許多報人，自己連報都不看。這是不容否認的事實，因為有很多的報人，他們都以報館為寫字間，到辦公時間去辦事[10]，工作時間完了就回家，有的人連他在工作時間所做的事亦茫然不知。普通人可以在工作時間做，娛樂時遊戲，不過一個新聞記者就不能如此。這就要設法提高自己工作的興趣。最要緊的就是養成看報的習慣，自己所編制的報紙固然要看，人家所辦報紙，亦應當看，這樣才可以取人之長，補己之短，知道自己的錯誤而加改進。我說現在的記者要做報呆子，中國人向來有句古話叫樂業，現在學新聞是知之者，以後則是好之者，最後才轉變為樂之者。只有這樣，事業方會成功。因此別人可以將工作和遊戲的時間劃分，做報人就不能如此，因為無論在什麼時候，發現新聞，這是一種工作，所以做新聞記者的人，是將一天二十四小時完全當為工作時間，這與做醫生的精

9　邵力子（1881-1967），清末舉人，字仲輝，原名聞泰，筆名力子，近代教育家、政治家，浙江省紹興縣人。

10　記錄者李哲文按：這大概指編輯面言。

神，正是一樣。能夠樂業，報人方會看報，而且會覺得看報很有新聞的價值。

我們都知道大公報是一個很有力量的報紙，張季鸞[11]先生就是一個報呆子。去年他患第三期的肺病很重，到廬山去修養，那時在廬山的要人很多，前上海市社會局局長吳醒亞先生突然在那裏病死，張先生聽到這個消息，深晚二時就扶疾打電報給大公報館，因此第二天這個消息，只有大公報獨家所有。張先生這種服務的精神，固然值得我們欽佩，可是他亦是因為樂業而如此。所以服務非要有興趣不可。有人說對於事業的興趣是天生而成，我們要自己去擇業。但是這亦未必見得就對，我以為只一半是如此，一半還是要培養起興趣。一個人做事沒有興趣，我認為是世界上最痛苦的人。有興趣的人固然要安然行之，無興趣的人受自然環境的支配而不得已就業的，亦應當勉強而行之，使漸漸發生興趣，或許亦會成功。當然最好是有興趣的人了。

四　品格的修養

這雖然是一句老生常談的話，不過我的見解較異於別人。不但要品行好，道德好，更要在一種困難、矛盾的環境中，在思想與生活衝突之下，有特殊的品格修養。在新聞界服務的人，一方面固然要做一個報呆子，亦要做一個報騙子。諸位在未進新聞界時，都以為新聞界

11 張季鸞（1888-1941），名熾章，生於山東鄒平，民國時期著名報人，政論家。1905年公費留學日本，1908年回國，一度在于右任主辦的上海《民立報》任記者。辛亥革命後，擔任孫中山先生的秘書，負責起草《臨時大總統就職宣言》等重要檔，並且發出了中國近代報業史上第一份新聞專電。1916-1924年任北京、上海兩地的《中華新報》總編輯。1926年與吳鼎昌，胡政之合作，成立新記公司，接辦天津《大公報》，任總編輯兼副總經理。他提出著名的「不黨、不賣、不私、不盲」四不主義辦報方針，為《大公報》的發展做出了重大貢獻。1941年9月病逝於重慶。

是理想中的樂園，所謂「無冕帝王」是多麼的神氣，其實並不如此，新聞記者不但沒有這樣大的權威，甚至被人看輕為流氓之類的人，所以實際與理想，正是相反的。有種人以為新聞界是罪惡的淵藪，內幕烏煙瘴氣而跳出圈外另投它業；一種人則同流。但是新聞界環境的引誘，一方面能使人獲得成功，一方面能使人因而墮落下去。如果在罪惡的環境中能夠堅定自己的人格意志，來保持自己的清潔，環境雖然是很污濁齷齪，亦並不妨害自己。如果忘掉自己，受人家在政治上的引誘，而不自知其中的關係貿然以為自己亦可以在政治界上活動而跳出新聞界，不知人家不過是利用你是一個新聞記者以遂其目的，這時你一出新聞界，人家卻不需要你了。因此做記者的人，應當明察秋毫，審查利害。再如做一個報人，在物資上面，到處常受人家的招待，生活方面自然要高起來，這時感覺自己物資上的不足，因為做記者的人，月薪平均不到百元，次等的只有六七十元一月，而他所往來接觸的場面，往往高過很多倍，不能與他自己的職業收入相配稱，於是感覺到自己物資上的不滿足，這樣最容易受環境的引誘而發生了經濟上的關係，很多人就是因為這而失敗的。

關於修養方面的書，我可以推薦兩部思想極端不同的書給大家。外國書則因為自己沒有研究過，這裏可不必說。這兩部就是《墨子》與《老子》。墨子與老子是完全衝突的。墨子的思想是積極的，進取的，有犧牲勇敢的精神，老子則是消極的落後的。因此二人的思想是絕對的衝突與相反的。有時我們的思想，因為相反而相成，所以同時讀此二書，能幫助大家養成純正的品格。在新聞界中，尤其時常可以發現，有時我們接觸到了不得的偉人，一見面交談之下，覺得這個所謂偉人也者，不過爾爾，有時還覺得不及自己的心理，這種矛盾的事在新聞界中的確很多。天下的事，有很多了不得的事都平淡無奇，譬如一個名氣很大的團體或人物，大都空有其名而無其實。佛家所云，既無相非有相，相對的是亦非有來亦非無，亦不是有無其相，在絕對衝突之中，有亦不對無亦不對而是近於偏。新聞記者因為見解各有不同而常有偏的事情發生，所以只有以新聞的價值為出發點，不以個人的成見來看一件新聞，對於詳論的見解尤其要有不偏不倚的態度。但是成見人人皆有，像這一次西班牙的戰爭[12]問題，有的人是贊成政府軍，有的人是同情國民軍，但不能因為反對某軍而不刊登某軍勝利的消息，贊成某軍而不宣佈某軍的失敗，這都不對。再如看《三國志》的人，見到劉備軍勝就歡喜，曹操軍勝就喪氣，這種心理差不多大家都有。又如兩大陣線的對立，有的人贊成法西斯主義，有的人則贊成反法西斯的主義，因為人非木石，是有情感知是非的。當然個人的心理與見解各有不同。但是記者在編輯新聞時，應該減少偏見，主持正義。假使否認事實就是不對。在平時兩種絕對不同的思想中，就是不徹底。盧信[13]有部書叫《不徹底的原理》，無論什麼事，無法可以徹底，不要不能不知亦不能太知。譬之一件事實的發生，像新新事件，編者不能不知亦不能太知，如果旁人有所企圖，記者只能揭發事實，報告新聞，而不能不去管他。相傳有一個父子同驢的故事，這個故事就是諷刺父子自己沒有主意，聽旁人的閒話來混淆是非，以旁人的批評為轉移，結果自然不好。做評論的記者，就不能輕易的聽信旁人的話來顛倒是非，亦不能固執偏見，這與平時的修養就有極大的關係。

---

12 是指1936-1939年，西班牙人民在共和國政府領導下反對國內法西斯武裝叛亂，抗擊德、意武裝干涉，捍衛民主制度和民族獨立的革命戰爭。1939年4月1日，共和國政府被推翻，開始了佛朗哥的獨裁統治。此次戰爭是第二次世界大戰爆發前歐洲發生的大規模局部戰爭，是世界民主力量同法西斯侵略勢力的重大較量。

13 盧信（1885-1933），字信公，廣東順德人。早期同盟會員，著名報人。早年赴日本和美國學法律，後任香港《中國日報》記者、同盟會廣東支部長、廣東臨時參議院副議長、南京臨時政府參議員。1913年任國會參議院參議員。曾與唐紹儀創立金星人壽保險公司。1922年8月被任為農商部總長（未就）。1926年任賈德耀內閣司法部總長。

而我所以要列舉上面兩部書的原因，就是要大家養成一種調和的習慣。道德以外的修養，人家說得很多，這裏亦不必多講。

諸位能做到這四點，我認為已經不是容易的事了。

五 中國新聞業的前途

最後我要說到中國新聞業的前途。現在中國與外國的報紙，從發行的數目來看，前途確是很有發展，以教育來論亦是如此，現在我國所感缺乏的就是這種記者的人才。以我的觀察在五年到十年之內，各處的新聞事業都會發動起來，這是必然的趨勢。現在的人，大都依靠經驗做事，這些人都要過去，以後就需要種新的人才，就像我方才所說的四點非要做到不可，尤其是前二點更為重要。現在的學生對於國文這一科不加注意，所以程度很淺，不能滿足所需，對於常識方面更要有相當的能力。據我們試驗結果，覺得學生的常識成績很壞，有的人竟連各部長的姓名都弄不清楚，如果諸位要在新聞界服務，對於常識不可不加注意。在現狀況之下，職業雖有很多樂趣，但非深入不知，以新聞事業對於國家的貢獻上來看，要復興民族一定要人人能看懂報紙。從商業上的眼光來觀察，將來最大的投資，亦非新聞事業莫屬，這與工業的投資不同，報紙一日銷多少是多少，很是穩定，像以新聞事業為事業的報紙，無有不賺錢的，申新二報就是。不能賺錢的報紙，因為有因政治關係而變化不定的弱點，所以以事業來辦報紙總是贏利的，如天津的《大公報》、《益世報》，北平的《世界日報》、《民生日報》，南京的《朝報》，都是賺錢的報紙。以《立報》來說，創辦到現在兩年，已能夠維持下去，所以將來的中國，必是投資報界無疑，報紙對於國家的政治、社會等的貢獻都有很大的效力。在去年西安事變，可以窺出中國的政治，必走民主之路，目前雖不知道進行到什麼一個程度，但一定是民治政治。以新聞事業來說，黨報是失敗的，對民眾尚無極大的力量發生，將來在政治方面，民治與辦報成正比例。最近胡文虎[14]以巨大的資本在國內辦報，急需基本人才，這種人才一定要在大學畢業，再行三四個月的特殊訓練，才能應用。北平新聞學院的學生供求很多，因為他各方面的人才都有。《立報》的職員，各項工作都能擔任，胡適這次徵求人才很感困難，實因理想中合用的人才太少的緣故。

我們以國內的人口來做比較，覺得中國新聞事業的前途，確是光明成功的。現在的商業前途，真是一個使人懷疑的問題，將來中國沒有商業也說不一定，而新聞事業無論如何會有特殊長足的進步。

總之，我以為將來諸位要事業成功，一定要有寫作的基本能力，以文字來發表自己的才能。假使有滿腹學識，而不能用筆墨文字來發揮，人家亦不會知道，所以歸根結底地說來，文字的技術是最重要的基本力量。

---

14 胡文虎（1882-1954），原籍福建永定縣，生於緬甸仰光，著名華僑企業家、報業家和慈善家。胡文虎愛國愛鄉，支持抗戰，樂善好施，熱心教育。他以虎標萬金油等成藥致富，號稱「萬金油大王」；獨資創辦了十多家中、英文報紙，一度享有「報業鉅子」的稱號。

上海女青年會支持下的女工教育

張淑義

張淑義（1914-1994），女，直隸（今河北）三河人。一九三五年加入中國共產黨。次年畢業於燕京大學社會學系。一九四三年獲美國哥倫比亞大學社會科學碩士學位。曾任上海基督教女青年會勞工部主任、中華基督教女青年會全國協會勞工兼民眾教育部幹事、平山縣洛杉磯托兒所秘書。建國後，歷任全國婦聯國際聯絡部副部長、中國人民保衛兒童全國委員會秘書長、全國婦聯第四屆執委、中國聯合國協會理事、歐美同學會副會長等職。是第四、五屆全國政協委員。

該講演介紹了女工教育的情形，最後還不忘做一個宣傳與廣告：現在我們辦了四個女工學校，都在工廠附近。上課時間早晨七點到九點，為做夜工的人。晚上七點到九點是為做日工的。希望諸位同學幾時能夠來看一下，對於女工教育和女工情形，可有更深切的認識。

本文由錢鷺英（滬江大學教育系學生，1941年畢業，當時在讀）記錄，摘自華東師範大學圖書館館藏、一九四〇年一月滬江大學教育學會出版的《滬大教育》第三卷第一期。

我剛從學校出來不久，對於女工教育不敢說是有豐富的經驗，不過因為我擔任著女青年會勞工部的工作，就得到了一個學習的機會。現在就把上海女工教育的情形與諸位談談。

在輕工業國家的我國，上海算是工廠的集中地了。那麼在上海的工人當然是佔了大多數，而在這大多數工人中，女工又佔了多數。這些女工在普通一般人的眼光中看來往往是極微小極卑賤的一份子，並不足為人注意的。但是按實際講來，這些女工卻是對於社會最有貢獻的人。她們是為社會生產的。她們的工作最繁重、最勞苦，而她們的生活也是最痛苦。她們每天埋頭在機器房裏做著機械化的工作，抱著極消極的態度，苟且圖安地生活下去，沒有一點自由，沒有享受生活樂趣的機會，更談不到什麼民族意識。這樣不但對於個人有莫大的損失，就是對於整個的國家也是極危險的。女青年會有鑑於此，覺得為要解放這班女工，為要謀社會國家的福利，對於女工教育是不可忽略的。女工教育的工作，在上海已有十五年以上的歷史。現在就把我個人三年來擔任女工教育工作情形，報告諸位聽聽。

第一點，我要提出的就是對象。辦教育最先要想到的就是對象，因為對於所要實施教育的對象有了深切的認識，才能用適當的教育去適應。我們的對象當然是女工，是對於社會貢獻最大而生活最痛苦的女工。她們每天要做十二小時的工。在十二小時中，無時無刻不是在極緊張情態下做工的。一個人要管三五部機器，手、眼睛、腦子都要不停地活動，她們所有的精力都集中在這些聲音吵鬧的機器身上。像這樣苦的工作，而她們的代價，每天只有三角或五角。經過了這樣繁重的十二小時工作之後，她們的精神當然是頹喪到極點了。那麼當她們回到家裏的時候，理當有極舒適的地方休息了，可是她們並沒有錢租一間舒適的房子，連亭子間都不是她們所能租的，她們只能住在鳥籠般大的閣樓，既沒有陽光，更沒有新鮮空氣。人進去時，要低了頭彎下身子爬進去，就是像這樣一間簡陋的屋角，還是兩個日夜工人交換著睡。像這樣痛苦的女工，在中國占大多數，我們就不能不想到他們的教育了。

第二點是目的。我們辦女工教育最大的目的，是要培養基督化的女工領袖，謀求大眾的幸福。現在讓我來分兩點講：第一，是掃除文盲，提高她們的文化水準，使她們對於衛生、公民、歷史、地理諸方面有相當的知識，而且培養她們的民族意識，激起她們服務社會的熱情。第二，是要給她們改革生活的武器，使她們自己能改良她們自己的生活。譬如，她們識了字，就可以自己閱讀各種刊物，從讀物上，就可以得到許多知識。她們的知識越廣，就越會感覺到生活的困苦，而發生謀求解放的志願。

第三點是方式。我們女工教育的方式分為三種，即課室教育，團體教育和生活教育。本來這三種方式是相互聯繫的，不過為講述方便起見，就把他們這樣分一分。

關於課室教育，我們分初級、中級、高級三班。初級一年注重在基礎知識。到中級，就是史地、自然、公民等功課。到高級則更進一步，要使她們有發表意見的能力，教她們寫信寫日記，授予她們國家普通知識。此外，更讓她們知道些國際上的情形。不過，僅有這種學校式的教育，我們還感覺到不夠切近她們的生活，所以又有團體教育。團體教育是要養成她們的服務精神。每周有周會由她們自己主持，自己做主席，教師訓練她們的時候，是用由淺入深的方法。比如最初的時候，叫她們當大眾前講一個笑話或故事，然後漸漸地使她們能發表些較有意義的意見，最後使他們能當眾人面前講演，以及自由發表個人意見。現在她們已經組織友光團[1]，團內分許多小組，使她們有團體生活。此外，我們更要注重生活教育，使教育切合她們的實際生活。這種教育是隨時隨地可以施給她們的。譬如，我們講到一課上面，有人，男人，女人（婦女讀本第一冊第一課），我們就可以馬

1 上海基督教女青年會在上海創辦的女工夜校中的學生組織，每星期活動一次，內容有演講、辯論、講故事、講新聞、演劇、唱歌，編輯出版《友光通訊》等。

上聯繫到實際的生活問題，如男人是人，女人也是人，為什麼女人做工外，還要伺候丈夫，伺候得不好，還要被打得遍體鱗傷。我們的教員和幹事多和女工學生接近，有家庭訪問，商談她們的生活問題等，都是希望在女工生活的各方面，和我們所實施的教育打成一片。

第四點是辦女工教育的困難。我們感覺到最困難的就是招生問題，這困難大半是由於家庭的阻礙。許多父母不許他們的女兒讀書，恐怕她們讀了書，有了知識，就要不服父母的管束，而有反抗家庭的意思。也有許多丈夫不許他們的妻子識字，恐怕她們有了知識以後，自己的主意多了，就不聽丈夫的使喚。要除去這種阻礙我們就不得不到各家去拜訪，向他們解釋讀書的真意義，使他們能徹底的明瞭讀書的好處。還有許多工廠，也不喜歡工人讀書，因為怕對於她們的工作有妨礙。在這一點，中國的工廠當局是比較賢明的，他們常能允許女工去讀書[2]。上面這些雖然都是招生困難的原因，而最大的原因，還是她們做工時間太長，工作太繁重，使她們沒有時間，沒有精神來讀書。這一點，的確是一個很大的問題。

除招生困難外，還有留生的困難。在報名的時候，往往學生很多，而能維持到底，實在沒有幾個。其實女工們的缺課，也不能怪她們，她們經過了十二小時的苦工，當然是精疲力竭，急於要休息了，哪裏還有精神來讀書？不過，我們還是在想法子補救這困難。我們一方面在想法子使他們覺得到學校來讀書，對於她們本身，實在有莫大的利益，另一方面讓在校女工盡力養成好的精神，使她們能做其它女工的好模範，去吸引其它的女工。這樣，女工們或者可以自動的願意來校。此外，功課太重，或教授法不好，也是使她們離校的原因。所

2 原文如此。此處與上文提到的似乎有矛盾，「中國的工廠當局」或可理解為管理工廠的政府部門。

以提高教師的能力，改善教授法，又是很重要的補救方法。

第三個困難就是聘請教師了。為女工教育服務的教員，工作既繁重，而待遇又少，所以很難請到好教師。為補救這一點，我們還是寧可請課程稍差一點，而熱心服務，同情工人的教師。因為在教書的工作中，學識可以逐漸成長起來的。

第四個困難，就是客觀環境的困難。這不僅在校址地點的難於覓得，而且因為上海地位的特殊，在工作中常常遭受很大的限制。我們也不用多明講，諒諸位都很清楚。

現在第五點我要講的就是收穫了。我以為我們辦女工教育的第一種收穫就是女工文化水準的提高，女工讀書的興趣，的確是增加了。第二種收穫，是她們自己動手能力的養成。第三種是她們的團結精神。第四是女工領袖的養成。如許多女工領袖，就是女工學校的畢業生。說到這裏，我想起了一件事實，很可以證明女工教育的收穫。二三年前，某工廠發生了勞資糾紛，一個十六歲的女工代表全體女工，到工部局對一個外國人講述她們生活的痛苦和糾紛的經過，並同這位外國人到工廠視察。據說當時廠方的代表，一看見工部局的外國人，索索發抖，一句話也講不出，而這位十六歲的女工，卻頭頭是道地向外國人說明了廠方某某地方是不合工廠法的。結果糾紛解決了，女工方面得了勝利。事後廠方就拿金錢引誘女工，說像她這樣聰明伶俐的孩子，做女工實在可惜，勸她升學讀書，用費由廠方負擔。在普通的要上進的女工，一定會心裏非常高興的答應了，誰知她竟搖頭不肯，她說她不願意離開大眾，離開和她站在同一條戰線上的同伴。後來廠方又怕把這樣的人留在廠裏，於廠不利，於是把她開除了，並到她家裏仍用金錢引誘，說著同上面一樣的一套話。結果他的父母受了騙，願意用廠方的錢叫她去念書，可是她寧可脫離家庭，而不願意脫離女工的群眾。

第六點就是缺點了。雖然我們的收穫很多，而我們還是感覺到兩大缺點：一是女工教育不夠普遍，不夠深入女工的全體。四百個學生，拿上海全市的女工人數來比，相差很遠。其次，就是女工領袖，往往有風頭觀念，不夠大眾化，而和別的女工隔離。補救的方法，對於前者，是發起工人學生聯合討論，使受過高等教育的人，有辦民眾教育的興趣而能從事於普及民眾教育的工作。對於後者可以來一個模範女工運動，鼓勵他們做女工的表率，女工的模範，使她們不離開大眾，不與大眾有形式上的差別。

因為時間所限，只匆匆忙忙地大略講了女工教育的情形。現在我們辦了四個女工學校，都在工廠附近。上課時間早晨七點到九點，為做夜工的人。晚上七點到九點是為做日工的。希望諸位同學幾時能夠來看一下，對於女工教育和女工情形，可有更深切的認識。

教育測量之最近發展

沈有乾

沈有乾（1899-？），字公健，江蘇吳縣人，心理學家、邏輯學家和統計學家。早年就讀於北京清華學校，後赴美斯坦福大學深造，獲博士學位。回國後先後在光華大學、浙江大學、暨南大學和復旦大學教授邏輯學、心理學和統計學。二十世紀四〇年代再次赴美，曾任聯合國秘書處考試與訓練科長、紐約市立大學皇后學院教授等職。著述甚豐，主要有《心理學》、《教育心理學》、《現代邏輯》、《初級理則學綱要》、《試驗設計與統計方法》等，是二十世紀中國心理學和邏輯學研究的先行者之一。

本文由方孟希（滬江大學教育系學生，1942年畢業，當時在讀）、史悟潮（滬江大學學生，專業不詳，當時在讀）記錄，摘自華東師範大學圖書館館藏、滬江大學教育學會一九四一年一月出版的《滬大教育》第四卷第一期。

今天到貴會來與諸位討論討論教育測量問題，覺得很高興。

教育測量之最近發展可分四點來說：（1）教育家對於測量態度之進步；（2）測量工具數量之增加；（3）測量品質的進步；（4）能力分析運動及統計方法之進步。今天分別討論如下：

一　教育家對於測量態度之進步

最初有許多人反對教育測量，因為他們覺得這是不可靠的，而且又是用來捉錯處的，同時用教育測量的人的態度也不大妥當，這原因有：(1)以教育測量為萬能工具，好像無論什麼問題都可用教育測量來解決；(2)用教育測量者不免用它來捉教師和學生錯處。

近來教育家對於教育測量態度的進步有幾點可以提出：

（一）近代教育家認為教育測量並非萬能的，知道它的用度是有相當的限制，故現在的教育家用教育測量只能在相當範圍內用之，儘量的用它的好處，而避免它的短處，因此現在用教育測量時，很少有弊病發生。

（二）教育測量者覺得用這種工具，並非是用來捉教師與學生的錯處，它的主要功能是在於診斷，換句話說，就是診斷教師和學生之缺點，而另外想一種補救的辦法。同時教師和學生方面對教育測量的態度也改變了。他們知道校長及教育局長用教育測量時，並非捉他的錯處，而是在幫助他們。

（三）曾有一個教育測量很發達的時期，提倡的人覺得要完全用教育測量，而將其它考究方法不用，現在大家覺得這種教育測量不過是補充舊的考究方法，換句話說，舊的考究方法仍有它的地位。

二　測量工具數量之增加

教育測量發展的第二種指測量工具數量的增加。一方面是測量的種類增加，如現在有個人智力測驗、團體智力測驗。各種學力測驗如國語、英文、算術等。另外新有人格、態度及興趣等測驗。還有每種測量的類別亦有增加。舉一個例子，若現在要將美國所有測驗都收集起來，恐怕要裝幾箱子還不夠呢。再有就是測驗的範圍延長，如從前教育測量多半偏重於中小學，現在則從幼稚園起直到大學研究院為止。在這時期中，各階段學生皆有測驗，可見測驗的數量當然增加。還有一點可以附帶說一說，就是關於計算測驗分數方法的進步。從前舊的計算分數方法很為麻煩，同時不免有錯，而且花時很多，如斯特朗（Strong）的興趣測驗[1]，分數甚難計算，而且時間費得很多。同時需要有相當訓練的人才能練算計。最近美國有應用電流的計分機器。這種計算器很準確，而且所花時間很少，一份卷子只要一二秒就可以改好算出。應用電流計算器計算分數的測驗答案是另備的。這種答案紙價並不貴，但是計分數的機器是相當的貴。恐怕普通一小規模學校備不起，所以現在有許多機關專收各校卷子，來代他們改，而收相當代價。這一點也是在數量方面的進步中可附帶說明的。

三　測量品質方面的進步

過去的測驗不免有粗製濫造的情形，但現在因測驗數量的進步，故在品質方面也連帶的有進步，可分四點來說明。第一點，現在編造測驗者差不多都是專家，非但僅需要一種專家，而且每種測驗都要兩種專家來編成：一種是對於編造測驗的技術很有研究的，另一種是對於課目有研究的。例如，要編造小學三年級算術測驗，需要一位算術

1　1927年，美國心理學家斯特朗（E.K. Strong）開展了最早的職業興趣測驗，編制完成了第一個正式的職業興趣量表（Strong Vocational Interest Blank）。他的方法是先編制涉及各種職業、學校科目、娛樂活動及人的類型的問卷，然後取兩組被試。一組代表專門從事某種工作的標準職業者，另一組代表一般人，讓兩組被試接受測查，將兩組被試反應不同的題目放在一起，構成職業興趣量表。當時僅適用於男性，專門為女性而編制的量表則於1933年出版。1968年，坎貝爾（D.P. Campbell）主持了對該量表的修訂工作。

專家，同時也需要一位專家，他知道編造測驗的種種方法。要這二人合作才能把測驗編的好。第二點，對於測驗的每一個題目都要經過詳細的審查。譬如「雞鳴狗」這一句可以填的字，測算者寫出「盜、吠、叫」等。測算者本意是要學生填「吠」，但是好多學生都填了「盜」。這可見當審查題目時，不能（以）一個測驗者的成見，而要看全部答案的反應如何。並且每個題目都應該經過幾次的實驗，因為這樣就可以知道題目之可靠與否。第三點，現在品質方面的進步是記分數的，單位多是趨向於一致，因此一年來的成績可以互相比較。第四點，現在有一種趨勢，關於每種測驗，每年可以新出一套，這樣可以避免做測驗者得到一種 coach（指導）的流弊。

四　能力分析運動及統計方法的進步

現在關於分析能力因素的研究，最新發展是芝加哥大學教育心理學教授瑟斯頓（Thurstone）[2]。他們研究出來，人的能力包含有七個因素，研究結果亦非為肯定的答案。第二是統計法的進步。從前實驗的設計每次只能實驗一個因素，如毛筆字應該二年級開始，還是應該三年級開始。從前拿兩個班來實驗（二年級和三年級），看這兩個班中哪一班開始好，寫的結果如何，只能實驗一個因素——毛筆字從何年級開始。現在同樣的實驗可以測驗一個因素以上，就是請二年級學

2　路易士・列昂・瑟斯頓（Louis Leon Thurstone）出生於美國芝加哥，在瑞典度過他的童年時代，1912年回到美國，進入康奈爾大學攻讀電氣工程學位，後成為愛迪生的助手。不久考入芝加哥大學攻讀心理學，1917年獲得博士學位。之後，瑟斯頓應聘於卡內基理工學院，任心理學系教授和主任，8年後，回到芝加哥大學，擔任心理學教授達28年。他一生的最後三年受聘於北卡羅來納大學，任心理測驗實驗室第一任主任。該實驗室現在仍以他的名字命名。1932年，當選為美國心理學會主席，1936年創建心理測驗學會，並擔任第一任主席，1938年當選為美國國家科學院院士。

生寫毛筆大字和小字，三年級學生亦如此，故其中就有兩個因素，即毛筆大字也許是二年級開始好，而毛筆小字或許是三年級開始好。這樣一來，一次測驗就可以決定二個因素了。

因為時間關係，只能將教育測量的最近發展約略說一說，其它詳細問題希望再有時間和諸位討論。

明天是孔子的生誕

錢基博

錢基博（1887-1957），字子泉，別號潛廬，江蘇無錫人，二十世紀國學大師、教育家，錢鍾書之父。一九一三年任無錫縣立第一小學文史地教員，一九一八年任無錫縣圖書館館長。一九二〇年後任吳江麗則女子中學國文教員、江蘇省立第三師範學校國文與經學教員及教務長。一九二三年後歷任上海聖約翰大學國文教授、北京清華大學國文教授、南京中央大學中國語文學系教授、無錫國學專修學校校務主任、光華大學中國文學系主任及文學院院長等職。抗日戰爭爆發後，歷任浙江大學中文系教授、湖南藍田國立師範學院國文系主任、南嶽抗日幹部訓練班教員。抗戰勝利後，任武漢華中大學（今華中師範大學）教授。一九五七年十一月三十日去世。

華東師範大學圖書館館藏一九二二年十一月二十五日出版的《滬江大學月刊》第十二卷第一期頁五十九曾記載，慶祝孔誕：陰曆八月二十七日為我國至聖孔子先師之誕生日，亦為孔子卒後二千四百年之紀念日。是日也，本校放假一天，以志慶祝。晚七時，舉行慶祝會於禮堂，到者頗為踴躍，首唱尊孔歌，次為各級獻之頌辭，兼之演說：一為鄭君鶴講「孔子歷史」，二為金武周[1]講「孔子教訓」，三為閻君

---

1 金武周（WooDrew Gin, 1900-1982），名春江，字武周，上海南匯人。自幼好學，經教會推薦，入上海清心中學。1919年，升入滬江大學，當選為學生會主席。1923年畢業，獲教育系學士學位，並被選送燕京大學攻讀哲學碩士學位。1929年，公費留

人俊[2]講「孔子對於吾人之影響」云。由此可見，滬江大學對於傳統文化與歷史的尊重以及傳統文化在教會大學中的地位與影響。遺憾的是這些講演稿無從查找。所幸找到了鄭鶴《新市政計劃》的講演稿（見後文）。

本講演稿出自上海理工大學檔案館館藏一九二六年十月二十一日出版的《滬大天籟》第十六卷第二期。張大同（滬江大學社會學系學生，1928年畢業，當時在讀）記錄。原題為「錢基博先生孔子生誕演詞」，現題名為編者所加。

明天是孔子的生誕。今天貴大學開預祝會，邀我來參與這個典禮，我覺得非常榮幸！不過，我們現在對於這幾千年前我國唯一偉大的學者，行這個紀念儀式，將要起一種怎樣的感想啊！如果我們只知道孔子的偉大，而不知道孔子所以偉大之處，又何必留此一番空紀念呢！我想這種感想，至少必能引起一種濃厚的研究興味。我現在且提出幾個問題：第一，我們為什麼紀念孔子？他有什麼遺產遺給我們，我們要去紀念他？第二，孔子遺給我們的遺產，對於現代民治之中國，是否仍保持其相當之價值？第三，我們現代民治中國之新青年，倘發心去整理孔子的遺產，是否能幫助他做一種積極的進取事業？第

學哈佛大學，獲博士學位。1931年回國，任南市基督教普益社總幹事兼清心堂牧師，積極開辦診所、幼稚園、義務學校等社會福利事業。後任職於滬江大學社會學系，兼任「滬東公社」主任。抗戰爆發後，熱心於抗日救亡工作。抗美援朝戰爭中，他以牧師身份首先響應號召，捐款購買武器，揭露美帝侵朝罪行。解放後，滬東公社停辦，仍任滬東小學校長。1953年，進建設中學（原孝和中學）任教。1955年，滬東中學併入建設中學，任該校副總務主任。1958年，被錯劃成右派，1979年恢復名譽，受聘於華東師範大學政教係。

2 閻人俊（R.D.Yen），滬江大學1925屆社會學專業畢業生，文學學士，1927-1928年任滬江大學助教，1967-1970年任臺北滬江高中校長。

四，我們現在要整理孔子的遺產當怎樣去研究孔子的書籍？要解答這許多問題，斷非短時間所能辦到，現在只能簡單地說。

第一，紀念孔子的價值究竟在什麼地方呢？換一句話，他所遺下的產業究竟是些什麼東西？因為各人的眼光不同，議論不一。有人說是「孔子之道」，有人說是「孔子之教」，有人說是「孔子之學」。但是什麼是「孔子之道」，這句話是很難說的，孔子或許自己有一個「道」，但他沒有把這個「道」作一種遺產傳給我們。我們翻遍《論語》一書，從《學而》一章起，到末章《堯曰》，孔子只說：「志於道」，又說：「朝聞道，夕死可矣。」至於什麼叫做「道」？他老先生沒有講。不像老子做《道德經》，就他所謂「道」反覆說一個明白。所以子貢[3]說：「夫子之文章可得而聞也；夫子之言性與天道，不可得而聞也。」這是什麼緣故呢？據我的愚見：道之本義是一條大路，人生一條大路，就是叫做「天下之遠道」，但是這一條「天下之遠道」，我們要得自己去走，方算真是認得。冉求[4]曰：「非不說子之道，力不足也。」子曰：「力不足者，中道而廢，今汝畫。」所以雖然有「天下之遠道」這一條人生大路，如果我們自己不發心去走是沒有用的。所以孔子只說：「志於道。」什麼叫做「道」，卻沒有明白指點我們，就是要我們自己發心找一條人生的大路向上走去。

那麼孔子之教，這句話怎樣呢？以前康有為一班人認孔子為教主，以致國會中提起以孔教為國教的問題，這實在是錯誤的。照《論語》二十篇看，開章即曰：「學而時習之」。孔子的一生只是「學」，是以學者的人格與天下人共見，並沒有以教主的人格自居教之為效

3 子貢（前520-前446），孔子的得意門生，春秋末年衛國人，在「孔門十哲」中以言語聞名，曾任魯、衛兩國之相。他還善於經商之道，富致千金。

4 冉求（前522-？），字子有，亦稱冉有。孔子弟子，春秋末年魯國人。生於魯昭公二十年。冉求是孔子的得意門生，多才多藝，後隨孔子周遊列國。

也。教主是教人仿傚他的行為，是以自己的人格為全人類人格的模子，而學者則尊重全人類各個人的人格，只是勸人自己去學，「學之為言覺也」[5]。只要自己去學，自然能得到一種人格的自覺。教主是看的自己的人格比全人類的人格高，而學者則看的全人類的人格和自己的人格一樣平等。這是學者和教主的不同，也就是我們孔子和西方所稱耶穌基督及穆罕默德人格的不同。

所以，我們應該注意孔子的遺產，既不是孔子之道，也不是孔子之教，乃是孔子之學。學是做功夫的問題，教是有信條的問題，道是認方向的問題。然而我們只要學就能覺悟，就能夠自己樹立信條，朝著一條人生的大路，向上去走。所以孔子只是以學者的人格傳給我們，我們要紀念孔子，只要認定他是一個偉大的學者，我們也要學他的樣努力去學。從前唐人的小說有一段故事，說呂洞賓能夠以指點鐵成金，後來他的朋友對他說：我不要那已經成金的東西，我只要那點鐵之指。因為金是用得盡的，有了你這個指，我便不會發生貧窮！孔子之學，就是那點鐵之指，有了這個點鐵之指，便能發揮道妙，生生不窮。所以我們紀念孔子，最當注意的是孔子之學。

第二個問題，孔子的遺產是否適合現代民治之中國的用？孔子生在二千餘年前的專制時代，他遺下來的東西也許像紅頂花翎一樣，是清朝的服式，不適合民治的用。這也並不見得。孔子之學所得到的一種心得是一個「仁」字，所以「仁」之一字包括孔子學說的全部。仁者的人格表現就成功一個「君子」，所以孔子贊易、象及其和弟子談話中間常看到他老先生提「君子」兩字代表他所謂模範的人格。

「君子」本義為「君之子」，乃是階級社會中貴族一部分的通

5 出自《白虎通・辟廱》：學之為言覺也，以覺悟所未知也。《白虎通》，又稱《白虎通義》，是中國漢代講論五經同異，統一今文經義的一部重要著作，係班固等人根據東漢章帝建初四年（79）經學辯論的結果撰集而成，因辯論地點在白虎觀而得名。

稱。古代「君子」與「小人」對稱，君子指士以上的上等社會，小人指士以下的小百姓。後來封建制度漸漸破壞，「君子」、「小人」的區別，也漸漸由社會階級的區別變成個人品格的區別。孔子所謂君子，乃指人格高尚的人，「君」字理作「群」字解。子者，男子之通稱，「君子」之為言善群之男子也，能和他人合作犧牲自己以服從大多數群眾的人，方才可算君子。孔子說：「君子中庸，小人反中庸。」中庸只是一個平常的意思，照我們眼光，反中庸乃是一個非常之人。然而照孔子看來，只是小人。這是什麼道理呢？因為這種人只知道自己不凡，顧盼非常，沒有想到群眾的不可侮，所以在社會中間常常不能和群眾合作，容納群眾的意見，局量偏淺，所以只是個「小人」。君子的人格是能服從大多數群眾的人格，寧可犧牲自己的意見以遷就平凡的庸眾，斷乎不可犧牲平凡的庸眾以孤行己意，所以說「君子中庸」。我們從歷史上看，自古以來，一個非常人物的成功，往往犧牲了許多的庸眾，貫徹他一個人的主張，成就他一個人的地位，這是何等悲慘的事呀！我們怎樣做君子？就是要「仁」。

什麼叫做「仁」呢？中庸說：「仁者，人也。」「仁」的字，以二人，就是人與人相處的意義。仁的道理，就是說人和人相處的道理。我要地位，人家也要地位；我要路走，人家也要路走，這就不能無爭。孔子說：「仁者，己欲立而立人，己欲達而達人。」就是說我們想到自己的時候，常常想到人家的重要，不要以己之立，妨他人之立；以己之達，妨他人之達。這是就消極的方面說。積極地講，為仁的人，尤貴能犧牲一己，以服務社會。所以孔子說：「克己復禮為仁。」照孔子的意思，就是能合群的人就算是仁。這種人是最懂得人群相處的公理，所以孔子稱之曰：「君子」。所謂君子是一個極平常人格，而極尊重社會公共意志的人，所以說「君子中庸」。我想這種君子，正是現在提倡全民政治中所最需要的人。倘使我們現代的中國暨起民治兩個字的招牌，而沒有一個人肯儘量發揮君子的精神，沒有一個人不自己以為了不得，俯視一切，孤行己意；人人自命是不凡之志士，人人做成一個反中庸之小人，我恐這塊民治的招牌終究是有一日豎不起。

第三，現代的新青年，是否需要孔子的遺產？也有人說孔子是主退讓的，是老大的，不適合於新青年的，這實在是一大誤會。孔子雖主張退讓，只是犧牲自己以尊崇群眾，正是人生一條正當的大路，並非怯懦，也並非消極。他自己說：「發憤忘食，樂以忘憂，不知老之將至。」這是何等精神！子路宿於石門，晨門[6]曰：「奚自？」子路曰：「自孔氏。」曰：「是知其不可而為之者歟？」「知其不可而為之。」七個字寫出一個孳孳懇懇、終身不倦的志士。他說：「君子莊敬日強[7]，安肆日偷。」「君子以自強不息。」都可以想見孔子是一個如何努力進取的人！不過他的努力進取並非略取群眾以表示自我的不凡，卻是犧牲自我以尊重庸眾的地位，和德國哲學者尼采所稱的「超人」正是相反，此孔子之所以為仁，亦孔子之所以為大。

第四，我們既然知道孔子遺產的可貴，就要想我們怎樣去整理。換句話說，就要問怎樣去讀孔子的書。從前荀子在他的《勤學篇》內說：「其數始於讀禮，其義始於為士，終於為聖人。」他把學問分作「數」和「義」兩類。「數」不是現在的數學，乃是指制度文物而言。「義」乃是推論其所以然之故。譬如五經，《周禮》、《儀禮》是講周代當時的制度文物，是「數」一類的書。《易經》是明於天之道而察於民之故，是「義」一類的書。又譬如漢儒講考據，是講的「數」，宋學明義理，是講的「義」。「數」最能代表時代性但最易失

6 晨門，早上看守城門的人。出自《論語・憲問篇》。

7 出自《禮記・表記》：「君子莊敬日強。」指君子莊嚴持重，敬慎小心，故能日漸篤實自強。

去功效，一失時效便成僵石！「義」是超出時間空間的限制，永久不變的。照這樣看來我們讀孔子的書應該多注意「義」，而少注意「數」。然而，現代的國學者偏喜講考據，以我所見，孔子的書籍《易》和《禮記》最為重要。《易》是孔子所贊，《禮記》是漢儒所綴，多發揮孔子之學的《易》乃根據宇宙的自然現象以指導我們人類的行為，而《禮記》則根據我們人類行為的事實以推測自然的現象，這就是漢儒所謂「天人相與之際。」我們讀了這兩部靈書，一定覺到孔子所最堪紀念的是：一個學者的人格！是一個君子的人格！是不肯犧牲庸眾以希圖私便的一個人格！

送民國三十三年畢業同學序

朱博泉

這是朱博泉在民國三十三年（1944）六月六日在畢業生歡送茶會上的演講。「序」是古代的一種文體，多指送別贈言。

這時滬江大學已經宣佈停辦，部分滬江大學校友另辦滬江書院。滬江書院成為滬江大學在已成為淪陷區的上海的延續。朱博泉為書院董事長兼院長，鄭章成為實際負責學校事務的院務主任。滬江師生之所以能夠在艱難困苦的條件下團聚在一起，是因為他們相信中美的同盟必將打敗日本法西斯，從而能恢復原來的滬江大學。鄭章成形象地聲稱，他們辦這所學校是為了「保存火種，直到母校回來」。實際上，在校內，師生仍以滬江大學自稱，滬江書院只是對外的稱號，甚至出版的畢業生年刊上也赫然印著「滬江大學」。日本宣佈投降後，滬江書院也完成了「保存火種」的使命，一九四五年八月二十三日，書院董事會召開了最後一次會議，決定將「滬江書院」名稱登報宣告取消。

朱博泉，一八九八年生，原籍貴州貴築，銀行家，金融家。其父曾創辦浙江銀行。一九一九年畢業於滬江大學，後赴美攻讀銀行學及工商管理學，一九二一年回國後進入銀行界。一九二八年任中央銀行總稽核處及業務局經理；一九三一年任上海綢業銀行董事；一九三二年任上海銀行業同業公會聯合準備委員會經理，並受銀行公會委託成立中國工業銀行，任常務董事兼總經理。一九三一～一九三五年間曾兼任滬江大學商學院院長。

本文摘自滬江大學一九四四年年刊。

在諸位同學修滿四學年課程、準備畢業的前夕，我們舉行茶會來歡送各位，心中感到非常欣慰。諸位在父兄師保卵翼之下，現已長得羽毛豐盛，振翅待飛——眼看要飛到社會裏去奮發有為了。我們忝為師保的，當然對於諸位有莫大的期望。各位同學，不用說，對於自己的前途，也懷著無限的憧憬。本人趁此機會，很想與諸位談談一個剛由大學出來的畢業生，立身於社會中應取的態度。

學校雖也是社會的一個縮影，然而學校生活，究竟單純，絕不像社會情形的複雜。一個純潔的大學畢業生，對於處世之道，尚未有深刻的認識。他剛踏進了五花八門的社會，若不是覺得它齷齪萬狀，寧可遁世絕俗、獨善其身；便是妄自菲薄，甘與社會中黑暗的一面，同流合污，隨俗浮沉。這兩種人，主觀雖不同，其自絕於前程則無異。青年們如果有這兩種趨勢，無論在國家、在個人，無疑地都是極大的損失。

健全的處世之道，我可以簡單些拿兩個字來解釋。一個是「敬」字。《論語》有云：「執事敬」，謂慎其事而不敢忽也。慎其事而不敢忽，在貌謂之「恭」，在心謂之「敬」。凡事不「敬」，則虛浮不實，難期有成。宋朝的理學家也以「敬」字作為修養學問、創立事業的基本功夫。我們須知社會無論黑暗到什麼程度，未嘗無光明的一面，我們如能以「敬」自肅，培植朝氣，那光明的一面，自然而然會逐漸推廣，而照耀及於社會的全部。

第二個是「恕」字，即忠恕之恕。盡己之心為「忠」，推己及人為「恕」。所謂「己所勿欲勿施於人」即是「恕」道。我們得明白，社會上所有不良的現象，決非一朝一夕之故。我們既不應當與其妥協，我們也不能用鴕鳥埋首沙中的眼光，來否定它們的存在。我們能「恕」，方能心平氣和地去研究其沿革、背景和環境，而明瞭其癥結所在，然後才可以進一步談改善的方法。我們若不能「恕」，而抱著犬儒學派[1]的態度，一味謾罵，那對人對己又有什麼益處呢？

曾文正公《原才》篇裏曾說：「風俗之厚薄奚自乎，自乎一二人之心之所向而已。」我希望諸位都是曾文正公所指的「一二人」，都能有移風易俗的成就。那麼，這「敬」字與「恕」字的基本功夫，還希望各位要努力地做去。這就是本人在今天歡送會中，對於各位同學的一點臨別贈言。

1 犬儒學派是古希臘四大學派之一。「犬儒學派」這個名字的由來有兩種解釋，或說該學派創始人安提西尼曾經在一個稱為「快犬」（Cynosarges）的運動場演講，或說該學派的人生活簡樸，像狗一樣地存在，被當時其它學派的人稱為「犬」。到現代，「犬儒主義」一詞在西方則帶有貶義，意指對人類真誠的不信任，對他人的痛苦無動於衷的態度和行為。

社會教育之目的與方法

陸麟書

陸麟書，江蘇晏成中學（蘇州市第三中學前身）一九一二屆畢業生，滬江大學一九一七屆文學學士，美國芝加哥大學碩士、博士，一九二二～一九二四年任職於滬江大學。據華東師範大學圖書館館藏《滬江大學月刊》第二十卷第一期（1922年11月25日出版）頁六十，陸麟書在芝加哥大學的博士論文題目為〈現代中國公民教育之狀況〉。當年陸麟書還被選為《留美中國學生月報》與《中國宗教季報》編輯。

本文摘自華東師範大學圖書館館藏《滬江大學月刊》第二十卷第六期。當時陸麟書在滬江大學任職。原文注明記錄者是「鍾魯」。經查滬江大學檔案，「鍾魯」應為「鍾魯齋」[1]，係滬江大學教育系學生。

1 鍾魯齋（Djung Lu Dzai, 1899-1956），廣東梅縣人。1923年滬江大學教育科畢業，獲學士學位，曾任《滬江大學》月刊中文編輯部總編輯。曾任梅縣廣益中學教導主任，協助創辦梅縣嘉應大學。1926年，入滬江大學研究院學習，次年獲文學碩士學位。1928年赴美國斯坦福大學專攻教育學，1930年獲教育學博士學位。1931年回國，歷任滬江大學教授兼中文系主任、清華大學文學院院長、廈門大學教授、中山大學教育研究所教授。1938年10月，創辦南華學院，並在香港設立分院。1950年起，歷任香港九龍南華中學校長、香港九龍崇基學院中文系主任兼教授。

一

我們常常聽見一句說話：「非教育不能救中國。」究竟這話對不對？我心中還有一個疑團，很多受過教育的人對於社會國家，沒有一點貢獻，國家或存或亡，也置之不理，完全失了他們的天職。試看現在中國的一般政客，尸位素餐，為國家的蠹蟲。一般留學生，一入政界，也隨波逐流，弄到不成世界。受過高等教育，適足為作惡的機會。推其原因，實缺乏公民生活和道德的訓練。注重個人而不注重團體，「學優則仕」的老教訓，深入吾人的腦筋，所以我們注重個人的成功，忽略了團體的成功。新教育輸入中國不過十餘年，一般人民總免不了一點老教育的觀念，陞官發財仍然是讀書人的目的。對於團體的利益和公民的訓練，不免太過疏忽。

中國弄到如此田地，據我看來略有二因。第一，因為官僚之腐敗；第二，因為人民缺乏知識和責任心。欲救中國，非改造一般官僚不可，非教育一般國民更不可。社會教育的目的要使官僚各盡其力為國家造福。國民要負一定責任，使國家日見進步。

這樣看來，社會教育是我們今日不可少的需要。社會教育要達到哪個目的？社會教育要怎樣實施？是我今天要與諸君討論的題目。

二

現在我們中國社會教育應有的目的是什麼？我們教育一般人民應有怎樣的目的？據我看來可得下列幾種：造成誠實的觀念，造成服務社會的觀念，造成功德的觀念，造成群治觀念，造成忠義的觀念。

何謂誠實的觀念呢？我們曉得童子軍[2]第一個信條，就是誠實，入隊的時候要向大眾宣誓：「要盡自己的責任，服務我們的上帝和國家。要遵守童子軍的章程。要時時幫助別人。要長進我們德智體三育。」一入童子軍隊以後，守著他們的信條，為著社會作工，以誠實為他們的根基。

誠實的觀念包含什麼意思？誠實是什麼？在哥倫比亞的師範大學有兩位先生押頓教授（Prof. S. M. Upton）和遮細盧女士（Miss C. F. Chassell）曾著有一篇論文，題目是：〈測驗良好公民習慣的尺度〉（A scale for measuring the importance of habits of good citizenship）。誠實是良好公民習慣中的一部分，他們以為誠實的意思，可如下層說出。

第一，他人吩咐要做的事，就照所吩咐的做去。

第二，做工的時候，無論他人管我不管我，我都盡忠做去。

第三，要見義勇為。

第四，不取自己不應該取的他人的財物。

第五，躬自厚而薄責於人[3]。

第六，試驗的時候，不至作偽。

第七，借人之錢，要應時償還。

第八，一諾千金，不至失信。

第九，人託的訊息要報告別人的應該報告。

第十，要守秘密的事件，就不發露。

十一，有關自己私利的也要誠實。

十二，受人委託的事，就速即去做，不至阻滯。

---

2 童子軍，起源於英國，是一種野外活動的訓練方式，用以培養青少年成為快樂健康有用的公民。

3 此為孔子名言。語出《論語．衛靈公》：「子曰：躬自厚，而薄責於人，則遠怨矣。」意思是能夠自我反省，責備自己多，而埋怨人家少，內心的怨恨自然就少了。亦即施「仁」於人。

十三，拾得的東西，即得還於失主。

十四，凡有錯誤的更動，應當反對，不至承認或盲從。

十五，應做的事或他人委託的，雖然沒有人知道，也能去做。

十六，遊戲時，沒有欺騙他人。

以上所說的誠實的意思，可謂詳細了。但是還有一個解釋我可以引用：「在消極方面來說，誠實的意義是反對一切假話、欺騙、盜竊、失信、失心等。在積極方面說來，誠實二字是包含盡責團體的事件，素位而行[4]，能做良好的工作，做事直捷，能盡自己的責任，能夠自信，出言有誠懇，有信實等。」

人無信不立，國民無誠實，則國家必亡。試問中國國民，有幾多有誠實的？中國官僚有幾多有誠實的？中國商人有幾多有誠實的？恐怕很少很少。我們欲救中國，必要造成良好的國民。所以誠實的觀念，是我們應該養成的。

第二個觀念就是社會服務。蓋公民良善與否，全與服務社會之多寡，成了一個正比例。服務多，並能造了種種社會的幸福和利益，自然是一個良好的公民。服務少，對於社會國家，沒有一點貢獻，自然失了公民的責任和價值。若不僅不能服務，且為社會上的寄生物，那就反有害於社會了。現在中國國民試問有幾多能夠服務社會。一般惡劣的官僚，不過是社會上的蠹蟲。不僅不能造福社會，反害了社會。再看一般無知識的人民，哪能為社會造種種幸福呢？簡直說來實在沒有一點價值。我們的教育要造成服務社會的觀念，就是這個緣故。

第三，就要講公德。我不是一個社會學家，公德的意義不能詳細解釋。據我看來，公德是個人對於團體的覺悟和責任。凡關於團體的，要誠實、要盡忠，盡自己的責任促進團體的幸福，注重的地方就

4 出自《禮記・中庸》：「君子素其位而行，不願乎其外。」指君子安於現在所處的地位去做應做的事，不生非分之想。

是一個「公」字。中國人私己心非常發達，沒有群眾的道德。試看一般腐敗的官僚，雖受過教育，有了種種知識，反誤用他們的知識，做了種種罪惡，吸收了人民的膏血，供他們自己的快樂。甚至把國家賣了，都不介意。再看一般新聞記者，因為貪財的緣故，無論怎樣新聞，都把來大登特登，造成不正當的輿論，或宣傳不道德的行為，生出了社會上的種種罪惡。這種人私己大過，沒有一點公德，難怪中國國家，弄到腐敗至極。社會教育的目的，就是使人民有了公德心。

第四，要講群治。個人自治為群治的根本，個人不能自治哪能講群治呢？美國兒童的德育，是教授一種道德律，叫做自治法。自治法說：「良好的美國人，能夠自治，能治自己，自然能夠服務國家。我要治我的舌，不可亂談不雅潔的言語。我要治我的性情，不可亂髮無謂的怒氣。我要治我的思想，不可因無意識的欲望，傷壞我的大事。」個人自治與群治有關。一群之中，個個人都能夠自治，就叫做群治，守法從權，見機而作，並能保守公共秩序和治安，那就能夠推廣個人自治的範圍到群治的範圍了。

第五，要講忠義，良好的公民，常有忠義對待他人，應該忠義的就能夠忠義。對於家庭要忠義，鄰人要忠義，即對於朋友和自己的職業、城邑、國家，也要忠義。忠義是什麼意思呢？忠於國家可作一個比例。人民要遵守法律，盡納稅的義務。官僚要尊敬人民，為國出力，有時當國家危險的時候，寧可犧牲自己的性命，為著國家。試問中國官僚，能夠這樣做的有幾人？人民能夠忠於國家的，又有幾人？忠義二字，我們斷不可缺了。

三

社會教育應有的目的，我已經約略講了幾句話。我再進而談社會教育的方法。我們雖然有了種種目的，若沒有方法，哪能可以達到？教育上的試驗，未曾做出方法上的種種原理，所以我們所用的方法，沒有一定。若要等到造出一定的方法來，然後再談社會教育，那就所謂「俟河之清，庸何能待」[5]。但有幾個理想，我們可把來試用，今請與諸君談一談。

（一）要施社會教育，要先有社會化的環境。杜威說：「若要教兒童學游水，必要把兒童蹬在水邊。」換一句話說，若要教兒童知道怎樣在社會上做人，必先使兒童有了社會化的環境。學校裏邊，有什麼團體，可以使兒童有社會化的環境呢？男青年會，女青年會，童子軍和各種團體等，就是使學校成了一個小小的社會一樣，使學生能發達社交上的各種能力。

（二）要增進公德，必定先去實行。這個教育原理是很老的，人人都能曉得，即是即知即行的意思。要知得哪樣打網球，必然要自己去練習；要知得怎樣用打字機，必要自己去打字；要做良好的公民，凡良好公民應該做的事件，一定要自己去做。當歐戰[6]劇烈的時候，美國有許多教員利用這個機會，教人看護病人，幫助紅十字會等。一則可使學生有了服務人民的習慣，二則可造成一種公德心，盡一點公民的責任。在學校裏邊，學生要實行服務人的機會很多很多，如看護學校，保守公眾衛生，清明種樹，逐蠅會，撫惜貧民，安慰病人等，學生也要去做。可惜現在中國各學校，還在夢寐裏邊，不曉得利用這個機會。

（三）教員的人格與學生的觀念和態度有密切的關係。教員人格能感化學生，人人都承認的，教員怎樣做，學生就怎樣做。蓋教員是

5 出自《左傳・襄公八年》：「《周詩》有之曰：俟河之清，人壽幾何？」意思是說，人的壽命很短，等待黃河變清是不可能的。比喻期望的事情不能實現。

6 即第一次世界大戰。由於主要戰場在歐洲，故又稱為「歐戰」。

一個榜樣。學生有模仿本能，自然學了教員的行動。教員有道德與否，與學生的行為有關。凡嗜好，思想，習慣都能不知不覺印象於學生腦海裏邊。做父母的人，若能覓得良好的教師，他們的兒子自然有了良好的習慣，若教師不良，那就「賊夫人子」[7]，遺害無窮了。然則教員的人格，能造成學生的品性，思想和態度等，做教員者應當十分小心呵！

（四）社會教育，要用一種成效率。成效率是什麼？我可略為解說。據教育心理學，謂學習二字，是刺激與反應相聯絡的意思。例如讀書，書裏頭的文字是一種刺激，我們去讀是一種反應。寫字的時候，寫字簿是一種刺激，我們去寫是一種反應。學算術的時候，習題是一種刺激，解題是一種反應。若我們所學習的有趣味，有快樂，進步非常迅速，刺激和反應中間的聯絡點，愈見增加。學生解答算題，若教員加以贊稱，則覺得非常快樂，愈有興趣；若教員稍不滿意，學生頓形灰心而進步漸減。刺激和反應之間的聯絡點，也愈見減少，而將來解答問題，錯誤愈多了。社會教育也是這樣。社會環境是刺激，人要適合環境是反應。有哪種環境，常生了哪種反應。若我們在社會裏邊所做的事業，都受他人歡迎，心裏頭很覺得意，社會環境和我們的反應點愈見增加。若我們所做的事被人反對，那環境和反應的聯絡點，就日見減少了，例如學生偷了別人的對象，被他的父母責罰。對

---

7 出自《論語・先進第十一》：子路使子羔為費宰。子曰：「賊夫人之子。」子路曰：「有民人焉，有社稷焉，何必讀書，然後為學？」子曰：「是故惡夫佞者。」意思是說，子路派子羔去當費邑的邑宰。孔子知道了，說：「這會害了子羔啊！」子路說：「那個地方有老百姓，也有社稷，去做治理百姓和宗廟祭祀的事也算是在學習，為什麼一定要經過讀書才算是學習呢？」孔子說：「就是這個原因，我討厭巧言善辯的人。」因為孔子主張「學而優則仕」，學習有成後，有意願，行有餘力，就可以為政福國利民。如果學習修養尚淺，甚至想要一邊當官，一邊學習如何當官，這是對於修身和為政的真諦認識不清，輕率地把為政當兒戲，徒落得自取其辱而已。

象是一個刺激，偷竊是一種反應，今忽然受了父母的責罰心裏頭十分惱喪，後來偷物的觀念，日見取消，這種刺激和反應的聯絡點，自然漸漸取消了。兒童攬火，受了火傷，火是一種刺激，攬是一種反應。因為受了火傷，覺得很不快樂，後來不再去攬火，而火的刺激和攬的反應的聯絡點，也漸漸取消了。社會教育用了刺激和反應的原理，凡關於有利人的動作，應當獎賞，有害人的動作應當懲罰，則好的事業日興，而壞的日減，那就使人道德上學問上日有進步了。

（五）利用格言和禁令等，推進人的社會觀念。童子軍用了很多格言：「要誠實，要忠厚，每天要做一件好事。」兒童讀了這種格言，自然生了一個合群心。我們可採用的格言很多，可以把來教授兒童。前時我參觀一個國立職業學校，在門頂上懸了黑板一塊，上面有幾個格言，是該校校長親筆寫的。學生讀了這種格言，自然有一種感化力，廣大社會化的心理，自然發生出來。我極望每個學校，都能夠照這樣去做。

以上所說，是很簡單的。因為時間有限，不能暢談。待有暇時，再與諸君談談罷。

文藝與現代生活

劉大杰

劉大杰（1904-1977），湖南岳陽人，現代作家。一九二二年考入國立武昌師範大學。一九二六年初赴日本留學，一九二七年考入日本早稻田大學研究科文學部，專攻歐洲文學。一九三〇年回國，在上海大東書局做編輯。一九三五年起，先後受聘四川大學、安徽大學、暨南大學、四川大學、聖約翰大學等校教授。抗戰勝利後，任上海臨時大學文法科主任、暨南大學文學院院長和中文系主任。參加過《辭海》、《中國文論選》的編寫，主編《中國文學批評史》。作此講演時，劉大杰為暨南大學文學院院長。

本文摘自上海圖書館館藏《滬江文藝》創刊號（1948年）頁五十三～五十七頁，戴光晰[1]記錄。

要了解文藝與現代生活的相互關係，必須先從文藝的本質講起。文藝是一種藝術，所以又叫做文藝，它有種種不同的形式。最重要的是詩歌、小說、散文和戲劇。文藝是作家苦悶的象徵，人生葛藤的表現，而感情則為文藝的靈魂，思想則為文藝的基礎。當一個作家在最痛苦最悲哀的時候，他的感情的火焰在內心燃燒得最激烈的一刻，也

1 編者查閱相關資料，這裡的戴光晰應就是影片翻譯家戴光晰（1931-？），女，浙江鎮海人，後為中國電影藝術研究中心研究員。編者推測，戴光晰當時是滬江大學學生，但專業不詳。

就是要表現文藝的欲望達至最強烈的時候。

文藝是由文字造成的藝術，雖然有著各種不同的形式，但是表現人生反映社會的目的總是相同的。

人生的苦悶與葛藤，在文學的歷史上所表現的，我們可看出三個時期：

（一）人與神之爭——可以以但丁的《神曲》為當時的代表作品。《神曲》所表現的是人與神的鬥爭，因為這時候神權高於一切，人們都以為神力是不可抗的，一切都逃不了神的安排，所以這時代的文學表現了人類的失敗和神權的勝利。

（二）人與運命之爭——莎士比亞的作品可說是這一時期的代表作，就像他在名著《羅密歐與茱麗葉》中所表現的那樣：羅密歐與茱麗葉應該是世界上最幸福最美滿的一對，他們誠摯的熱愛著，滿以為他們可以結為永久的愛侶，但是為什麼他們不能達到目的，最終懷著熾烈的情焰雙雙殉情了呢？是因為他們兩家是世仇，而人不能與命運相抗違。在這種情形之下，人只好倒下去，向命運屈服了。

（三）人與社會之爭——這就是我們的世紀。易卜生、蕭伯納、高爾基等都是這時期的代表作家，他們的作品表現了人與社會的鬥爭。但是人依然無法抗拒社會的壓迫，人最終又失敗了。在一切的失敗中，造就了許多偉大的悲劇。

凡在生活平靜的時候，人類的感情也是很靜止的，只有在顛簸激動的生活中，艱苦奮鬥的生活中，人生才會有不尋常的起伏的感情的波濤，才能激起表現的欲望，以完成偉大的文藝作品。

文學是表現人生，反映社會的，文學是同一面鏡子，是以真實為貴的。但文學家表現的態度，可分為浪漫主義與寫實主義二派。浪漫主義企圖超過現實的人生，而造成美麗的理想的社會；寫實主義是以暴露社會真相為貴的，像魯迅的作品就是社會生活的寫真。我們可以說文學表現人生愈深，反映社會愈真的話，那麼它的力量也就愈大。

其次要說明的是文學與時代的關係。文學不能與時代脫節，一個時代應該有一個時代的文學。譬如《紅樓夢》，這是清代君權極盛時期貴族家庭生活的反映。賈寶玉——這個懦怯，貪樂，而帶有幾分女性的嬌弱的多情種子，整天在脂粉群中混，過著象牙塔裏的生活，這正是貴族家庭公子哥的典型。紅樓夢的價值，便在把那一時代的生活狀態，表現得真實，描寫得深刻。我們今日讀了，好像回到了三百年前的封建社會。雖然，紅樓夢這本書在現在看起來，已離開我們很遠了，然而作者實踐了把握時代所反映現實的任務，在文學史上得到了不朽的地位。

因此，無論是研究文學或創作文學，首先必須了解的必然是時代的背景與現實的正視，這樣才不致會落伍，違背時代的潮流。

文學是應該表現大眾的情感，因為文藝原是大眾化、普遍化的。歌德的名著《少年維特的煩惱》是作者熱情的昇華，當他寫這書的時候，他簡直不能控制內心熾燃的熱情。他的血液澎湃著，全身的血管像是要爆裂了，他運用他的筆，把沸騰的熱情傾注似的瀉流到紙上，一氣呵成地完成了偉大的傑作《少年維特的煩惱》。在當時，這本書曾瘋魔了無數的青年男女，與其說他們在同情維特的遭遇，還不如說他們感到與維特同病相憐。於是，當時一般失戀的青年們，造成與維特相同的悲劇——自殺的，簡直是不計其數，每一個自殺青年的口袋裏，差不多總藏著一本《少年維特的煩惱》。由此可見文學感人的力量，因為《少年維特的煩惱》能表現當時大多數青年的情感，所以它才能得到多數人的擁護，因為那時正是德國浪漫文學最盛時期，那就是有名的狂飆突進運動[2]。

---

2 狂飆突進運動，又稱「狂飆運動」，發生在18世紀70年代到80年代中葉的德國，歷時15年。它是文藝形式從古典主義向浪漫主義過渡時的階段，也可以說是早期的浪

說到這裏，我們知道文學是離不開時代的了。那麼我們今日的時代是什麼時代呢？我們的生活是什麼生活呢？我們過的是人吃人的時代，是貧富不均的時代，是人民爭自由爭平等的時代。因此我們的文學應該表現這一時代的影子，應該表現這一時代下各種各樣人生的生活。極盛時代過去了，「五四」時代過去了，抗戰時代也過去了，我們不要迷戀過去，我們要揚棄個人主義和藝術至上主義的心情，來表現這黑暗的時代。

只有偉大的作家才能走在時代的前面，只有偉大的作品，才能獲得大眾的愛好與共鳴。

在沒有真理的社會中，只有文學才能負上喚起真理的責任，而現代的文學家表現社會、暴露社會形態的最好的作品是應該有最優美的筆調及真實的內容。

教育的力量是教化，文學的力量則是感化，所以文學對人類的影響比教育更大，因為側面的情感更易使人感動，更易使人發生同情。

文學是表現人生，反映社會的，貴乎表現大多數人的情感與生活，而最主要的應該是內容的真實，因為世界上只有最真的才是最善最美的。

漫主義雛形。其名稱來源於德國劇作家音樂家克林格1776年出版的歌劇「狂飆突進」，代表人物是歌德和席勒。歌德的《少年維特的煩惱》是這個時期的典型代表作品，表達的是人類內心感情的衝突和奮進精神。這個運動持續了將近20年，從1765-1795年，然後被成熟的浪漫主義運動所取代。它是德國新興資產階級全國性的一次文學運動，也是啟蒙運動在德國的繼續。「狂飆突進」這個名稱，象徵著一種力量，含有摧枯拉朽之意。

近代物理鳥瞰

涂羽卿

涂羽卿（1985-1972），湖北黃岡人，一九一四年清華學校畢業後，留學美國麻省理工學院、哥倫比亞大學、芝加哥大學，獲博士學位。歷任東南大學物理系教授、滬江大學物理系主任、聖約翰大學校長等職。一九四九年後，歷任南京師範學院、江蘇師範學院物理系教授，上海師範學院物理系主任，中華基督教青年會全國協會總幹事，中國基督教三自愛國運動委員會常委，第二、三、四屆全國政協委員會委員等職。

本文摘自上海理工大學檔案館館藏一九三六年六月出版的《天籟》第二十五卷第一期，由宋尚正[1]記錄。

一

讓我們給舊物理下一個總檢討吧！

近代的科學園地裏，物理與化學、化學與生物都發生密切的關係，物理成了研究生物和化學的主要工具。物理學的目的，與其它科學相同，是在尋找、探討而且追求宇宙間的真理。不過物理學所探討

---

1 宋尚正，滬江大學1937屆物理專業畢業生，當時在讀，後留校，1938-1942年任滬江大學助教，曾主持編輯《滬大科學》。

的真理的限圍，是整個的無機宇宙，近而個人，遠及星宇，小至原子電子，大達整個蒼宇。

物理髮明的進程，概括分析有三條支線，歸納起來，唯「能力」而已。這三支線是：

（一）能力[2]的替變（transformation of energy）

（二）能力的轉移（transmission of energy）

（三）能力的管轄（control of energy）

電池是化合（能）與電（能）二能力替代的轉變，發電機是機械能與電能的替變，蒸汽機是化合能與機械能的替變，電燈是電能與光和熱能的替變。

能力的轉遞之例也很多，有時也可說是工作的傳遞，像槓杆是機械能的傳遞，其它如電光音熱都賴傳遞方法才有近來各種的應用。

談到管轄，卻是物理學上主要的成績，如能有把握去管轄，總能配得來利用它。閃電和太陽的光熱，迄今我們還沒有適當辦法來管轄，水的能力本是浩大的，因為我們不能利用它，反遭其災。

這樣看來，物理髮明的將來是無限量的，在它的成功史料上，理論的演進卻是最重要的元素。研究科學的人當然不該忽略應用方面，對於新的理論卻應抓住時間，努力地研究。整部的工程學術，均基於牛頓定律上，尤是牛頓的第三定律。當牛頓研究的時候，恐怕並沒有預料到今日應用的偉大，只追求真理的實現。是後人數度的改進，才得許多應用上的成功。

2 原文如此。「能力」（energy）今天一般譯成「能」，下同。

二

舊物理對我們所需要的真理，究竟有什麼貢獻呢？科學不但是追求著真理，其自身還有根本的概念。換句話說：有根本的信仰。

真理到底是什麼呢？宇宙的背後，只有一個真理，在舊物理的圓圈上，牛頓的三定律可以解釋整千整萬的自然現象。仔細再分析一下，連牛頓定律還是零碎的斷片，照理在科學的園地裏只有一個真理，這個真理能夠解決科學上的一切現象。舊物理裏，力學、熱學、光學、音學、電學，似乎都沒有相當的關係。聲音和動作沒有關係，光更談不到了。後來經過數度的演進，熱才認為是屬於能的一種，音也無非是物質（空氣）震動。

電和磁是不同的東西，舊物理沒有法子尋出它們的關係。但電磁與光，由馬克偉（Moxwell）[3]電磁論（electromagnetic theory）而發生相互的關係，所以舊物理對於真理之統一確有很大的成功。

歸攏起來，舊物理對乎真理的發現，不外乎下列三種概念：

（一）動能常住律（conservation of momentum）[4]

（二）能力不滅律（conservation of energy）[5]

（三）熱力學第二律（second law of thermodynamics）

3 即詹姆士・麥克斯韋（James Clerk Maxwell, 1831-1879），生於愛丁堡，英國物理與數學家。CGS電磁單位制中磁通量的單位麥（克斯韋）即為紀念他而命名。15歲即發表數學論文。1851年入劍橋大學，1854年畢業於該校三一學院。1864年他遞交給英國皇家學會的論文〈電磁場的動力學理論〉，首次確立了他的電磁理論。在此基礎上，他提出了聯繫著電荷、電流和電場、磁場的基本微分方程，經後人整理和改寫即成為著名的「麥克斯韋方程組」。由這一方程組他預見了電磁波的存在，並於1887年H.R.赫茲的實驗中得到了證實。麥克斯韋電磁理論是電工技術的理論基礎。

4 即動能守恆律。此處原為「Ammentum」，應係筆誤，現編者將其改為「Momentum」。

5 即能量守恆律。

前兩種觀念較為普通，暫且不談。第三種觀念，則暗示著大自然間一切動能，或能力轉變的方向。以整個宇宙而論，一切變化的方向，是超乎達到平衡的溫度。太陽與地球的熱力不同，都在改變著。它們改變的方向，卻在趨乎同一溫度。Entropy（熵）是物理學上另創的一個熱力學函數。它是有恆地增加著，而永遠沒有減小過。熱是能力，一切的變化，都是能力的變化，所以熱力學第二定律可以應用到一切的自然現象上，我們可以說，一切的變化現象，都是在增加entropy（熵）。

舊物理對於人類思想與對宇宙之認識也有不少的貢獻：

尋常人對於宇宙，自然像有空間與時間的觀念。舊物理能夠支持這些觀念嗎？舊物理認為，（一）空間是三元的；（二）時間與空間是相對獨立的；（三）自然的改變是繼續的逐變，而非突變；（四）因果的觀念，一切變化都有因果的關係，現在的現象是過去的結果；（五）物質不滅。自然的改變是繼續的，但是後來由化學的努力，發現物質最小單位是原子，原子不能再剖分了，那麼證明物質的變化不是繼續的。這些觀念都似乎是尋常人自然而有的觀念。所以舊物理的發現，是為常人所能了解的，能讓常人對宇宙的認識感觸到一種科學的明證。

三

給舊物理總檢討之後，對於近代物理才得明顯的劃線。近代物理的應用甚多，這裏為著時間有限，暫且不談。一九〇〇年是物理學界的新紀元，在那以後短少的時間——三十六年，其進步是何等疾迅。所發現的甚多，簡單的可以分為三種來談。

在沒有論及那三種真理的發現之前，先提及新紀元後所發現的新工具。舊物理所用的工具，是電流、壓力和溫度。這三十六年來，新發明的工具有電子，放射質，如 α，β，γ - rays，X - rays，中和子（neuton），第二氫（deuteon），正子（positive electron）及宇宙線。這些新工具給我們知識，對物質的根本組成概念，完全打破。

（一）放射現象。近代物理告訴我們，原子是可以再分開的，放射（radionactivity）即是一種變化的現象，最近我們且可用人為方法來改變物質。水銀與金所差的不過是電子數而已，倘能夠管轄原子裏的電子，就可以變水銀為金了。從前物質的元素，共有九十二位，現在只剩下二三個罷了。一切原子的不同，只是組成的電子數各異，變化其電子數，就可以變化其物質。那麼物質的轉變就不成問題了。

（二）相對論。在舊物理中，時間和空間沒有什麼關係，相對論卻是聯絡時間與空間的健將。從前物質是常住的，去掉它整個科學界就發生了動搖。愛因斯坦研究物質與能力的關係發現，雖然能力不能變為物質，物質變為能力卻成了已證明的事情。不但物質可以變為能力，物質且會因動作而改變，因此，物質與運動的速度和品質均有關係。

（三）量子論。量子論的結果有三。（1）能力是突變的，自然的演進是突變的。振動的波率，像無線電波可有隨意的數目。但光則不能，因為光的產生是原子裏電子的振動。在原子核周圍的電子軌跡，每圈都有一定的電子數，我們迄今尚沒有法子來增減他們。（2）Uncertainly Principle[6]的發現，這剛巧是因果律的勁敵。量子論告訴我們，倘使給你一個緣因，你卻不能推測其結果。（3）空間本是三元的。物質在空間的地位，在舊物理可用三元來決定。但由量子論研究

---

6 測不準原理，由德國著名物理學家，量子力學的創立人之一海森堡（Werner Heisenberg）提出。1927年，他首次提出並證明了量子力學的「測不准原理」，緊接著玻爾發展了「互補性原理」。至此量子力學的基本概念得到了完備的物理解釋。

的結果，我們對物質在空間的地位反不能決定，是馬馬虎虎的。物質的地位似乎可以確定，但仔細幻念到每個原子內電子運動的速率之驚人，科學者卻不能斷定該電子在空間的位置了。

四

近代物理是否推動舊物理，讀者現在大概可以明瞭一些了；從前不能「合併」研究的各種現象，現在都可以得到它們相當的關係。但是記得，研究越精細，越覺得對象的模糊！和平常看東西一樣，眼睛與對象越近越不清。四元的空間[7]，時空的觀念，在我們的幻念裏是模糊的，這不能說是對象的不確和近代物理的太玄想，倒是因為我們的觀察法仍是舊的！要深悉近代物理的究竟，先要有近代物理的觀察方法！

7 指四維空間，即在長、寬、高的軸上，再加上一根時間軸的空間。

近五年來化學研究之異彩

徐作和

徐作和，江蘇吳江人。東吳大學畢業，獲理學學士、碩士學位。後留學美國芝加哥大學，獲博士學位。曾任滬江大學化學系主任。

本文載於北京大學圖書館館藏滬江大學二十六年級[1]化學會會刊《化學》一九三六年第二卷第一期。本講演稿原為英文，由甘禮俊（滬江大學化學系學生，1937年畢業，當時在讀）記錄並翻譯。據《化學》一九三六年第二卷第一期，甘禮俊為滬江大學二十六級化學會會長。譯者在文前指出：前年秋本校理科同學有 C.G.S. 社之組織，時請本校理學院教授演講，本篇即為本系主任徐博士之演詞（詞為英文），對於最近五年來化學研究之情況，作一概括之敘述及介紹，因譯錄之以實本刊。譯者在文末指出，本篇中人名及複雜之名稱，不敢武斷加以譯名，希讀者諒之。甘禮俊還坦陳，由於化學式中元素下腳標和芳香族化學式及攝氏度符號不會編輯，因此（可能）有化學方程序錯誤，芳香族化學式（亦）未標。

1 實則指1937屆。

一　普通及物理化學

(一) 氫之重同位元素（heavy isotopes hydrogen）

氫之同位元素其品質為二者，為今年來各專家研究所集中之點，關於聚集此同位元素之各種不同方法，均加勘探，而在尋常氫中其所含同位元素之比例，亦加精密之測定。對於該同位元素之氧化物，即「重水」之物理性質，已作初步之鑒定，同時對於此同位元素之化學性狀，亦有數種極感興趣之觀察。苟同位元素其有效於研討之數量能夠增加，則最重要之化學結果亦將層出不窮。

一同位元素具有如此顯著之個別性者，可視之為一新元素，而另予一新名，亦頗適當。重氫同位元素發現者擬其名曰 deuterium，而其游子則稱 deuton。拉忒福德氏（Lord Rutherford）[2]則擬其原子名 diplagen，而其游子則名 diplon。D 為其符號。

下列所舉乃為分離重同位元素之普通方法：

液態氫之蒸餾（H. C. Urey）

水在酸或堿溶液中之電解（G. N. Lewis）

氫之為骨炭所吸附（H. S. Taylor）

水之蒸餾（G. N. Lewis）.G. A. C. S. 26, 6, 1933

水之為骨炭所吸附（E. W. Washburn）

以灼熱之鐵使水還原（W. Bleadney）

氫經鈀（palladium）而擴散（A. Farka）

以鋅置換酸中之氫（A. Farka）

2 即歐尼斯特・盧瑟福（Emest Rutherford），英國物理學家，1908年度諾貝爾化學獎的獲得者。他是20世紀最偉大的實驗物理學家之一，在放射性和原子結構等方面，都做出了重大的貢獻，被稱為近代原子核子物理學之父。

上列各方法中，僅第二法得產較多量之氫 I[3]（Deuterium）。關於 G. N. Lewis 氏[4]及其助手所使用之技術，可參閱氏[5]所發表之文章，見（J. Chem. Physics, 1, 341, 1933）。

氏等之原料及為一舊電解槽所貯之水，該電解槽含有約二倍於當量濃度之重同位元素。以鎳電極將一約「M/5 之 NaOH」溶液施行電解，直至其容量減至十分之一。於是使此溶液碳酸化，再加以蒸餾，此手續須重後施行。G. N. Lewis 氏至二十公升之原來溶液，得 1.5cc. 之純 D_2O（重水），其比重為 1073。

至經 D_2O 之物理性炭，G. N. Lewis 氏及其它諸氏加以審察，其結果如下：

	D_2O	H_2O
熔點	3.8℃	0℃
沸點	101.48℃	100℃
在25℃時之比重	1.1056	1
最高密度之溫度	11.6℃	4℃
在20℃時之黏滯性	14.2	10.37
表面張力（dyne/cm）	67.8	72.75
折射率	1.3281	1.3329

重同位元素之化學性狀，H. C. Urey 氏[6]嘗加以理論之敘述，而其

3 原記錄者甘禮俊注釋：氫之具原子量二者之同位元素，吾人可以氫I表之。

4 即吉伯特・牛頓・路易士（G. N. Lewis, 1875-1946），美國物理化學家，著名於路易士結構（Lewis structure）標記法，這是一種用來表達分子上電子分佈的結構圖。此外，他也是化學勢力學的建立者之一。並且於1926年，創造了「光子」（photon）一詞，用以表示輻射能的最小單位。

5 原記錄如此，應指後文提及的「J.Chem.」。

6 尤萊（H. C. Urey, 1893-1981），美國化學家，曾任芝加哥大學化學教授，諾貝爾獎獲得者。1934年，因發現重氫並製得重水，引起國際化學界很大震動。

它諸氏則將下列平行反應之平衡常數之比（K_1/K_2）加以計算：

$$H_2+I_2 \rightarrow 2HI$$

$$D_2+I_2 \rightarrow 2DI$$

其比值不等於一，而為一點二三四（在絕對溫度5.50℃時）。

（二）自由原子及根之反應（reaction of free atoms and radicals）

對於自由原子及自由根生成之最近進展，誠在化學中闢一新徑，尤其在製備無機化合物及在原子反應賦能熱（heat of activation）之測量方面；此種賦能熱之測量，在分子構造理論及在解釋氣體連鎖反應（chain reaction）之複雜性時，極感重要。原子氫、氧，及氯可直接制自在低壓下經氣體之放電。甲基根（methyl redical）及穩定之乙基根（ethyl radical）可加熱於四烷基鉛（lead tetra-alkyl）而得，或自烷基鹵化物（alkyl halide）與鈉汽，或氫原子之反應而得，亦可將許多有機物質之蒸汽加熱而得。

$$X+H_2 \rightarrow HX+H$$

$$H+X_2 \rightarrow HX+X$$

$$H+HX \rightarrow H_2+X$$

上列各反應已假定之以解釋氫與氯之光化反應（photo-chamical reaction）。

$$H_2+O \rightarrow OH+H$$

$$H_2O + O + \text{第三體} \rightarrow H_2O$$

$$H_2O + O \rightarrow 2OH$$

$$O_2 + H + \text{第三體} \rightarrow HO_2$$

$$H_2 + O_2 + H \rightarrow H_2O + OH$$

上列各反應則已假定之以解釋氫及氧原子與氧及氫分子之反應率（Reaction Rate）。

二　無機化學

（一）新化合物之發現

歷來以為氧與氟無化合物存在，西元[7]一九二七年，P. Lebeau[8]氏及 A. Danuins 氏證明當在溫度一百℃下熔化酸性氟化鉀，與水同行電解時，則一化合物具「OF_2」公式者產生；後又發現氟之氧化物可得自通極細之氟汽經氫氧化鈉之稀溶液。現在 O. Ruff[9]及 W. Menzel. 二氏自此二元素得一新氧化物，在氏等之實驗中，等分子（equimolecular）之 O 及 F 混合體，在15-20mm 壓力下，導入一石英皿中，該皿則浸漬於液態空氣中，再裝置二電極，其距離為十二公分，一放電乃使 O_2F_2 生成為黃色之固體，其熔點為 -160℃。氣體 OF 為一棕色之物質，在 -100℃上則分解為 O 及 F，為一無色之氣體，如再行冷卻，仍可產生 O_2F_2。OF 與之反應有如下式：

7　公元紀年，又稱西元紀年，簡稱「西元」或「公元」。西元紀年採用的曆法叫西曆，也稱公曆。西曆的學名叫格里高利歷（gregorian calendar）。

8　P.Lebeau，勒博，又譯李博，法國化學家。1898年，他用電解氟化鈉—氟鈹酸鈉熔體的方法制得小顆粒的鈹。

9　蘆福（Otto Ruff），著名氟化學家。1933年，他首先制得二氟化二氧。

$$OF + 3HI \rightarrow HF + H2O + 3I$$

對於 O_2F_2 分子構造，嘗以不同之電子構造式（electronic structure）假定之，Ruff 及 Meazel 二式建議 OOF_2 之構造，可書為：$O \leftarrow + O \leftarrow F_2$。

（二）座標化合物（coordination compound）

在證實不穩定之簡單鹽類時，座標學說（coondination theory）之價值已甚明確，此種價值尤可以最近所得利用 Cu^+、Ag^+、Au^+ 鹽以調節次乙硫脲（ethylene thiourea）之結果以證實之。G. T. Morgan 氏指示 $CuNO_3$ 固不能以簡單鹽存在，但能成穩定之 $Cu(etu)_4NO_3$，不穩定之 Cu_2SO_4 可成穩定之（$Cu(etu)_3$）$_2SO_4$ 且溴化銀之座標化合物，Ag (etu)$_2$Cl 及 $Au(etu)_2Br$，不為光所影響。氯化亞金（aurous chloride）可直接為熱水所分解為氯化金（auric chloride）及金，但 $Au(etu)_2$ Cl 則極為穩定。$Au(etu)_2NO_3$ 為一極為穩定之錯鹽（complex salt），可自沸騰之溶液結晶而不變，亦不能以甲醛（formaldehyde）還原至金屬金。

（三）新元素之發見及探求

關於此方面之化學，其發達程度，可謂將至終點，雖然對於錸（rhenium 為公元925年所新發見之元素，原子號為75）元數化合物之研究，仍在不斷進行中。而對於尚未發見之鹼金屬（原子號數為87）及鹵族（原子號數為85）之搜探，均為現代之技術及儀器進行，現已建議其名為 virginium（原子號數為87）及 albanuinm（原子號數為85）。

三　有機化學

（一）根及游子

正電及負電性質（electropositive and electronegative）：對於有機原子團（即根）之相對正電性及負電性之測定，提起極高之興趣，此種相對正電性及負電性之由來，乃由於極性（polarity）之纖微差異，對於許多反應發生極重要之影響故也。最近嘗有一篇文章發表，企圖將一列烷基（alkyl）及芳基（aryl）依其個別之相對負性（negativity），排列成序，至於此等相對負性之決定，可察不對稱汞化合物及二烷基（dialkyls）與氯化氫之作用而得。假定最先自汞分離之 R^1 根，在鹽酸溶液中與氫化合而成碳化氫（hydrocarbon）R^1H，其反應如下：

$$R^1HgR + HCl \rightarrow R^1H + HgRCl$$

固R^1為二根中較為負電性，換言之，即該根對於電子之吸引能力較大，固易於分離而成一負游子，在所檢定之原子團中，其負性增加之次序，有如下表：

$CH_2C_6H_4CH_2 < CH_2C_6H_5 < NC_7H_{15} < NC_4H_9 < C_3H_7 < C_2H_5 < CH_3 <$ M-$C_6H_4C_l <$ O-$C_6H_4C_l <$ P-$C_6H_4C_l < C_6H_5 <$ M-$CH_3C_6H_4 < CN$

通常原子團之正電性及負電性乃與氫相關以檢視之，蓋氫已定為比較之標準，故 R 在 RX 中，其為正性抑為負性，乃根據當 HX 變為 RX 時 X 接受或失去電子而定。如此則烷基常為正電性，而 O_2、CO、CO_2、Et 及 CN 等則常為負電性；但此種規定不能應用於雙性

（amphoteric）之原子或原子團，蓋雙性原子或原子團所生之感應及電計效應（electrometsic effect），常為相反之方向。

不飽和原子團如乙烯基（vinyl）及苯基（phenyl）等，靜體時常為正電性，但與相對之飽和係相較，則屬負電性，再者因構造柔韗性及此等原子團所顯示電性置換中之合作能力，故此等原子團尚無普通之電性可加以確定。

原子之具有非共有電子者，則如 N、O、Cl 及其它原子團接連於此等原子端末，常致一負感應效應（Cl←O←），同時為負電性，但此說，僅在電轉變（electrometric transformation）不存在時方為確實。

NH_2 原子團（非 NR_2）在 $NH_2C_2H_5$ 中（偶極子（dipole）$N\text{-}C^+$）為負電性，但在 NH_2PH（在 $H_2N\text{-}CR$ 中亦然）中。苯基之存在適足將其極性反轉（偶極子 $N+C^-$）。氯則常為負電性，但當與一不飽和原子團連接，則稍為變動。

有機鎂化合物之較高反應性，乃因其負電荷之烷基有分開之傾向，蓋烷基僅具極薄弱之親和力（affinity），故生負游子劑（anionoid reagent）之作用，鹵化烴、硫酸烴及多種酯類（Esters）之烷基，則有分為正電荷游子（kationoid Reactivity）之傾向。

（二）互變異構性（三碳係）

tautomerism（3carbon system）

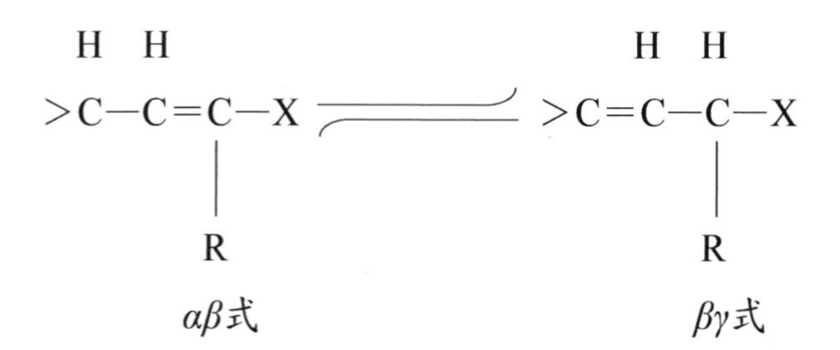

$$X = COOH;\ COOC_2H_5;\ CN_2\text{，或}\ \underset{\underset{O}{\|}}{C}=CH_3$$

（C＝O係）

（C＝N係）

關於有機方面者，尚有立體異構體（stereo-isomerism），分子重行排列（mole cular rearrangement），及接觸劑之研討，茲以時間之限止，不再詳加敘述。

四　分析化學

有機試藥之用於無機分析中用於無機分析中之有機化合物，可分為三類曰：指示劑（indicator），用於色度檢驗（colorimetric Test）中之試藥，及與金屬生成不溶解之複雜化合物。上述三種中之最後一種，因其具有較高分子量，固常用於微量分析中（microanalysis）。

下列所示為最近之工作：

（一）Salicylaldoxime

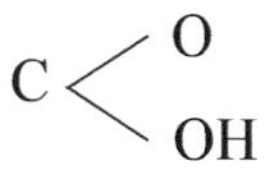

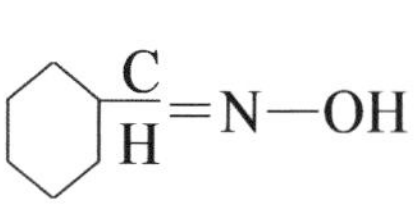

$$C\!<\!\begin{matrix}O\\OH\end{matrix}$$

$$\bigcirc\!-\!\frac{C}{H}=N-OH$$ 可用以分析 Cu

（二）Beuzoinoxime

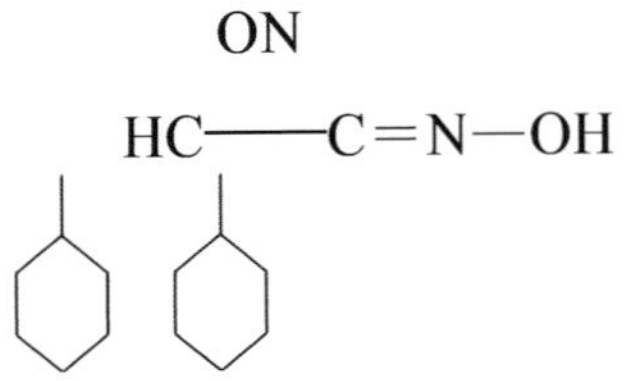

ON
HC——C＝N—OH

可用以分析 Cu

（三）Oxine

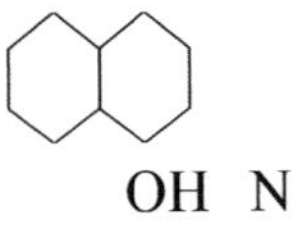

OH N

可用以分析 Cu, Mg, Zn, Cd, Fe^{++}
Fe^{++} 可利用氧化除去
Cu，Zn，Cd 可以醋酸除去

（四）Ethylenediamine

$$H_2N-\overset{H}{C}=\overset{H}{C}-NH_2$$

可用以分析 Hg, Cu, 等

五　生物化學

副兩性內分泌素（secondary sex hormones）

最近幾年來，對於內部秘密產物之研究，日見進步，此種產物能控制動物之陰陽性別。一九三三年間，對於此等物質之構造公式，有驚人之發展。此種長足之進步，實有賴於cholane series（為bile acids and sterols）之構造概念。現有二種形式之物質已加以有理由的分別，其一為小囊內分泌素（follcular hormone），在動物體產生（cestrins），而對於副女性之生長發生影響，同時此物並能使植物中花果萌芽之速度加快。內分泌素之構造及性質與此物極相似者，可自植物得之，固此類物質之晶體，可自棕樹提得之。第二種兩性內分泌素為腸腺內分泌素（testicular hormone），可自男子尿中得之。其結構與小囊內分泌素大同小異，故均擬此二物具有 cholane series 中分子相同之基本組織，即一四核構造，包含一三環菲係（phenenthrene），及額外之五原子環。

小囊內分泌素：自 cholane series 之最新工作觀之，對於內分泌素及相關不活動醇（名 pregnandial，可自妊娠尿得之），欲假定一構造公式，似屬可能。具有相似之內分泌素活動性及各相類似之物質，亦有存在之可能，但根據最近工作，最重要者當為 L- 小囊內分泌素（follimular hormone），即為 trihydroxyoestrin，$C_{18}H_{24}O_3$。其羥酮可得自水化物之二鄰近羥基團，失去一分子水，其第三個羥基團乃屬酸性。如加以接觸氫化，即可得一飽和烴形式 $C_{18}H_{30}$ 之六氫衍化物（hexahydro derivative）。如加以鋅蒸餾則產生一芳香族烴（aromatic hydrocarbon），$C_{18}H_{14}$其構造公式列之如下：

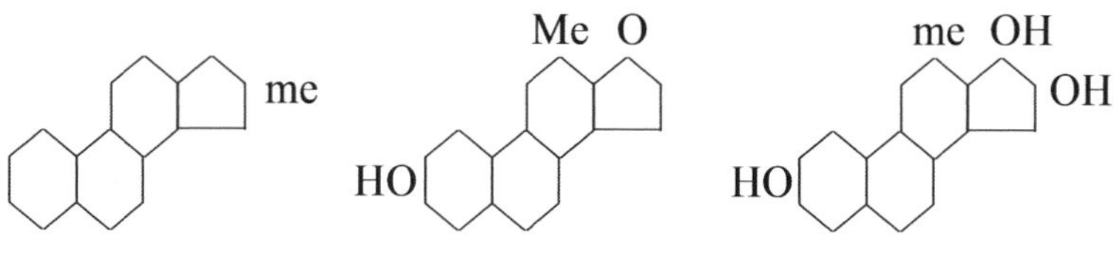

me

Me O

HO

me OH

OH

HO

I
碳化氫
$C_{18}H_{14}$

II
Ketohydroxyoestrin
$C_{18}H_{22}O_2$

III
Trihydroxyoestrin
$C_{18}H_{24}O_3$

腸腺內分泌素：此物與上述者極為相似，亦為一羥酮，和而無酸性，其熔點為一百七十八℃，其組成為 $C_{18}H_{28}O_2$ 或 CHO。其構造公式為：

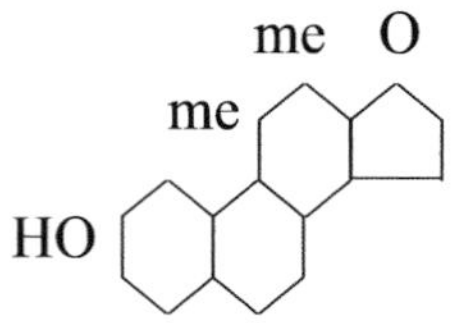

me O
me
HO

兩性內分泌素之原始：根據最近之研究結果，吾人能得一結論謂，兩性內分泌素乃為 bil acids 及 sterols 之氧化產物，其套裝程序含側鏈（side chain）之分裂，及自飽和狀態變為一芳香族環，同時並失去一甲烷基。此種兩性內分泌素與 cholane series 之關係之觀念，乃得自 pregnandiol 之獲得，及一羥酮（MP 176℃）之產生，該羥酮乃為腸腺內分泌素之異構物（isomer）。此等物質（其公式如下），從生物學方面生成活動產物，可視為中間產物也：

（C_{21} H_{36} C_{21} MP2320c）

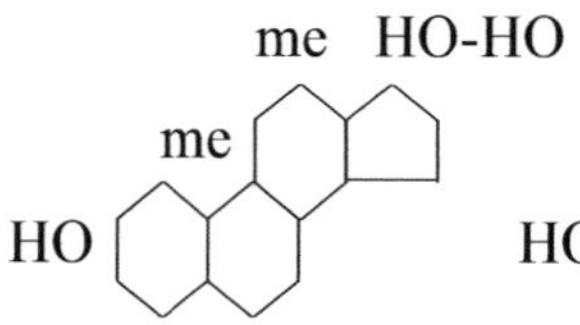

me HO-HO
me
HO
Prcenandial

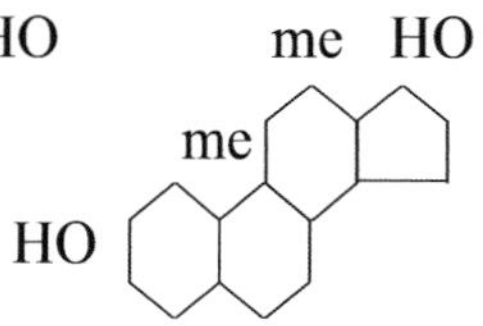

me HO
me
HO
醇

容量分析中之新指示劑

韓祖康

韓祖康（1894-1968），湖南長沙人。早年就讀於湖南雅禮大學，曾任教於湘雅醫學專門學校、清華大學、中央大學、復旦大學、同濟大學，後任上海英商卜內門公司化驗部主任、天康化學工業廠總經理等職。時在國內外化學雜誌上發表學術論文，常被著名學者所引用。一九二四年，韓祖康在上海自己家中建立一個實驗室，先後取得許多分析測試方面的成果，發表了多篇國際公認的論文，成為我國在自己家中設有實驗室的唯一的化學家。解放後，韓祖康參加國家機構工作，歷任上海市商品檢驗局、市衛生局及藥品檢驗所顧問，衛生部藥典編纂委員會委員，中國化學會理事、上海市化學化工學會副理事長等職。

韓祖康是中國著名的儀器分析專家。一九五二年用極譜法測定出口罐頭食品中微量鉛、銅、錫的研究，為當時出口貿易做出貢獻。一九五四年任上海化學化工學會極譜組組長，舉辦系列儀器分析專題講座，並主編出版《儀器分析大綱》，為國內第一部專著，前後刊行十餘版。一九五六年，負責制訂國家儀器分析發展規劃，還與其摯友諾貝爾獎獲得者海洛夫斯基合編《極譜學文獻內容索引》及專輯，推動了中國極譜學的發展。有專著十餘種，發表論文四十餘篇。

本講演由滬江大學化學專業學生陳大為（後於1938年畢業，當時在讀）記錄。陳大為記錄：十一月六日，韓組（應為「祖」）康先生應化學學會之請，來校演講，此稿即係當時所錄，以本刊出版期近，時間匆促，未及韓先生指正，掛漏錯誤，在在均是，尚希閱者及韓先生鑒諒之——錄者附識。

摘自國家圖書館館藏，一九三六年十一月發行，滬江大學理學院出版委員會編印的《滬大科學》第一卷第一期（滬江大學30週年紀念特號）。

一　廣度指示劑（universal indicafor）

容量分析中，所有之指示劑，均有一極狹之階度（range）。每一作用時，因其當量點（equivalence point）之不同，而擇用一適當之指示劑，此固初等容量分析書中論及者也，惟此法麻煩殊多，故有廣度指示劑之發現，使用範圍自Ph4-10階度極大，使用亦遂便利。此項指示劑由多種指示劑混合而成，其顏色及Ph之關係如下：

Ph	顏色
4	紅
5	橙
6	黃
7	綠
8	淺藍
9	淺藍（imbigo blue）
10	紫

足敷普通分析之用，在精細之 Ph 測定前，可以其作先一步之預算。

實驗：

（一）普通自來水1000c.c.，加入5c.c. 指示劑，顯現綠色，Ph 約為 8。

（二）1000c.c. 蒸餾水內，加入5c.c. 指示劑，顯現黃色，Ph 約為 6。

蒸餾水之Ph值，已列酸性。普通認為中性之見解，實為錯誤，蓋蒸餾取水時，淡有揮發性氣體及二氧化碳甚多，且因溶解鹽類，為量至微，緩和作用（buffer）可稱全無，至普通自來水內，鎂鈣鈉鹽類不少，緩和作用遂大，反近中性，緩和作用與變色之緩速，可以下二實驗明之。

（一）於上述蒸餾水內加入50 c.c. 自來水，即呈淡綠色（Ph 約為 7），對於鈣鎂鹽屬之緩和作用，表示明甚。

（二）於 1000 c.c. 蒸餾水內，漸漸如入 0.1NHCl4 滴時立顯紅色，十四滴時呈淡紅，顏色變化頗速，皆無緩和作用之故。

次加入 0.1NNaOH，色之變換，不甚靈敏，此由於 NaOH 與 NCl 作用而生 NaCl，遂具緩和作用，在十四滴時初現黃色，三十滴時方達鹼性現象，而顯紫色（Ph＝10）。

總之，普通蒸餾水非為中和性之液體，即最純淨者，若藏於玻璃內，亦有相當矽[1]質溶下，而呈鹼性，故在電導實驗（electrical cocdnctauce）時，蒸餾水務須貯於石英儀器內，以保持其中和性。

關於廣度指示劑配合之成分，各國秘密研究，而不公開，下附一式，繫日日所發表者。

1 矽，矽的別稱。

Thymol Blue	0.005gm，
Methyl Red	0.0125gm，
Bromthymol Blue	0.050gm，
Phenolphthalein	0.100gm，
Neutral alcohol（95%）	100c.c.

以 0.05N NaOH 中和之，然後以中性蒸餾水稀釋至 200 c.c.，即得。

二 掩蔽指示劑（scneend indicator）

Methyl-orange用為指示劑時，於當量點時，變色遲緩，不易覺察。若加入一本身無作用之顏料，則變色極為明顯，此種指示劑即稱為掩蔽指示劑者是也。

實驗：盛45 c.c.1NNa_2CO_3溶液於500 c.c.燒瓶（erlenmeyer flask）稀釋以300 c.c.蒸餾水，加入十滴指示劑，後以2NHCl滴定，將近中和點時，色為灰色，酸性則為紅色，鹼性則呈綠色，明瞭程度較單以Methyl orange為指示劑者遠甚，

此項掩蔽指示劑，可按下方配合：

Xylene Cyanide F F（Sandoy）	0.28g.
Methyl orange	0.20g.
50%Neutral albohol	100c.c.

三　氧化還原指示劑（oxidatitn and reduccion indicator）

氧化還原指示劑，其本身亦經氧化或還原作用，至某一氧化電位（oxidlzing potential）時，即生變色現象，顏色之變更，須依賴指示劑於當量點前後濃度之比例。

$$In_{ox} \quad + \quad e —— Inred$$

二者之中，若欲其一可見，則其比應如下式。

$$\frac{[Inox]}{[Inred]} = 10$$（指示劑呈氧化之顏色）

$$\frac{[Inox]}{[Inred]} = \frac{1}{10}$$（指示劑呈還原之顏色）

故若滴定時之電位差變更得知，當量時之電位差變動得知，即可擇一適當之指示劑，作滴定之用，如以 Cu^{+} 離子還原高鐵離子 Fe^{+++} 為例，即

$$Fe^{+++} + Cu^{+} \rightarrow Fe^{+++} + Cu^{++}$$

E（Fe^{+++} 多時）$= eFe - 3 \times 0.059$

$(0.71\text{-}0.18 = 0.53)$

E（Cu^{+} 多時）$= eCu + 3 \times 0.059$

$(0.18 + 0.18 = 0.36)$

由上觀之，此適當之指示劑變色階度，應於＋0.53 與 0.36Volt 之間。

實驗：10 c.c. 0.1N $FeSO_4$ 溶液，加入12 c.c. 9N H_2SO_4、3

c.c.H_3PO_4 以 Ce（SO_2）$_2$ 氧化，十滴 diphen・1 amine 為指示劑。作用完成時，溶液顯綠色，此處加入 H_3PO_4，乃因 Fe^{++} 氧化而形成 Fe^{+++}，其離子帶有黃色，且具氧化能力，實驗上，精確上頗多不便，而 H_3PO_4 與 Fe^{+++} 作用而成負離子[2]足以消除此弊也。

數種指示劑，如 meth・1 orange 及 meth・1 red 等，亦可應用於氧化還原作用，且較靈敏，惟因顏色變換，不能回覆，結果常使真實之當量點，差過頗易，遂被屏棄不用。

四　吸收指示劑（absorption indicator）

以硝酸銀滴定氯化鈉，可用吸收指示劑。

實驗：45 c.c. 0.1N NaCl 加 200 c.c.水，5 c.c. 糊精（dextrine），使成保護膠體（protective colloid）1 c.c. 0.2% flurescein 水溶液為指示劑，以硝酸銀滴定，當量點時呈紫紅色。

在作用完成點前，溶液中有 Na＋及Cl- 離子，膠體 AgCl 旁吸收 Cl- 離子，以圖明之如圖一。

適在作用完成點時，如圖二。

作用過後，膠體情形如圖三。

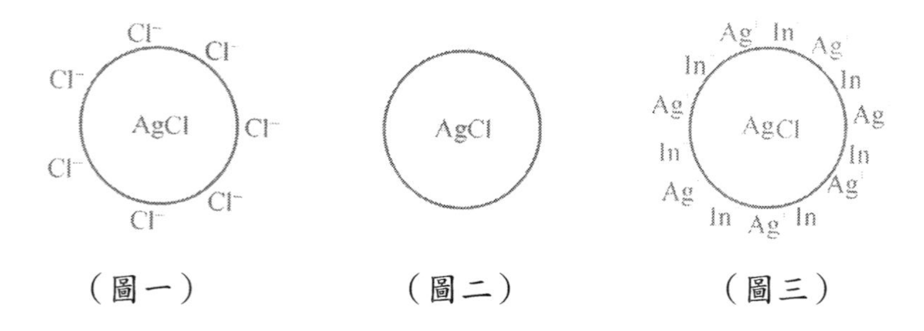

（圖一）　（圖二）　（圖三）

2　原文為「複離子」，應系筆誤。

由此附著之指示劑離子，故顯特殊之顏色，實為膠體之色，因其質體之小，遂呈為溶液之色。

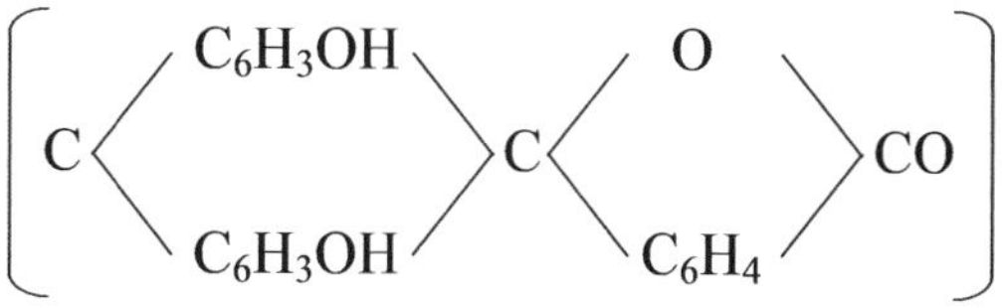

$$\left[C \left\langle \begin{matrix} C_6H_3OH \\ \\ C_6H_3OH \end{matrix} \right\rangle C \left\langle \begin{matrix} O \\ \\ C_6H_4 \end{matrix} \right\rangle CO \right]$$

有多種染料，如 fluorescein，uranine，eosine 等，可認為弱酸。弱鹼性之染料如 rhodamin 等，均為常用之吸收指示劑。

此類指示劑，不能有太強之吸收力，eosin 即有此弊，故以硝酸銀滴定 NaCl 時不能應用。

附著之程度，$I^- < Br^- < Cl^-$。因此，Eosin 不能用於 Cl^- 滴定中，可用於 Br^- 及I^-。erythrosin（tetra-iodo-fluorescein）附著力極大，雖在滴定 Br^- 及 I^- 時，亦不能得滿意之結果。

除 Ag^+ 之外，吸收指示劑，對於 Hg，Pb，Cu 及其它離子，均可應用。

實驗：以 0.1NHgNO3 滴定 45 c.c. KBr.，以 alizarins 為指示劑，初為黃色液體，繼現黃色沉澱，最後則有紅紫色沉澱，惜此指示劑，作用不能回覆。

五　螢光指示劑（fluorecense indicator）

滴定深色溶液如墨水之類，普通指示劑因色被蔽，不易得見，螢光指示劑即可輔助此不足，quinine 亦屬此類，在作用完成時，若於紫外線之下，立顯螢光。

以上所述，為指示劑之大概，研究方面問題極多，前途誠無量也。

社會篇

滬江大學一度擁有引以為傲的社會學系。滬江大學最初設置的四科中就包括社會科學科，又稱社會科。直到燕京大學一九二三年成立社會學系與之分庭抗禮以前，滬江社會學的地位在國內居首屈一指[1]。復旦大學王立誠教授等學者研究認為，滬江大學是國內第一個正式設立社會學系的大學。

一九一四年二月，畢業於美國布朗大學的滬江大學教授葛學溥創建了社會學系。此前的一九一一年，滬江大學部分師生在附近的村子沈家行[2]開辦了第一所平民學校。一九一二年，董景安[3]為了文化掃盲需要，編寫了九冊一套使用六百個漢字的語文課本——《六百字編》，內容從最初的識字到各種常識，包括衛生、人際關係、國家、倫理、自然地理、農作與機械、革除陋習和寫信等，成為早期平民教育運動中的一項創舉。這也是滬江大學最早開展的關於國情、地理方面的教育。

葛學溥建立社會學系後，按照杜威「學校即社會」理論，進一步將組織社會服務與專業教學結合起來。他將社會學的重點放在「社會

1 由於社會事工在基督教傳教中的地位日趨重要，大多數教會大學在1920年代後都開辦了社會學系。滬江在這一領域的學生規模長期是最大的，進入1930年代後才被燕京大學趕超。

2 現位於上海市楊浦區五角場鎮，距上海理工大學（滬江大學原址）2公里之遙。

3 董景安（Tong Tsing En, 1875-1944），清末秀才。名翰譜，一名正鵠，字景安，號新三，浙江鄞縣人。早年入寧波浸會傳教士高雪山（J. R. Goddard）辦的學堂，學習英語。後隨魏馥蘭在寧波辦浸會中學（即後來的四明中學）和在紹興辦神學院，並中秀才，是當時浸會華信徒中鮮見的有功名的人。1902年赴英國，獲聘英國愛丁堡大學名譽教授。1906年任滬江大學講師，1911年被選為滬江大學第一名華人教授。1911-1919年任滬江大學國文系主任，1915-1919年任華人副校長。1919年離校至大同編譯社就職。1921年出任定海公學（今舟山中學）首任校長，逐漸使學校成為當時浙東私立學校之冠。1928年辭職離校。1944年1月病逝於上海。

工作」，強調社會工作不同於施捨，而是要通過對社會狀況的深入研究，提供科學的社會服務，達到改正社會秩序中陋習的目的。他強調，學生不能安居在書齋中，而必須在對實際社會的服務和研究中增長才幹，培養服務社會的品格。

一九一七年，滬江大學與美國布朗大學簽署協議，成立中國布朗社會科學學院。根據協定，布朗大學派其社會學系主任詹姆士・奎勒・格雷（J. Q. Dealey，又譯狄雷）、教授白克令（H. S. Bucklin）先後來校講學，大大提高了滬江大學社會學科的教學品質和研究水準。

格雷是美國布朗大學社會學系主任，美國社會學協會主席。一八九三年，格雷開始在布朗大學教授社會和政治學，聲名遠揚。一九二一年，作為滬江大學訪問教授，格雷「出版一部講演集，頗為有名。他之演說辭見報章雜誌，名滿中國」[4]。經查，此講演集就是《狄雷五大演說》，由滬江大學社會學社翻譯，係中英文對照讀本，內容有：調查鄉村的方法；鄉村的改良；城市的改良；國家的改良；福國利民的科學[5]。

格雷的短期加盟成為滬江大學的一大盛事，相關報導屢見不鮮。滬江師生寄望於「格雷博士將在學校裏住很久並給我們講解社科知識，給社會俱樂部、Gamma Alpha[6]等組織提出建設性意見，說明學生

---

4 華東師範大學圖書館館藏《滬江大學月刊》第12卷6期，頁6：「校史・本校歷年來進步之概觀」。

5 華東師範大學圖書館館藏1921年6月18日出版的《滬江大學周刊》第10卷2930期，頁27。

6 是「加多林研究生科學協會」（The Gamma Alpha Graduate Scientific Society）的簡稱，由康奈爾大學生物系學生創建於1899年，是一個非盈利性的學術性組織，在世界各地設有分會，並通過地方分會促進研究生之間的跨學科對話。1880年，瑞士科學家馬裏納克發現了兩個新元素並分別命名為gamma alpha和gamma beta。1886年，法國化學家布瓦博多朗製得純淨的gamma alpha，並確定它是一種新元素。馬裏格納克為了紀念釔元素的發現者、研究稀土的先驅芬蘭化學家約翰・加多林（Johan

們理解這些問題」。滬江大學的學生們甚至津津樂道於格雷夫人將會陪同格雷博士在春季學期期間居住在校園內。自然，對格雷博士與其夫人的接待也有記載：這是由學生自我管理組織讚助舉辦的在三月五日晚上歡迎格雷博士和他夫人的一次大會……

一九二一年六月十一日是格雷返回美國的日子，歡送會更是必不可少。六月九日的歡送會上，很多熱情的學生預定好了地方而且已經排滿了座位……格雷在滬江大學掀起的對社會學的熱情從一個側面反映了當年滬江大學社會學的鼎盛與影響力。

同時，滬江大學還在楊樹浦路眉州路口購置了一處原為教堂的房產，率先創辦了國內首家社會學實習基地——滬東公社[7]，「以供滬大社會學系之實驗，同時又為教育、宗教、經濟各學系實習之所」，以強化學生的實踐能力。這一場所被用英文命名為「The Yangtzepoo Social Center」，中文名為「滬東公社」，葛學溥、韋雅谷曾先後任主任。

滬東公社的成立，既為學生提供了社會實習、調查和研究的基地，也在社會機構及周圍廠家的讚助下，成為提升當地社區文化和生活品質的社會服務中心。除宗教活動外，普及教育和文化知識是公社活動的重點。公社辦起了日校、夜校、圖書館、滬東工業醫院、勞工運動場，經常舉辦各種科普展覽。這樣一種在工人區辦的全方位社區服務系統在當時的中國屬於創舉。因此滬東公社開辦後，很快受到當地群眾的歡迎，公社成了建立現代工人社區文化的樣板。一九二三年，葛學溥在應哥倫比亞大學之聘回國前頗為自豪地說：「英美法的

Gadolin, 1760-1852），將這個新元素命名為gadolinium，中文名為釓，元素符號Gd。釓是一種稀土金屬，用於微波技術、彩色電視機的螢光粉、原子能工業及配製特種合金。滬江大學也有加多林研究生科學協會分會這一組織。

7 現屬於上海市楊浦區大橋街道（社區）。

各種刊物不時登載了關於這個機構的報導和評論，世界各地的訪問者也常順道來考察公社，因此它逐漸獲得了某種國際性的聲望。」

滬東公社的成功，使滬江大學把社會服務擴展到校園周圍的鄉民。更重要的是，滬江大學校門開始向四周鄉鄰打開，加強了滬江大學與周圍社會的緊密關係。這種社會服務的宣導，使滬江大學走出了象牙塔，也在學生中培養了服務社會的精神。校長魏馥蘭聲稱：「許多人現在從事社會與宗教工作就是從這些似乎看似小家子氣的活動開始的。可以肯定地說，沒有人在讀完大學前沒有受到過某種影響，使他們感到要為他們可能生活其中的社會做點事情。」

葛學溥回國後，韋愛倫[8]成為社會學系主任，其下有教授藍姆蓀，留美的滬江校友錢振亞、仇子同、金武周等。著名社會學家雷潔瓊於一九四三年受聘滬江大學社會學系教授，並於翌年任該系主任，直到抗戰勝利。錢振亞、仇子同、金武周也先後擔任過滬東公社主任。他們繼承了社會學系強調實踐的傳統，使該系學生「不徒閱讀各種有關之理論書籍及研究報告，並須親自實際調查，多以楊樹浦工廠生活與滬江大學附近鄉村社會為其研究對象，以滬東公社與滬江大學鄉村服務處為其實習場所。」學生的畢業論文選題既有農村，也有城市，如《楊樹浦主要街道研究》、《上海流浪兒童調查》、《上海謀殺案研究》、《上海電影研究》、《一個中國大家庭的社會研究》、《江蘇江陰陳家村社會研究》、《中國盲人社會研究》等，涉及了社會生活的方方面面。藍姆蓀於一九三四年還在商務印書館出版了其專著《社會問題》。而白克令的《沈家行調查》[9]、葛學溥的《華南的鄉村生

---

8 韋愛倫（J. Hundley Wiley），美國裏士滿大學文學學士、芝加哥大學碩士、南浸會神學院博士，1921-1940年任滬江大學教授。

9 白克令（H. S. Bucklin），1924-1925年任滬江大學訪問教授。在白克令的指導下，滬江大學社會調查班的學生調查了離上海不遠的沈家行農村，內容包括家庭、宗教生

活》[10]等社會學著作成為我國社會學領域具有開創性的代表作。

滬江大學還成立了社會學社（sociology club）[11]，加強了學校與社會各界的聯絡，並在校內組織相關活動，其中尤以講演最具影響。《滬江大學周刊》及《月刊》就有很多相關的記載，如：一九二〇年十月十七日晚，有中國內地會名牧包活兒演講「雲貴之苗子」。佐以彩色影燈，詳陳雲貴之風景及人民狀況。包牧富於經驗，言語風雅，故聽者咸大樂[12]；一九二〇年十月二十二日晚七時，杭州教會聯合會會長美國斐琪博士至本校演講「川邊之形勢」。博士素長辯才，間操華語，其嫻熟並佐以影片，聽者真疑身歷其境雲[13]；上海濬浦局工程師撒德利博士於（1921年）本月十四日來校講演「黄浦江流域之形式與地質」[14]；一九二一年四月二十二日晚七時，本校社會學社敦請格

活、地方行政與懲罰制、教育、農工商業、健康與公眾衛生、娛樂、居住等項。調查結果由張鏡予主編，與其它八人共同撰寫《沈家行實況》，作為滬江大學勃朗叢書之第一種，1924年由商務印書館出版，這是第一個以中文撰寫的我國有關農村社會調查的報告。

10 中山大學人類學系主任周大鳴著有《鳳凰村的變遷》。該書是作者1994-1997年對《華南的鄉村生活》一書的追蹤研究成果，全方位記錄和分析了鳳凰村的人口、經濟、政治、教育、婚姻和家庭、宗教信仰和社會控制等方面的歷史變遷與發展現狀，也回應了葛學溥以來華南漢人社會研究的一些關鍵問題，如宗族、民間信仰、國家與村落社區關係等。

11 華東師範大學圖書館館藏1922年5月30日出版的《滬江大學月刊》第11卷第4-5合期頁28記載：「社會學社是專攻社會學的學生組成的，以調查觀察社會現狀為宗旨，發行出版物數種。」

12 華東師範大學圖書館館藏1920年11月20日出版的《滬江大學月刊》第10卷第2期，頁5。

13 華東師範大學圖書館館藏1920年11月30日出版的《滬江大學周刊》第10卷第1期，頁3。

14 華東師範大學館藏1921年1月29日出版的《滬江大學周刊》第10卷第1415合期，頁16。參見「花絮篇」：〈關於黃浦江及長江地質學研究 The Geology of the Whangpoo And Yangtze Rivers〉。

雷博士演講，題為「鄉村改良計劃」[15]；而在一九二一年六月四日，在格雷博士回國前夕，社會學社在思晏堂一號開歡送格雷博士大會，會中有格雷博士、安特生先生等之演說，極形熱鬧雲[16]。

「九一八」事變後，滬江大學學生成立了邊疆問題研究社。一九三五年，在余日宣教授的帶領下，他們滿腔熱情地趕到西安，向張學良宣傳抗日，使張學良深受感動。此外，他們還組織名人講演，撰寫相關文章，開展社會調查。如邀請江亢虎來校講演「西北歸來之感想」，在《滬江大學月刊》上發表文章，如王適時的「今日之蒙藏」、馮復威的「今日之西康」[17]等等。他們還與學校圖書館接洽，把圖書館裏的一個古品陳列櫃用作「邊疆消息公佈欄」，每天把報上關於邊疆的消息剪下來貼在上面[18]。

滬江大學還辦有夏令兒童義務學校，日常工作主要由大學生們承擔，而演講就是其中很重要的形式之一。據《滬江大學月刊》記載，「關於智育的有衛生講演、習慣講演和愛國講演。愛國講演呢，沈堯卿君事體極忙，所以只講過兩次，論及國旗和疆域。沈君講得極合兒童的心理，學生聽得極有興味！」[19]

隨著滬江大學的畢業生逐漸走向社會，滬江大學早在一九一四年就成立了由畢業生和肄業生組成的滬江大學同學會，作為學校聯繫社會的重要媒介。為此滬江大學還專門成立了「校外學生通訊社」，以保持與這些校友的聯繫。

---

15 華東師範大學圖書館館藏1921年4月30日出版的《滬江大學周刊》第10卷第22期頁10「校聞」欄目——「名人演講」。

16 華東師範大學館藏1921年6月11日出版的《滬江大學周刊》第10卷第28期，頁18。

17 國家圖書館館藏1933年6月出版的《滬大月刊》第2期。

18 國家圖書館館藏1931年3月8日出版的《滬大周刊》第6卷第1號，頁15。

19 華東師範大學圖書館館藏1921年12月出版的《滬江大學月刊》第11卷第1期，頁70。

作為一所教會學校，滬江大學非常重視英文教學。但與英語水準提高相應的，卻是中文水準的滑坡，對中國歷史文化知識的淡漠與匱乏。例如有女生被問及中國歷史上有哪些朝代時，只能答出漢、三國和宋元明清[20]。隨著中國民族主義意識的興起，教會大學傳統文化知識水準低下的狀況越來越引起人們的非議。滬江學生林紹昌[21]撰文指出，第一，我們應當常常叫我們的國家為中華民國，不應該單說中國。因為中國是地理上的名詞，可以不包括滿蒙回藏的地方和人民。中華民國是政治上和國際上的名詞，一說出來就知道是五族共和的國家。我們的國家有了紅黃藍白黑的五色，也就是要代表五族的意思。現在我要請諸位和我一道誠誠懇懇的研究幾個問題：滿蒙回藏的現狀怎樣？我們對滿蒙回藏有沒有均等或充分的注意？五族的文化大不相同，中華民國可以強盛嗎……第二，幾年以來，因日本「口蜜腹劍」，「中日感情日疏」，我國的人就大都不注意去研究日本[22]。滬江大學終於在一九二三年添設了地理與地質學系，首任主任為北浸會傳教士葛德基[23]。該系的成立更進一步促進了滬江社會學系的發展，社會學系也終於成為滬江的一大特色而聲名遠播。一九五二年初，滬江大學社會學系停止招生，併入復旦大學。

本篇收錄了十六篇演講，時間跨度從一九二〇年到一九三七年，涉及國情、地理、人生等方面，其中格雷博士的有三篇。

---

20 邱培豪：〈改革滬大芻議〉，《滬江大學年刊》，1927年。

21 滬江大學宗教科1924屆畢業生。

22 華東師範大學圖書館館藏1923年5月25日出版的《滬江大學月刊》第12卷第5期，頁612：「國人所容易忽略的兩件要事。」

23 葛德基（George B. Cressey），丹尼森學院理學士，芝加哥大學、耶魯大學碩士、博士。1923-1929年任滬江大學地理與地質學系主任。1926年，葛德基離開滬江大學後，地質系名存實亡，勉強維持到1929年。只有畢義思、陳宗經（巴黎大學文學學士，財政部地稅管理委員會專員）後來講授過經濟地理。

家庭交際之重要

朱友漁

朱友漁（Andrew Yu-yueTsu, 1886-1986），上海人，社會學家、基督徒。早年就讀於上海聖約翰大學神科，一九一二年獲美國哥倫比亞大學哲學博士。曾任上海聖約翰大學社會學教授、中華聖公會雲貴教區主教、中華聖公會中央辦事處總幹事。一九五〇年十二月赴香港，轉往美國。在一九五一年的基督教控訴運動中，是首先被控訴的四名基督教領袖之一。朱友漁較早主修社會學課程，其博士論文題目為〈中國慈善事業〉。

本文摘自一九二〇年四月出版的《天籟》第九卷第四期，記錄者不詳。

我國社會殊多陋劣，如消遣之不正當也，俗尚之奢華也，人民之無知識也，妓院娼僚之遍地也。是皆當根本改革者也。第著手改良，殊形困難。以吾觀之，社會上之弊病，在於家庭之不能完備。若以家庭為栽培道德之樞紐，則打破社會弊病，其庶幾矣。故欲改良社會，應由改良家庭始。交際為社會所不能缺者，如友朋酬，藉以聯絡情感，第現今普通習慣。男子之交際，輒假家庭以外之機關，如酒肆茶僚妓館總會等。是因吾國之舊家庭，咸視為不便交際之地。其理由固夫人知之，毋庸贅言。然吾人不思改良家庭，俾便交際，反消費於家庭之外。因此社會之弊病，遂叢生矣。故吾之主張，應注重家庭交際，既可節省經濟，又可革除社會弊病。

欲完備家庭之交際，(一) 須使家庭整潔。蓋人恒浪費於一身之衣飾，而吝於整潔家庭之使用。故每見有衣服麗都者，而其家庭恒淩亂不齊。欲革除此風，應節個人之衣飾，移其費於家庭之布置，使之呈美滿之景象，不致羞延友人交誼於家庭。(二) 應於家庭行正當之消遣。蓋男子公暇，常視家庭為寂寞，故通常消遣，大抵行於家庭之外。為今之計，應思於家庭利用暇時，注重讀書閱報。書報之益甚大，不論男女皆當有此習慣，以增進其知識，不僅藉以消遣，且可打破社會盛行之賭博。外此如唱歌音樂，亦為家庭消遣之良法。組織討論會，商榷學術或社會問題，皆可於家庭利用暇時以行之。(三) 應改良宴會。以吾人交際，宴會亦為重要。然人每費金錢時間於酒肆。而視此為非家庭所易行者。且僅重飲食，輒費多時，以飽口腹，無他獲益。應主張簡單宴會，邀集友人聚餐家內。於宴時宜節時間，插入增進學識之事，則獲益钜矣。

雖然，欲使家庭交際之美滿，不僅男子應實行，女子亦當盡輔佐之責，以造成良好的之家庭。故又須注重女子教育，而以研究家庭生活為尤要。譬如家庭之組織、衛士、布置、烹飪等，皆為重要問題。顧今日之所謂女子教育皆不注意於此，反形式是尚，從事於西文舞蹈等等，致學校畢業之女子，於家政之處理茫無所知，誠可憾也。若今之負女子教育責者，能注意應用之學識，則吾國家庭方有改良之望。至於男子方面，更當重視家庭，尊崇女子，實行互助主義，予以平等權利。則家庭之氣象，自臻美滿。而社會上自無不道德之行為矣。是以改良社會須改良家庭，改良家庭須各劃除舊思想，注重男女平等。捨此無他法也。

高尚的理想和辦事的能力

白理斯

本文摘自一九二〇年四月出版的《天籟》第九卷第四期，記錄者為朱榮泉。根據朱榮泉的記載：「白理斯先生乃本校經濟教授漢森先生的同學。日前來校遊歷，於二十四日晨講於大禮堂。」白理斯生平不詳。漢森與當時任政治與歷史學系主任的韓森（Victor Hanson）是否為同一人，尚難確定。

朱榮泉（1898-1969），又名仁，浙江餘姚城內江北人，滬江大學一九二一屆文學士，一九二一～一九四一年留校任國文系講師、副教授，其中，一九二五～一九三四年兼任國文系秘書。曾與朱公瑾等發起創辦「餘姚私立實獲初級中學」，這是餘姚首所全日制普通中學。上海淪陷後，回餘姚與黃雲眉等辦戰時學生補習班，一九三九年任實獲中學校長。一九四八年任餘姚縣立簡易師範學校校長，以治校嚴厲著稱。一九五一年被評為上海市一級人民教師。曾當選上海市人民代表。

兄弟今天得與諸位談談，非常歡喜。兄弟有一位少年朋友，現在北京高等工業專門學校做教授。他在美國工業學校畢業，他的工業能力也很充足。他對我說：「北京政府裏，雇了二個外國工程師，並五六個中國工程師，教他們調查中國的財源，畫成地圖。等他們把地圖畫好，交與政府。政府就擱在一旁，不去理他，一面仍舊給他們很高的月俸，教他們畫。」這樣的政府，是腐敗極了，所以你們學生要去干涉他。這無非要使中國興強，但我看現在中國的全國運動，有二件很大的缺點：一件就是辦事的能力，一件就是倫理的和社會的理想。中國的商人，有了辦事的能力，卻沒有倫理的和社會的理想。世界的商人也就是這樣。你們學生，有了倫理的和社會的理想，卻沒有辦事的能力。為了這個緣故，你們不肯聽他們的意思，他們不肯信任你們。於是你們學生想去和平民接洽，但是他們沒有受過教育，不是反對你們，就是暴動。倘使你們大學畢業或中學畢業的人，肯去教育他們，或者他們方才肯與你們同意。但是現在只要你們學生同他們商人，聯絡起來，互相融洽，因為你們和他們，是社會上兩個大團體。倘使能夠合力去做，那國就不難救了。

吾人對於社會之責任

黃炎培

黃炎培（1878-1965），字任之，江蘇（現上海）川沙人，教育家。早年加入同盟會，辛亥革命後任江蘇省教育司司長，曾首創上海中華職業學校。一九二一年被委任教育總長而不肯就職。一九四一年，與張瀾等人發起組織中國民主政治同盟。一九四五年又與胡厥文等人發起成立中國民主建國會。新中國成立後，歷任中央人民政府委員，國務院副總理兼工業部部長，政協一屆全國委員會常委，第二、三、四屆政協副主席，一、二、三屆全國人大副委員長，中國民主建國會主任委員等職。

本文摘自華東師範大學圖書館館藏、一九二二年一月二十日出版的《滬江大學月刊》第十一卷第二期。該刊記錄：「十二月十一日晚七時，本校青年會，特請江蘇省教育會副會長黃任之先生來校演講。這一篇就是他所演講的。」由王鑒賢（滬江大學商業管理專業學生，於1926年畢業，當時在讀）記錄。

我今天所要和諸君講的，就是「吾人對於社會之責任」。我沒有講這個之前，先要和諸君解說這個題目。我所說的「吾人」，一，就是我們這一起的人，地位境遇，都是還好的。二，「吾人」不但是諸位，我兄弟自己，也是在內的。「責任」兩個字的意思，就是我們對於某種事情，負了一種肩任一定要做的，若是不做，人家就要責備。

這兩個字的意思，就是一定要做，不能隨便做隨便不做。「社會」，就是我們日常所處的和所接觸的地方。我們既然認清了這個題目，我再往下講。

我今天對於這個題目，要分三段講，第一段就是提倡社會道德。我看到道德教育是很重要，個人道德對於社會影響是很大。明顧亭林[1]先生說：「國家興亡，匹夫有責。」因為一個人所做的事情，到後來影響於社會，是很重要的。可以舉出一個例子來證明：我們現在很恨北洋的一派軍閥，軍閥的威權和所做的許多不好的事情，我們都是很惱恨他們。但是他們的起頭，就是一個人所養成的，這個人就是袁世凱。我們再看到各處的選舉，都是由金錢購買的，齷齪的不堪。人家說：「一番選舉，打翻十年教育。」但是這個風氣，在民國元、二年的時候，將至起頭，那個時候，只有進步黨[2]和國民黨。袁世凱自己拿出一百六十萬，替進步黨運動購買，那時江蘇也得著三十萬。這樁事情之後，金錢選舉的風氣大開。從這兩個證據看起來，個人對於社會的影響，是很大的。再拿吾鄉浦東川沙縣講：我們這個地方，起先有一個有權勢的人，他所做的事情，不大正當，專門講究白吃，後來有許多人效法他，養成白吃的風氣。再如我臨近的南匯縣，起初有一

1 即顧炎武（1613-1682），江蘇崑山人。初名絳，字忠清，明末清初著名的思想家、史學家、語言學家。與黃宗羲、王夫之並稱為明末清初三大儒。明亡後，因慕文天祥學生王炎午為人，改名炎武，後世稱為亭林先生。少年時參加復社，清兵南下時，參加抗清鬥爭。

2 進步黨的前身是統一、共和、民主三黨。1913年5月在北京成立的以舊立憲派為主體的民族資產階級保守政黨。1912年春，臨時政府北遷後，袁世凱並未立即撕下擁護民主共和的偽裝。他在擴充北洋軍武裝實力的同時，又極力從政治上拉攏立憲派政客和革命派中的蛻化分子，組成擁袁政黨，妄圖在議會中「以黨治黨」，操縱政黨政治，壓迫革命派。在梁啟超的支持下，1913年5月，統一、共和、民主三黨全體在京黨員大會召開，宣佈三黨合併改組為進步黨，黎元洪為理事長，但思想領導和黨務大權主要掌握在梁啟超和湯化龍手中。

個人，提倡工藝，到現在有無數的出產，運到上海來。照以上幾個證據看起來，個人的道德是很要緊的，但是要養成個人道德，就是要靠道德教育。

第二就是開通社會知識。

知識愈高，道德愈好。我們看到許多人，知識高，做了許多有益的事，人家都是很崇拜他。或許有人會說：知識高了，也沒有什麼用處，如同我們中國的孔夫子，一生見厄，不能得志做他所要做的。但是現在的「關外王」張作霖，知識也沒有什麼，倒弄得轟轟烈烈，做了許多的事情。照我們普通的眼光，實在是張作霖來得好，其實是不然。我現在有兩個算式，可以證明。一個是「2＋2＝4」，這種定例，可以說是正例，他的答式就能看見的。還有一種是「2＋8＝2」……這種就是變例。因為「2＋8＝2」……還有下半式，沒有寫好，人家只看見前面，還有後面沒有看見。如同孔夫子，到現在有許多人稱讚崇拜他，這個就是那個下半式，張作霖現在作威作福，表面上他是很好，其實還有下半式，我們現在還沒有看見。所以社會的知識是很要緊的，知識一高，那道德也就高了。

三為發達社會經濟。

現在人一天天地多起來，經濟問題為現在很重要的一個問題。《易經》說：「天地生生不已。」那麼人多起來，成不了之局，我們雖然知其不了，總要想法子，使其不了而了。第一是消極的，我們看到供給有限，需要無窮，我們可以省，總應當省，如同無相當的代價，還是不用的好。第二是積極的，就是增加生產額，提倡農工商光陰以生產[3]，大家應當去做工，若是直接的不能，既朝間接方面做去以助人。如同我們學校若有十個工人，社會上就少這十人生產，我們

3　原文如此。應是指增加從事農工商生產的時間。

應當自己能做的去做，減少工人，假使其中減少兩個，社會上就多了兩個生產的。這個就是間接的幫助社會上生產，若是這樣做去，社會上的經濟，就沒有什麼困難了。

我以上和諸君所說的都是理論，我現在要講一點我做過的實事。第一個，不吃菸、不吃酒，不做非法的事情。第二，我辦學校，開通知識。第三，我辦的是職業教育，提倡生產額。我好比是一個女生，已經嫁給職業教育了，我所要做的，就是關於職業教育的事情，我頂希望諸位也能這樣做。這樣，到了再隔三四十年後，我們的中國，就很好了，我們也可以得卸仔肩了。

理想家庭

劉王立明

劉王立明（1896-1970），女，著名社會活動家，劉湛恩的夫人。字夢梅，小名楊順，曾用名擴志潔，安徽省太湖縣人。一九一二年被保送進九江儒勵書院，五年後畢業留校當教員，同年又獲獎學金赴美留學，在芝加哥西北大學生物系獲碩士學位後回國。後與劉湛恩結婚，生有二子一女。一九一五年，參加世界婦女節制會，任世界婦女節制會駐華代表。同年，成立中華婦女節制會，任主席。她努力創辦書刊，宣傳婦女解放，爭取中國富強。還在上海、成都、廣元、香港等地創辦過婦女職業學校、婦女文化補習學校、工藝社、賑救工業社等。抗戰爆發後，在上海發動婦女募集寒衣，支持前線，搶救傷病員，還負責主持梅園難民救濟所工作。劉湛恩遇害後，繼續從事抗日救亡工作。曾任全國政協第二、三、四屆委員會委員，第二、三兩屆全國政協委員會常務委員，全國婦女聯合會常務委員。一九五七年，被錯劃為「右派分子」，「文化大革命」期間遭受迫害，於一九七〇年四月十五日含冤去世，終年七十四歲。十一屆三中全會後她的冤案得到平反昭雪。

本文摘自華東師範大學圖書館館藏、一九二三年五月二十五日出版的《滬江大學月刊》第十二卷第五期。同期頁五十二「滬大最近概況」也有相關記載，由吳燮臣（滬江大學學生，專業不詳，當時在讀）記錄。吳燮臣還注解到：這篇是王女士在本校感親會演講的，我拉雜的記了下來，訛誤的地方容或未免，這是要請王女士原諒的。華東師範大學圖書館館藏一九二三年四月出版的英文版《滬江大學月刊》第十二卷第三期頁八一一則有相應的英文記錄，記錄者是潘恩霖，所記內容和吳燮臣所記大致吻合。潘恩霖在記錄中還注明了講演是應滬江大學懇親會的邀請在一九二三年三月十一日舉行的，這和中文版《滬江大學月刊》所記相符。

今天我非常榮幸能夠到這裏來講「理想家庭」題目。自從貴會長在亨達萊家裏請我之後，雖然我一時允許了，但是到現在，我心裏還是忐忑跳個不住，因為在幾百青年面前講理想家庭這樣的題目，實在是很膽寒的，並且我沒有充足的學識和長久的經驗。所以我未曾講之前，先要諸位明瞭兩樣事情，一，我所講的理想家庭不是固定的和真正的理想家庭；二，理想家庭是可以改變的，所以要請諸君大家努力！

現在稍受教育的人，都知道有改良家庭之必要和舊家庭種種之腐敗，所以有許多青年，因為要建設理想家庭，犧牲的很多很多，大約可以分為三種，一，因為婚姻不自由，達不到理想家庭的目的，遂脫離父母的家庭。例如敝會（婦女節制會）裏有一個青年書記，我很奇怪，他這樣年輕，為什麼不求學而到我們這裏做書記呢？並且月薪又是很微薄的。後來我去問他，他倒很老實對我說：「因為婚姻不自由，父母頑固，所以脫離家庭，外出求自立之所。」這種人，可以說勇敢有為之青年了！二，心裏想自由婚姻的，但是嘴裏說不出來，真個是敢想而不敢說，其結果不是死就是病。三，男女青年因為婚姻不自由，雙雙自殺的，不知有多少了！最近的例子就是北京的王淑貞女士，與她的情人，因遭父母反對他們的婚姻，奮不欲生，雙雙自殺，他倆的屍體還是巡警找著的呢！這些人可以說是為理想家庭而犧牲了，也可以說是抱消極主義改良家庭者。但是我們青年男女，當該平心靜氣地想一想我們的可愛的父母，為什麼要脫離他們？我們最可寶貴的身體，為什麼要自殺？這些都是因為沒法的緣故！他們想與其在人間地獄苦痛之中，不如入天國之為愈了！

諸位！可愛的青年啊！這樣的犧牲，與家庭，與社會，可有什麼的效益嗎？這是消極的！無價值的！

那麼，什麼是改良家庭積極的方法呢？我在《申報》上看見一段事實說：「有一個青年，他的父母是很守舊的，不准他入學，那個青年沒法，但是他很聰明地慢慢購買書報給他父母閱讀。後來他的父母被他感動，果然送他入學了。他又有一個妻子，是不受教育的，他逐漸教之，導之，後來果然能夠同他通信了。」這事實雖然不能全信，但確是改良家庭積極的方法！因為父母是子女的最大恩人，中國有一句俗語說得好，天也不大，地也不大，父母為最大！這是的確的事，做子女的哪裏可以一來就同父母反目而脫離家庭呢？所以在無形之中勸導父母，這是最好的辦法，也是我們應宜效法的。

我講了好久，究竟什麼是理想家庭呢？它是快樂呢，還是不快樂？理想家庭中，先有婚姻，還是先有夫婦？誰始誰末，這是很難解答的！好比現在的婦女，先要參政還是先要教育的問題。一般兩面說來，都言之成理！又似世界上先有雞，還是先有蛋的問題一般。這是都不易決抉的。但是無論如何，我以為婚姻是家庭的起點，這是誰都不能否認的！我們從前的婚姻，是專制的婚姻，全憑父母之命，媒妁之言為根據的！這是在理想家庭中，當然不適用的！那麼自由的婚姻呢？但是這也有很多的劣點，因為沒有充足的認識，往往男女為情感所衝動，忽而結婚，忽而反目離婚了。所以理想的婚姻，當然要求夫婦的知識相等，性情相投。於是，男女同學就是一個最好的試驗所了！

婚姻後就有什麼度蜜月的旅行，我以為這是不可省卻的，是急要的！但亦視經濟能力的可否而定。度蜜月的意義就是因為男女未婚以前總是客氣的，不十分密切的，度蜜月這麼一來，可以彼此深知各人的性情，有衝突的地方，可以相互融洽，相互革除。有些人以為婚姻以後可以不必用愛情了！這是最大的缺點，中西部都有此病。我以為婚姻後，應當格外用愛情才是！

照我國的舊俗，大凡一男子成家以後，他不是出外求學，就是遠出經商。他回家的時候，做妻子的總不外乎報告一些家庭口角的事情，什麼公婆虐待她啊，姑嫂不和啊！除此之外還要求他兌首飾啊，珠彩啊，做新衣啊！一言以蔽之，說不完的不滿意。這樣，他的丈夫歸家有什麼興趣？自然是要歸家也不歸家了！但是她倒過來又要說她的丈夫有外心呢！口角從此不了，家庭的樂趣掃地。理想家庭的妻子，當然不是這樣的，那麼是當該怎樣呢？

（一）做妻子的，應當知道他對手方面的景況：他有幾多進款，然後量入為出，不可盲目的消費，而不顧他的丈夫之能負擔否。

（二）做妻子的，當該簡樸，節省用度。即如她的丈夫有八十元一月的進款，她只可消費六十元左右，並且還要儲蓄，這是不可少的。因為有許多事情，出於我們的預算之外的，在不知之中的！

（三）做妻子的，當該知道一些家政學。管理家庭，布置家庭，務必合乎美觀，合乎時宜，清潔整齊，這些都是必要的條件！所謂男子主外，女子主內，這是不易之理。烹飪雖小事，然而做妻子的，也不能不知道的。現在有大多數的女學生，他們讀了幾句書，以為烹飪之事，不值得去做了！因之偶一為之，就鬧成許多笑話了！

（四）夫婦遊玩之事，也是很緊要的！丈夫工作歸家之後，做妻子的當該與夫共用各種娛樂的事情，看書報啊，談話啊，看戲啊！都很適宜。最好把各人日間所做的事情，互相談談，彼此相愛，彼此融解。

（五）還有一回重要的事情，做妻的應當明瞭的！譬如丈夫在本地做事的，他回家的時候，做妻的最好親自迎之，這也是一種快樂的淵源哩！

我們的舊式家庭，家族主義太發達了，因之有種種的弊害。理想家庭中，孝順翁姑，當然是重要的，不過翁姑只能處於次要的地位，而無絕對的權力來管理新家庭的！所以，妻子是丈夫的全權內閣總理，經濟大權應操之於妻子之手。

理想家庭的孩子，當然要異乎從前的眼光而待遇了！重男輕女，是以前的惡習，我們現在應男女一例平等，不分彼此，知識的培植，至少要到中學畢業。

遺產是家庭中最惡劣的制度。富家子弟，依著祖先之遺產，不做事也有一般的吃、住、嫖、賭，任意揮霍。這些人，於家庭、社會、國家都有害的，所以理想家庭絕對的應宜打破遺產製，把它捐助有益的社會事業。這不但能使社會受益，而子孫亦受益無窮呢！

我們中國有一句俗話說：「男大當婚，女大當嫁」。所以我希望在座的諸君，將來都組織比我所講的更好的一個理想家庭！

愛情、婚姻和家庭的倫理

魏馥蘭

魏馥蘭（Francis John White, 1870-？），美國人。一八九一年被美北浸禮會派遣來華，在浙江省傳教。一九一一～一九二八年出任滬江大學校長，後任名譽校長。任職期間，建成滬江大學位於滬東黃浦江畔軍工路的美麗校園，並將其初步建成一所較高水準的教會大學。一九三六年退休返美。

本文由張燕華（滬江大學學生，專業不詳，當時在讀）記錄，摘自上海理工大學檔案館館藏一九三二年十一月二十日出版的《滬大》（周刊）第二十卷第五期。原記錄指出：筆者依本校魏馥蘭博士在大四倫理課討論青年倫理問題的最有意義和價值者，選擇一二，譯而供讀者之討論和研究，希望大家，依客觀的態度，科學的方法，來公開討論。現在把他所教授的關係於男女間最關緊要的一個問題，譯出來貢獻大家。所以，本文實際上還是魏馥蘭在課堂上的講授內容。

男女間的關係——戀愛、友誼、性欲、婚姻、貞潔、離異和家庭的關係，構成我們人生最美麗的、最幸福的、最精彩的、亦是最偉大的元素。同時，亦可以使我們得到最卑污的、最痛苦的、最醜惡的和最可怕的人生的結局。男女間的關係對於我們人生幸福，我們一生的前程，我們終身的福利，有這樣大的關係，我們是否應該把他看做一件極其重要的事才對呢？否則真是一失足，變成了千古之恨！青年人，應慎重其事地應付才對呀！

習以為常地成了形式的貞節問題，在大眾的思想和觀念裏，都可以是一件極重要的事。然而現在的青年男女一聽見所謂貞節的問題，似乎覺得是可笑的事。但是看一看每日的報刊上，有哪一天，沒有男女貞節關係的新聞記載著呢？同時再試問一問，近來的青年男女，有多少人是真的守了貞節的呢？！對於不貞潔的青年的結果，大約可分下列數類：

（一）可怕的病症。凡是不潔不貞的青年，每每會直接地或間接地被傳染，成為各種「性病」者。同時，造物者，對於這種性病，亦特別地在數量種類上加得很多。青年人，性的煩悶，性的病症！可怕的病症，梅毒，白濁……（這些都侵擾著我們）

（二）最可憐的還是清白無辜的妻（或丈夫），和兩個人的結晶品。他們亦無形地被傳染為性病的患者。他們或是瞎眼，或是發瘋，或是半身不遂，或是神經病者，或是死亡。他們這些無辜可憐者，亦應患這種病嗎？這個責任由誰來負呢？在這種情況之下的罪魁，應該如何的自慚自悔才對！但是慚悔已來不及了。所以青年人，這一時之樂的結果，不是罪惡嗎？不是痛苦嗎？不是死亡於灰色的人生的沉淪嗎？青年人！

「性」是如何的重要呢？性的生活，應如何的保守貞節才對呢？盧梭的「戀愛自由」，可不是「自由戀愛」。我們如在「自由戀愛」之下生活，那麼，我們便更會增可恥之心的，我們的生活就變成了可怕的、犯罪的、不愉快的生活。我們應抱「戀愛自由」的原理做我們「擇偶」的先決條件才對。凡是在自由戀愛下的青年，吃虧的總是女子來的多一些。青年的女同學注意！

娼妓問題。有的女孩子，因為父母貧寒，便在十幾歲，就被賣到妓院裏去，過皮肉的生活。有的女孩子過不了清苦的生活，她們為了滿足自己的金錢欲，所以便把她們潔白的身體，供獻素不相識的男子擁抱，供獸一般的男子滿足性欲。她們的一生就此被摧殘了，被毀滅了，被破壞了，青年人！告訴你們吧！這些男子比野獸還可怕些！

男女同學的問題。青年人，你們青年男女同學，應當互相認識、互相了解，同時亦應當互助合作，彼此求得人生的快樂。男女同學，在全中國，我們是第一創辦者。當我提出這件事的時候，中國教授多數反對，都以為這是不可能的事，但是現在已成了事實，而且結果極好。以前的男女同學，是有其名，而無男女同學之實的，因為雖然男女同學彼此在同一處上課，同在一個校園裏住宿生活，同在一起聚集研究，然而他們是彼此不相往來的。現在的男女同學，就是你們青年同學們，男女社交生活，是大大地變過了。我最愛看你們一對對的，並著肩，坐在江邊石凳上，甜言蜜語，互換意見。我覺得這是青年男女應該做的事。我以前在美國的X大學裏讀書。因為那校的同學，只有男同學，所以生活十分地乏味。因此我遂在次年，便改到男女同學的大學裏去。男女同學的目的是什麼呢？他的目的便是教育青年學生們，如何彼此合作起來，辦理事業。

男女同學的危險。沒有一個青年人，（生來就）是純潔的、公正的、誠實的，所以，我們不得不用許多規則來限制你們。你們男女同學在夜間，到上海去，如無監督教師、同伴是不許可的。這是學校深恐你們有不測的事發生的緣故，這是保證你們雙方的事。跳舞、接吻、擁抱都是些不應做的事。除非你們是彼此訂了婚的，結了婚的才可以。跳舞，如以藝術的眼光看是極好的事，但如不合法則，就可刺激青年男女的性的本能。這是極危險的事。還有一個危險，便是青年男女同學，因專重交際，所以書本亦不要了，功課亦不問了，所以考試亦便失敗了。我還聽說在別處的女學生之所以來到男女同學的學校裏求學，是為了她理想中的丈夫來的。

愛情。愛情是什麼？在舊式婚姻裏，丈夫和妻子的愛情是零，因為他們是由媒妁之言，父母之命而定的。所以，今天青年人擇偶應注意：

（一）愛情之所以發生，是起於性的本能的。性的本能應在愛情裏占最小的部分——不過是最不可少的部分才對。

（二）愛情之發生，由於雙方的敬仰羨慕。男子的英雄氣，女子的品貌，舉止，言語，思想，學問……彼此羨愛，便生了愛和情。

（三）愛情是發生於戀愛的，這是最主要的元素。所謂「偶」者，便是彼此間最親愛的人，最知心、知性的人才可以稱呼。所以夫妻是最親密的朋友，最親愛的伴侶和最知心的合作者。

結婚。結婚是每一個健全的青年人，應該有的，應該做的事。結婚是我們對社會應盡的義務。

「早婚」是不對的。青年身心、教育、道德、思想……均未健全之前，最好不要急於成婚。「早婚」大半由於父母做主而定的[1]。

但是「自由戀愛」亦是危險的。有的青年男女，一見之下，連飯碗亦不要吃了，睡亦不要睡了，什麼事亦不顧問了，因為他們彼此愛上了。他們巴不得今天朋友，今天結婚，明天便死似地發狂著，熱戀著。但是明天是不會真正就死的。天長日久之後，彼此便看出彼此的弱點來而悔恨太急於成婚了。一半亦因為他們的愛情是基於求性欲的滿足的緣故，所以沒有愛。凡沒有愛的結合，終究是危險的，不長久的。真正的結合，必經長時期的愛的生活方可。愛的時期愈長，彼此的認識亦愈深，所以彼此的結合亦愈穩固。

遲婚，我亦反對。因為遲婚的人的意見是穩固了的，所以不易改變，易於形成雙方意見的固執。因為意見固執，所以易於意見上發生衝突，家庭遂不和睦了。

1　原譯者按：早婚非但對生理、心理有影響，即對家庭之經濟亦有妨礙。

還有一點，便是要你們知道，當你們結了婚之後，不要以為你的終身伴侶是「十全十美」的。其實沒有一個人是可稱為「十全十美」的，不要以為家庭不像理想中那麼美滿的時候，便心灰意冷。不過，我極希望你們能夠有一個極美滿的家庭。

夫妻之間，我們一要有互相的心之相知，心心相印。二有夫妻之間的公共目的和利益。三有同等的藝術的、心理的、身體的和教育的程度。

離婚。離婚是不道德的及不倫理的事，要減少離婚率，只有把戀愛的時間延長。經過了長時期的友誼的戀愛的生活之後，再行結婚，才可以免去離婚的可能性。美國禮琌[2]的離婚事件最多，因為他們的州法律，導致離婚的可能性太大了。現在最好把離婚的事，訂在國家的法律裏面去，所以不會有這州容易離婚，那州不易離婚的現象。

從前本校有一位畢業生，他在中學的時候，便由他的父母做主，成了婚。他後來又到美國去留學，得到博士的頭銜，回了國。他的妻是未曾受過教育的人，她和他結了婚之後便自修，而漸漸地成為受教育的——中等教育的人了。有一天，在某地一個船上，我遇到了他們夫婦二人和另外一對受過同等大學教育的青年夫婦，他們都一樣地可愛。他們家庭中的愉快，也是一樣的。我敬仰前者，他妻子的忠誠，是我們應當學習的。雖然他們在教育上不平等，但是他倆彼此尊重對方的人格，所以家庭中的快樂，自然生出來了。他對他的子女，亦和妻子一樣地愛著，他是不自私、不為己的人，他可為青年的模範，他是可敬愛的。

另外一對青年學生，和前者的情形一樣，但是後來那位男的，因為愛上了他的一位女同學，所以和他的妻離了婚。他害了她的一生，她的生命，她的幸福，她的心亦碎了。

---

2 美國路易斯安那州（Louisiana），位於墨西哥灣沿岸。

有一位女同學，有一天告訴我的妻，「我恨我們國家裏的幾位大人先生們，因為我的父親，學了他們而愛了另外的女人。我的母親，就此被他棄之不理了。我的母親，現在整日地痛苦。我的父親害了她，亦害了我。」諸位同學，這種男子不自私嗎？

你們出去之後，對於這些問題，應當仔細考慮才對。你們日後切不可害了你們的妻。現在我看中國的家庭制度，是漸漸地破壞了。你們要知道家庭是國家的基礎，家庭動搖，國家當然要動搖了。你們要愛你們的國家嗎？先愛你們應愛的家庭吧。

家庭。中國的大家庭制度，是很有價值的一個制度，要是管理得好，是極好的事。不然，就是不愉快的家庭生活的最大原因。有許多歐美各國的人，和你們中國人，都主張小家庭制度。因為新家庭裏面的少奶奶，連她們的丈夫，都不能管理她，何況於她的公婆呢！所以真正的家庭，是分離於大家庭的家庭。

我對於你們中國家庭的印象。我對於你們中國的家庭，不大表同情，因為你們的家庭，是缺少一種熱烈的、向上的、有生氣的空氣——家庭氛圍[3]。我到西方人的家庭裏去的時候，我總覺得在他們的家庭裏，有一種「熱烈的生氣」。這是你們要改革的。

有許多人，不愛住在家裏。你們應愛你們的家庭，勝於愛你們的環境。你愛你們的家庭裏的人——你們的丈夫，你們的妻子，你們的兒女，勝過於任何朋友，因為夫妻間的友誼，是最親愛的友誼。

我最不曾忘記的事，便是我對我家庭的生活的興趣，最有興趣的事便是「讀小說」，讀名人的傳記，藝術，為學，遊歷……我近日買了一本《西方藝術的大綱》，在我妻回家再見的時候，我一定會讀給我的妻聽，讓我的家庭共同欣賞這本關於藝術的書。我記得在我的孩

---

3 原文此處為英文字是「Homeyness」。

子兩歲的時候，每一次，夜晚燈下，讀書給妻和這位小孩子聽的時候，他亦握著他小小的手兒，看著我，聽著我，一聲亦不響地，靜靜地，坐在母親懷裏。這種家庭的快樂，這種愛的生活的表演，是我一生之中，最不曾忘的事。他，兩歲的小孩子，現在還會回憶他的父親以前的事，即使所讀的書，亦能夠記得清清晰晰。這種的生活，才是愉快的，美滿的和需要的呢！

你們將來的一生的幸福，就建在這家庭的組織上！

選擇與人生

朱維之

朱維之（W. T. Chu, 1905-1999），浙江蒼南人，翻譯家。一九三二年畢業於日本中央大學研究科。一九二七年參加北伐，歷任上海青年協會書局編譯員，福建協和大學講師，《福建文化》主編，滬江大學國文系教授、系主任，南開大學中文系教授、系主任等職。一九六二年加入中國作家協會。有專著《基督教與文學》等多部，譯著《失樂園》、《復樂園》、《鬥士參孫》、《抒情詩選》（均為英國人彌爾頓著），《聰明之誤》（俄國格里鮑耶陀夫著）、《宗教滑稽劇》（俄國馬雅可夫斯基著）等。

本文摘自上海理工大學檔案館館藏一九三六年十月三十日出版的《角聲》第十六期。

在日常生活中，我們無時無刻不發現選擇的動作在不知不覺中發生。衣食住行四件事，都有選擇。現在我們先說衣的選擇。

假使你到大馬路的公司裏去看，一定能發現許多人選擇衣裳料子，比來比去，找最好看的然後就買。又有許多人，特別是太太小姐們，把衣料放在身上試試，看哪一種最合適，這便是對於衣的選擇。從前我有一位朋友，他的太太是很有名的美人，每次有什麼宴會，她無論如何總得把所有的衣服都穿試一遍，選一件最合意的換了出來見客。平常的人，對衣服雖不至選得如此認真，至少對於厚薄多少總有選擇。冷天要選冷天的衣服，熱天選熱天的衣服。除非一個人只有一件衣服，冬天夏天，只能著這件唯一的衣服之外，每一個人對於衣服總有選擇的。

食的方面，也是如此。例如菜館裏的功能表，便是供給客人選擇的標準，一個人吃菜也總是選最喜歡最合口味的東西吃。我表弟小時，舅父常常罵他：「筷子上生眼睛的」，其實筷子怎會生眼睛，不過拿筷人的一種對於食的選擇而已。主婦每天的工作，選菜是十分明顯而重要的，雖然並不求十分精，但總免不了選擇。

住的方面，選擇更見重要。原始的人住在山洞中，他們亦得選擇比較適合的地方。現代文明漸進，住的選擇更見普遍。住在大都市中的人，因為空氣，環境種種的關係，常常搬東移西的，即使在一間屋子內，也常常選擇最好的方式來排列傢俱。至於那些世世代代住在一間老屋子裏的鄉下人，在造房子之前，亦得請位風水先生看了又看，這無謂的動作縱不能與有價值的選擇如「孟母三遷」等比擬，然其為選擇則一。

至於行，免不了的有東南西北方向的選擇，輪船火車汽車飛機步行人力車等方法的選擇，又如到大馬路去，得看紅綠燈以定行止等等，都是行的選擇。

我們是無時無刻不在選擇中，尤其是現代的青年人，免不了職業與婚姻的兩大選擇。至於國家，也有國家內政外交方針的選擇。青年人的職業問題，在從前，是沒有選擇的，每一個人都得讀四書五經，然後應試，陞官，發財；而今日則不然，每人主修的東西，如化學物理、商業、社會學、政治學等，必須經過長時間的考慮，方能決定。婚姻問題呢，從前不過聽父母之命，媒妁之言，到「合婚選吉」的算命先生處合合時辰八字；而現在呢，除一部分以父母之言為參考之外，非藉自己的選擇不可。至於國家的政治，從前只憑帝王一言，最多不過是帝王與朝廷百官的選擇；而現在則國民自己決定方針，每一個公民都有選擇的機會了。

凡有價值的東西，都有選擇，凡有選擇的機會，至少是好。就看好的文章，差不多每節每句每字，都經過選擇而來。愈要使文章好，選擇應該愈嚴格。非但文章如此，其它一切事物，莫不如此。試看大公司裏的貨品，與小商店裏的不同，就是因為大公司中的貨品是經過縝密的選擇而來。至於那些一二角錢的小東西，要待選擇的就比較少。從前有一個人賣桃子，買主要選比較好的，那人說「不用選了，反正你選了也一樣，我這桃子，選到完便是賣光為止。」這便是個好例子，所以說，無價值的東西用不到選擇，凡有價值的東西都應當經過嚴密的選擇。

對於人生，選擇更見重要。例如講話，有人是一天到晚講話而毫無價值可言，有人只要三言兩語，就能發生很大的效力。如今日外交家發出來的每一個字，都有十二分重要性，同時，他們的言語亦是經過十二分嚴密的選擇而來。

再看現代的選舉。在未選之前，總有許多人四處宣傳，而參加選舉的人，更不可藉一時感情衝動，必須經過嚴格的考慮，這種工作是很易使人感覺痛苦的。尤其是當一個人徘徊歧路的時候，覺得無所適從，不知走了那一條路好。我每天早晨散步，常常感覺到這種困難。當然有許多選擇，更見重要，如學生的選擇課程及決定文理科。更重要的對於許多人有關係的，如國家的對外對內方針之取決。像中國現在，處於十分危急之中，到底是反抗呢，還是屈服，這是當前的嚴重問題，正待中國全體民眾選擇而決定的。

人生道上多歧路，很容易供一個人徘徊。當這不能決定的時候，就不得不看一個人的勇氣、毅力及眼光來定了。耶穌基督在餓了四十天遇到魔鬼時，他是沒有屈服的。雖然從則生，不從則死，但是耶穌深深地明白主的道，只知道上帝。中國人所說的一失足成千古恨，也可見沒有良好選擇的危險了。

保羅[1]說：肉體雖然屬魔鬼，精神卻屬上帝。可見選擇的時候，一定要選永久的、人家拿不了的東西。眼光要遠大，不可為暫時的物質生活範圍約束。任何一種犯罪行為，都是眼光狹小的產物。耶穌在被釘在十字架之前，在他選擇逃避，還是就死的時候，他禱告說：「父啊……只要照你的意思，要依照你的旨意。」結果他是慨然地就死了。這是因為他覺得生命是暫時的，而事業乃是永久的！

總之，在選擇時，我們要選那些永久的，不要依我們自己的意思，要遵照上帝的旨意。

1 保羅（西元前4～西元64），又名掃羅，是耶穌的同時代人，但比耶穌年輕，是發展新生的基督教教徒的最重要的先驅。在所有的基督教作家和思想家中，他對基督教神學的影響可謂舉足輕重。

大學生出路之我見

周雍能

周雍能（1895-1986），號靜齋，江西省鄱陽縣人。早年投筆從戎，參加民國創立及二次革命諸役。一九一五年加入中華革命黨。北伐期間，隨軍由湘入贛，出任九江海關監督兼江西交涉員，收回九江租界。北伐後，出任行政院駐平政務整理委員會調查處主任，後出任上海、廣東兩省市政及僑務、黨務、財政等工作，貢獻殊多。後當選「立法委員」，並主持「國民外交協會」，兼任臺灣銘傳女子商專常務董事、董事長。一九八二年，由臺灣「中央研究院」近代史研究所組織，沈雲龍訪問，陳三升、陳存恭記錄的《周雍能先生訪問記錄》出版發行。

本文摘自國家圖書館館藏《新商業》一九三七年季刊第二卷第一期，由錢承起（滬江大學學生，專業不詳，當時在讀）記錄。

我國於民國十六年遷都南京後，政治上，有相當之統一，社會上，有相當之安寧，尤其對於教育方面，亦有相當可觀之成績，而以學校行政之整理為尤甚。根據廿三年度教育部之統計，國內大學及專科以上學校，共有一百零三個，人數四萬有奇[1]，國家津貼教育經費年約四千萬元。到現在民國廿五年數目當然增加極多。

1 「有奇」即「還有零頭」。

我國從前本以科舉取士，在清末，有識者始倡議設立學校，培養人才。然創辦伊始，多有名無實，內部組織不免因陋而簡。迨民國肇興，有司注重教育，竭力整頓。近十年來，設備漸臻完全，並極發達。因為發達，所以就發生畢業生出路之重要問題。

全國大學及專科以上學校之畢業生，約六七千人，加以留學國外之畢業生，共有七八千人之多。這當然可謂一種極好之現象，實則不然！一部分畢業生，靠幸運於背景，得以驟躋顯位，然大多數則找不到工作，而至失業。民國廿三年北平大學畢業生，因找不到工作就發起「職業運動」，但因辦理不得其人而失敗。由是，遂引起政府之注意，今年行政院組織「就業訓導班」，考取一千多人，又有「臨時考試」等，以便量才取用，其目的固為救濟失業之大學生，俾使各盡其才。然終因人浮於事，未能普遍。

如何能解決此全體問題呢？唯有去打開出路。欲解決此問題，須明瞭所以失業之原因。因大多數人都不甘小就，群向都市方面去求高等職業，而都市則已充滿著人才，所需當然有限。失業之原因已知，只須想補救之辦法，其唯一之辦法是向內地去開發，當抱定利人利己之宗旨，一洗虛榮之惡習，這就是一條康莊大道。若再彷徨歧路，不但失業問題無從解決，就是整個之中國問題，亦無從解決。中國地廣人眾，百廢待舉，全國廿二行省，每省五六十縣，每縣容納若干大學生，非特可以解決失業之問題，兼可增加縣政推行之效力。故一般先見者以為要解決中國一切問題，必須從事縣政建設，因縣乃全國之基礎也。

但大多數畢業生，因縣政府待遇菲薄，率多裹足不前。我以為欲解決大學生失業問題，非政府規定步驟不可。待有機會當呈請當局規定：大學畢業生，應從事縣政工作三年，得有經驗方可在省政府以及中央任事，否則無進身之階。國家以多量之金錢栽培一大學生，畢業後，就是為國家服務數年亦不為不當。故就管見所及，今後大學生之出路，其在斯乎！

青年女子的出路

劉湛恩

本文為劉湛恩為滬江附中畢業生所作的講演，由范瑛記錄。

目下的中華民國已在千鈞一髮的當兒，環境是非常的危險。人家說，一般男子的出路都沒著落，還能談到女子的出路嗎？但是我們得知道，這正是我們應當努力發奮的時候呢！那麼高中畢業同學究竟有幾條路可走呢？

第一條大道是「升學」。高中畢了業計劃升學自然是很好的事，但也有許多人說「大學不必讀，大學畢業生太多了，畢業即就是失業」。這樣說來，這條升學的路不是走錯了嗎？我告訴各位，並沒有走錯，中國人受過高等教育的人很少，尤其是大學生，平均起來，千人之中只有一個，所以說，中國的大學生並不太多，而一般能負建設責任的人，正在缺乏和需要著呢！人家所以說「大學不用讀」、「此路不通」，那是因為他們把進大學的目標弄錯了。前年尚統計過全國大學生的目標，全國的大學生中有百分之九十九的最高理想是要陞官發財，而且，官呢，要做大官；財呢，要發大財！中國的國府主席只有一人，此外，重要的官吏也有限，要是大家想做大官，那怎麼夠呢？大學畢業生自然太多了，所以我們第一要弄清，進大學究竟為的是什麼？要是為的是陞官發財，那麼這條路太狹窄了，將來一定會失望的。但要是為服務社會而進大學，那麼進大學的人真還不夠哩！老實說，國內有一般大學是「大而不學」，有的是「學而不大」，並不是每個學校都好的，我們應當先確定一個升學的目標，然後選擇適宜的大學。不但進大學當如此，進中學也是如此。有一般人在中學中糊糊塗塗，在大學中也是糊糊塗塗，你要是去問他的功課如何，他會回答，「英文也不錯，中文也還可以」，可是有何特長呢？在學校裏究竟得到些什麼呢？我現在再三聲明，進大學的目標不是陞官發財，乃是服務社會，改良國家，這就是我所謂的第一條出路。

第二條大道是「就業」。在這不景氣的狀況之下，要找到職業是挺難的，女子要找到職業，那是更難，所謂「畢業就是失業」。但我們如能認清職業的意義是什麼，那麼找職業並不是這等困難的事。如果就業的目標在陞官發財，那又錯了。職業的目標，一方面在發展自己的個性和特長，一方面在服務社會，在找尋職業的當兒，要依據「小」、「少」、「遠」三個原則。人家做大事，你做小事，因為事情愈小，競爭搶奪的人也愈少。我們要知道，微小的事也是職業，例如汕頭的職業，最多的可說的賣花邊，但據調查知道這項職業的發起人是一個老太婆，她被生活問題壓迫著，不得不出來做些事養家，誰知道現在花邊業已成為汕頭最多的職業了呢！又如山東的髮網，起初也不過召集了幾個人做做，後來愈做愈多，現已成為很大的職業，這些不都是從很小的事做起的嗎？所以說，如果肯做小事，那就有辦法。第二個原則是「少」。也和「小」一樣，我們要做人家所不做的事。有人說，「西洋人是創造，東洋人是仿造，中國人是不造」，我們應當有創造的精神，如果我們能想出人家所沒做過的事，那麼職業問題也可解決了。第三個原則是「遠」。中國國土很大，我們不可以只想到蘇州、江蘇省，我們得想到全國，到內地去，到鄉下去。在影片上曾經看到南極的探險，你想人家到南冰洋去探險，我們到四川、新疆、蒙古等地去都不肯嗎？諸位，選擇職業時如能達到這「小」、「少」、

「遠」三個原則，那麼職業是不難找到的。

第三條出路是「回家」。有的人也許要說，「我出來還沒出來，怎麼已經要叫我回家去？」告訴各位回家是最高尚的出路，家庭是穩定社會國家的基礎，但是回到怎樣的家庭裏去呢？還是以前那般腐敗的舊家庭嗎？現在所謂的摩登新家庭嗎？那我勸你不必回去！有人說，現在的女子受了教育，既不到社會上去服務，又不到家庭裏去，女子教育完全是失敗了，即使到了家中也只知道看戲，打牌，吃大菜。如果回到家裏去只不過做這些事，那可就錯了，回到家裏的女子應當負起社會改造者的責任，使家庭成為一個國家的基礎、文化的中心。

第四條出路是混合的，也就是把以上所說的「升學」、「就業」、「回家」三方面同時做到，這確乎很難，但是做得到的。

諸位，以上是青年女子的四條出路，但無論哪一條都不是一個人能夠走得通的，大家應當聯合起來，打成一片。以下三點是我所認為不可缺少的三種精神：

第一是積極的精神。無論碰到什麼事，我們不消極，不失望，國家危急，我們也要積極奮鬥，即使一日國家亡了，我們也得設法復興它。

第二是建設的精神。破壞固然要緊，但是建設更重要，切不可把自己的出路阻礙人家的出路，把自己的飯碗，打碎人家的飯碗！

第三是團結。有人說中國人三個，倒有四個黨，現在國家已到了這種地步，內部還不能一致，這真是叫人痛心的事。我們應當抱犧牲的精神，不要只想到個人，更要想到國家和社會，要為民族、國家的福利而犧牲！

最後，我讀一首詩給諸位聽，作為我今天演講的結束：

前進！生命的小舟，前進！

不要怕大海中的驚濤，
不要怕江河裏的駭浪。
古今來惟有大公無私，
忠勇耐勞者勝利——
這說是造物的定律，
這也就是我們的人生。

從社會學上觀察鴉片之流禍

戴秉衡

本文摘自一九二七年十月出版的《天籟》第十七卷第三期，記錄者為劉熙慶。有部分字跡不清，無法辨認。劉熙慶，一九二五年至一九二八年曾就讀於滬江大學，專業不詳。

該期《天籟》校聞欄有關於「拒毒演講」的介紹：「上星期為上海拒毒運動周，本校特於四日舉行拒毒演講。社會學科學生全體參加及其它來賓共計三四百人，請拒毒會幹事戴秉衡演講『鴉片之遺毒——從社會學方面觀察』。慷慨激昂，淋漓盡致，聽者頗為動容云。」

戴秉衡生平不詳。中華全國拒毒會於一九二四年八月在上海成立，每年九月二十八日開展拒毒日活動。一九二六年起拒毒日改為拒毒周，即每年十月三～九日。

今天我所要講的題目，是中國社會上的最大問題，向來是很少人注意的。題目是「從社會學上觀察鴉片的流禍」，英文為Opium' s scourge from The standpoint of sociology。關於這個題目的詳情，我們正在預備論文，不日當在各刊發表，這裏我把它略說一下。

我們知道社會能否有美好的現象，個人能否得美滿的生活，全視我們人類本能能否儘量發展來滿足我們的欲望。心理上本能的分析，暫不必論，單就我們生下來的必需的本能，約有以下三種：

（一）自衛的本能人們都知道自衛，譬如有了疾病，就知道服藥調治；被人欺負打罵，就知道向他抵抗交涉；我們弱小民族，被野蠻的英帝國主義壓迫，就一定要將他打倒。諸如此類，都是人類固有的自衛本能。這種本能如能發展滿足，人們就得著快活，反是就立刻感覺到非常痛苦。

（二）男女性欲的本能食色是天性。人們除掉食欲以外，就是男女性的欲望本能了。男女性如有充分圓滿的結合，那麼雙方都感覺愉快，家庭就有甜蜜的生活；若是男女性的欲望得不著滿足，那雙方精神和肉體上均有莫大痛苦，家庭生活也自然不能美滿，時有□□的情事發生。

（三）社會的本能或合群的本能人不能離群而獨居，在在都有和社會種種團體或各個人聯絡之必要，因為互相幫助，時通往來，才得生存的。這就是人們合群的本能。

簡括言之，我們人類生活能否滿足，全靠上面所說的三種本能能否達到充分發展為標準。諸君大概都讀社會學，這種種定例，我們都可以從社會學裏面找得出。屬於社會範圍的問題是很多，今天單講鴉片菸與這三種本能的關係。

（一）鴉片和自衛本能的關係。

倘若鴉片是有益的，人們吸了當然是快活，可是鴉片含有麻醉人的毒質，吸上癮就不能戒掉，吸者就有無窮的苦痛！這不但直接妨害個人，並且間接對於社會、國家、世界，都有許多妨害。社會能夠妨礙我們自衛的本能有哪幾種？大家在社會學上都可看到，就是：

（甲）貧窮問題　人們衣食住三大問題不能解決，於自衛本能就有妨礙。

（乙）疾病問題　病的痛苦最深，甚至於死，這也妨礙人們自衛的本能。

（丙）死亡問題　好生怕死，人之常情。自衛能夠保存生命，不能自衛，就是死亡。

再看這三種問題和鴉片有什麼關係？

（甲）鴉片與貧窮的關係鴉片與貧窮的關係是很密切，簡單言之，比方在上海地方，有所謂青紅幫，大都是貧窮階段。這青紅兩幫就是販運鴉片的團體。當革命軍初到上海的時候，他們組織一種共進會，非常活動，兄弟那時做報館編輯，不知該會是什麼宗旨？後來一調查，這會裏會員，倒有十之七八是吸鴉片的份子。可見鴉片和貧窮的關係。據美國最近調查報告，美國人打嗎啡針的占百分之二十五，這類人大概不務正當職業，打針沒有一定時間，故生活很困苦，所以吸菸為貧窮的主要原因。人們無職業就沒有進款，再加每天還要耗費金錢吸鴉片，所以受的痛苦比普通失業者更進一層。近來我國平均每省每年徵收鴉片稅捐有二千萬，或許不止此數，以二十二行省統計，其數很可驚人，每年這大宗款項，均屬虛耗，但這不過是官廳方面的統計。此外民間耗去的鴉片款項，尤不可□□，□□鴉片造成人民的痛苦。倘使拿這項鉅款為人民購買衣食，那社會生活是何等的美滿！美國每年打嗎啡針的經濟損失，約有六千一百萬美金，再連吸食鴉片損失的工資計算，每年要損失一萬五千萬美金。可知美國每年因鴉片而受的經濟損失，煞是可觀。然而美國何以不窮呢？因為他們富於製造性。在鴉片裏面，可找出三種毒質：（一）Morphine（嗎啡）、（二）Hoerion（海洛因），這兩種最毒；（三）Cocame（可卡因），這一種是從 Coca 樹製造出來的，毒性較少。

我們中國鴉片影響於社會怎樣？大家都知道名流熊秉三[1]，他在北京西山辦了一個香山慈幼院，有一次他在上海演講說：「……我辦的那個慈幼院裏，都是些窮孤兒，有一天我問他們說：『你們的家庭

1　即熊希齡（1870-1937）。熊希齡，字秉三。

何以這樣窮？』他們十有七八都說是因為父母吸鴉片，才弄得這樣的窮的……」我們從此看來，就可知鴉片和人民的貧窮有什麼關係了。現在說到社會最勞苦的階級，要算是一般苦力，尤以拉車和抬轎的為最苦，終日奔走，收入不滿一元，但他們和鴉片有什麼關係呢？哪知那般打嗎啡針和吸鴉片的，就是這一流人物。他們因為鴉片能夠增加力氣，所以都名在黑籍[2]，愈吃愈有力，愈有力愈要吃，哪知吃上癮後非吃不可，一次不吃，就不能做拉車抬轎的工作，不能工作，就沒有錢吃鴉片，可是鴉片又不能不吃，結果就終身做鴉片的奴隸，也就終身不能離開那最勞苦的職業。在我們福建古田縣地方，那些抬轎的苦力，大都吸鴉片的，他們的工資收入愈多，鴉片也就吃得愈多，愈吃則癮愈大，和吃酒一樣，到後來當天的工資拿來吃鴉片還不夠，還把明後天未到手的工資也預先在今天一齊吃完，因此那些抬轎的苦力，都在菸館記帳，弄得債臺高築。這些人沒有飯吃，尚可勉強支持，可是鴉片是不能間缺的，結果因為吸鴉片而沒有飯吃，失去發展自衛的本能。再看南洋群島和東印度等處，荷蘭政府每年在閩粵招四五萬苦力到這些地方去做工。當他們來招華工的時候說：「你們來到東印度等地做工，可得極多工資，三年後並且資送你們回國。」但是去的人怎樣呢！荷蘭政府，訂出鴉片公賣方法，其價甚廉，引誘中國苦力吸食，不吸就無力工作，漸漸變成菸癮，結果工資不能相抵，拖欠累累，荷政府乃想出預借工錢與華工吸菸的方法，本月預借下數月的工資，甚至今年借明年的工錢，使華工儘量滿足其菸癮，這樣幾年一來，可憐的華工就斷送生命，不能回國了。這是新嘉坡華僑聯合會長熊禮親自告訴我的。諸君想想，荷蘭政府用鴉片誘害華工，使最窮苦的勞動階級弄到這樣，實在痛深惡絕！

2　舊時稱吸鴉片等毒物成癮的人為黑籍中人。

我國以農立國，我們再看鴉片又怎樣妨害農人呢？鴉片最發達的有好幾省，北方吉林黑龍江兩省，厲行鴉片公賣，強迫農民種菸。陝甘鄂皖種鴉片的也是很利害，川湘雲貴鴉片甚多，上年上海海關焚土，均川黔等省運來的，閩省鴉片，無論種吸，均較他省特多，其餘省分亦有。你看我國二十二行省都有鴉片，並且種得很厲害，這是何等痛心呀！有幾省田地，因為種了鴉片，不產米穀，所以人民都向別省買糧食。比方閩粵前兩年的饑荒，就是因為田地都種著鴉片，加以交通不便，外省米糧沒有輸入，所以就鬧饑荒。在川黔等省，往往□人□□。□言之，鴉片佔了農民一口糧，就釀成饑荒慘象。美國勞動界和農業，也很受鴉片的影響。我們再看江蘇南通的現狀怎樣？從前南通實業異常發達，前幾年張孝若大賣其鴉片，想拿收入的大宗款項，去和他父親運動做總統，結果把一個實業發達的中心點，弄得落花流水，即此可見鴉片的流毒了。總而言之：無論哪一界，有了鴉片，就沒有衣食住，結果連鴉片也無錢去買，但又不得不吸，於是就鋌而走險，去做盜匪的勾當了。所以中國匪禍，是發源於鴉片。我們從上面這幾種例子看來，就很明白鴉片和貧窮的關係了。

（乙）鴉片與疾病的關係

現在我國反對英國在南洋華島強迫華人吃鴉片菸，因為英政府在這些地方禁止別國人吸菸，獨允許中國人自由吸菸。為什麼不禁止呢？據最近英國派在新嘉坡禁菸委員報告，他說中國人吃菸是沒有害處的。這當然是他別有用意。要知鴉片是最容易釀成疾病的。何以呢？平常人身血脈榮潤，有抵抗力，若白血球被鴉片侵害，血就停滯，病就生了。從前 Professor Metchnekoss 在巴黎試驗兩種動物，一種會死，一種不會死。那會死的動物，因為打過嗎啡針，血脈被麻醉失掉抵抗力，所以容易死。這是從科學上看來，說是鴉片能傷害白血球，使失抵抗力，因易病死。我們都知道鴉片菸鬼都是形容枯槁，面目黧黑，都因為周身血被燒耗，成了個奄奄一息的病夫。

（丙）鴉片與死亡的關係

從前在Bombay（孟買）地方，有五十多個工廠，一般婦女到紗廠做工，恐怕小孩子在家啼哭，就拿鴉片麻醉小孩，然後可以安心進廠做工。據確實調查，該地紗廠女工，百有九十五是這樣對待她們小孩子的，結果每年一千小孩當中要死六百六十。小孩不過間或強迫吃菸，死率尚慢，成人沒有事干時，盡力抽菸，菸癮甚大，其死亡尤多。

貧窮，疾病，死亡，都是我們最大的仇敵，但鴉片是促進我人和這些仇敵接近的東西，一經成癮，除掉槍斃一個方法以外，什麼方法都不能把牠戒除的。我們大家都有努力向上的本能，這種向上的精神，鴉片鬼未嘗沒有。可是習慣成自然，弄到欲罷不能的時候，雖有向上的願望，但為鴉片所困擾，終於勇氣消磨，成功墮落者。所以鴉片能消滅人們向上的高尚本能和精神。

（二）鴉片與男女性的關係

據最近調查，上海的妓女百有九十五都因為家長吸鴉片而逼賣為娼的，那吸菸者子女可不要，可是鴉片不能不吸。更有婦女吸鴉片菸，外國亦有女子打嗎啡針。婦女有了這種不良嗜好，即操皮肉生涯，或秘密賣淫。美報載在美國China Town裏面鴉片館勾引美國女子吸菸，上癮後就沒有錢維持生活，生趣即宣告死刑。還有一層，鴉片有破壞男女性情感的魔力，譬如本來家庭男女身體都很健全，感情非常融洽，但往往因為男性日困菸僚，拋棄正業，不能謀生，於是雙方感情決裂，吵鬧不已，家庭生活之痛苦，實在不堪設想。總而言之，婦女賣身糊口，家庭夫婦勃谿，都是受著鴉片的恩賜。年來社會淫風很甚，妓僚設鴉片燈為勾引媒介，誘人常□□□□□□□□□□□□□□□□□□□□□□□□□□□□□使子女都沾染成癮，於是都具有社會蠹蟲的資格。

（三）鴉片和社會本能的關係

鴉片妨害社會本能的地方，實在不勝枚舉，下面的幾種害處，就是其中的犖犖大者。

（甲）鴉片毀壞中國的家庭這層害處，剛才已經說過。現在我還可舉一個最確實例證來和諸位說一說。我的叔父早已和我家析居，他從前做禁菸委員，非常熟心，後來被人毆打。民六後，他被環境征服，自己也吸菸了。後來又做徵收鴉片菸捐委員，對於吸菸尤為便當，結果很肥胖的身體，變成骨瘦，很好的財產，吸得精光，臨死尚吃。我的嬸母也吸菸，更加憂愁成病死了。那時我在約翰大學得信回家，見遺下弟妹，無人照顧，弟才三歲即病死，妹不久亦死。你看父母吸菸死亡，子女得傳染病而夭折。可見鴉片流毒，使人家敗人亡，可不痛惜麼！

（乙）鴉片造成盜匪禍患現在上海一隅，綁票勒贖，時有所聞，可是破案的匪窟，十九為鴉片菸窠。□□由吸菸造成的，他的錢吸完了就搶，所以匪首菸癮很重，就取給於他人，就永遠做盜匪，因此中國匪患沒有絕時。

（丙）鴉片釀成中國內戰當奉天軍閥調兵南下爭上海時，其最大原因，就是因為上海為最大鴉片市場，佔領上海，就可有大宗收入。甲子齊盧戰爭[3]，最大原因也是為的鴉片，弄得江南九縣，民不聊生，死亡枕藉。湖南鴉片捐甚盛，湘西為由川黔到長少漢口孔道，該處洪江一處，鴉片捐每月有一百萬的收入，當北伐軍未出發以前，湘西曾有極大戰爭，就是為爭這鴉片捐的原因。這是湖南一個牧師所說的。

3 1924年，直系軍閥江蘇督軍齊燮元與皖系軍閥浙江督軍盧永祥為爭奪上海，兵刃相見，史稱「齊盧戰爭」或「江浙戰爭」。

（丁）鴉片足以引起世界戰爭將來的戰爭，姑且不必說，就那次鴉片戰爭，Opium War 中國受著巨大的損失，差不多要激成世界戰爭。現在如英、美、日本、德、法、瑞士、波斯頓等國，都不種鴉片，他們都拼命製造Narcotics（痲醉毒品）。統計有五十多個大廠，因為嗎啡的利益很大，所以各國都互相競爭。□□□□□□□□□□□□□□□□□□□□□□□□□□□開全世界鴉片會議，□□□□□□□□□□□□□□□□□□□□□□□□□□□□第二次為一九二三年，在日內瓦，第三次為一九二五年，也是在日內瓦。會議的結果，中國代表和日本爭辯，英德說中國種鴉片運往南洋群島。英國有錢說話，處處影響別的國家，彼此紛爭不已。因此歷次會議，毫無結果。我國仍受許多害處，且各國因鴉片問題，都有惡感，將來世界大戰，在所不免。

臨了，鴉片有上面種種害處，使社會本能不能發展，自衛和男女性的本能也不滿足。結果人民感受痛苦，社會了無生氣，甚可浩歎！現我國民政府業已頒下禁菸令，但一時不易徹底禁止。我們人民，一方要監督政府厲行禁絕，一方要隨時隨地努力宣傳鴉片的禍害，使人民十分明白，人家不種不販不賣不吸。諸位！莫放棄我們做國民的責任！

青海的概況

石殿峰

石殿峰（1902-1973），字蓉九，生於湟源。一九二〇年畢業於甘肅省第四師範學校，後歷任湟源城關小學教員、校長，青海省公報局印刷股主任，青海省第一中學、崑崙中學、女子師範、蒙藏學校教員。一九三一年，南京政府擬召開「西藏會議」，石殿峰以蒙藏師範教師身份被指定為青海代表團成員，後因會議流產而滯留南京。其間，以青海省社會救濟及社會教育考察專員的名義在內地考察，並代表青海參加全國體育會議。于右任曾以對聯「古石生靈草，長松棲異禽」嘉許。一九三三年，石殿峰回到青海，興辦合作社等實驗場所。曾任青海省救濟院院長、女子師範學校校長、門源縣縣長、青海省立職業學校校長、青海省合作事業管理處處長、省政府秘書等職。一九五七年始，進入青海省文史館任館員。「文化大革命」期間備受衝擊與磨難，一九六七年中風失語，臥床五年，含冤而死。

本文由韓國珍（滬江大學政治係學生，1939年畢業，當時在讀）記錄。摘自國家圖書館館藏一九三三年四月出版的《滬大月刊》第一期。

一　民族的分析

大家都知道青海的面積為二百四十萬平方里，人口是二百萬，若以江蘇的人口密度來比較，那真是有天壤之別，可見青海人口的稀少。青海的極西部還沒有人去過，那地方很荒涼。籠統地說，青海的居民，可分漢蒙回藏四種：青海的北部，多半是蒙古人；青海湖沿岸又分八個不同的種族，巴顏喀拉山以南又分二十五族，他們與前八族的言語也完全不一樣，這多半是藏族的「土番」。青海有許多地方是不毛之地，尤其是巴顏喀拉山一帶，山色是白的，遠看如雪一般，不像江南山色，遠望是青的，近視是黃的。巴顏喀拉山的山窩裏，有一個天主教所組織的秘密國，秘密的意思，是不與外人往來，是他們自己教主和教徒朝夕相處的地方。教徒多是蒙古人和西藏人，約有五百家的光景，這也可見他們的勢力了。（記者按：這就是帝國主義者侵略我國的表現，我滬大同學，應注意此點，多到邊疆去，開發我們自己的富源，勿使大好山河，為外人所佔！）

二　青海的一段小史

青海（是指海名）如同太湖的大小，但是沒有太湖那樣美麗的風景；據「土番」所談，青海裏的水有毒，不可沾染，這是一種年代很久的神話，因而海內有什麼出產，便無從探知。海的容量很大，有七十道小河流的水都注到裏邊去，但它卻是個沒有出口的裏海。青海的氣候很冷，常在零度以下十度左右，各處都黏了冰；最熱的天氣也不過華氏八十五度。在海的中間有兩座小島：查呆托落海、快旬托落海（島名譯音）。在第二座島的山巔，有一個廟，內中有十幾個僧人，是當地的「土番」。他們平常不下山，因為青海沒有船，在青海見不到什麼船，直到現在還是這樣。他們每於結冰的時候，下山一次，採辦食物，所買的東西足夠一年的用度。相傳有一個故事，在從前有一個外國的考古學家，故意到山裏去看看，當時還在夏天，他便造了一艘如蚌式的帆布船，以便到水裏的時候，可以把他自己的身體完全遮蓋起來！及至他平安達到彼岸，僧人詫異萬狀，以為他是神，便向他拱手磕頭，因為從來沒有人在夏天能夠到山上去。那些「番人」也都大驚，多來拜服，這個外國人恐怕有害於他，所以也就順便給番人幾塊錢，「番人」們自是更加喜歡。從這個故事的證明，我們知道青海的海中可以行船，海內的水與平常的水，沒什麼分別，不可沾染、有毒的神話，是不能再成立了。

三　生活的情形

青海的「土番」，直到現在還是游牧生活。他們沒有固定的住處，是時常遷移的。他們主要的食品，是青稞、掛麵和牛羊肉。牛羊肉的吃法，多半是生食，還如同上古時「茹毛飲血」的樣兒。青稞是一種麥類，製出粉來，顏色也是白的，同麥粉相差不多，只是你要和水以後，它便變成青色了。吃青稞的方法有兩種：一種是拿它製造普通的麵包，不過青稞的膠黏性很少，平常說是沒有麵筋，用水很難把它和成一塊。還有一種吃青稞的方法，是把青稞用鍋加火炒熟，再用磨磨，將磨出的小碎塊，用籮（篩）後，所剩的便叫做炒麵。（不是我們在膳堂所吃的那種炒麵）把炒麵放在碗裏，加奶皮，奶油，糖或鹽，並水少許，這種吃法叫做拌炒麵。當地的土番，可以用手把麵拌好，用手拿著吃，碗內不餘渣滓，如同洗後那樣乾淨。漢人到青海內地去經商的若不能用手拌炒麵，「土番」便譏笑你說你不會吃。掛麵的吃法是用腳將一箱的掛麵搓碎，在煮肉的時候加在裏面。他們還有一種吃羊肉的方法，叫做手抓羊肉。是把羊肉加水放在鍋裏煮熟，或只把肉上的血色煮掉，就拿出放在盤子裏，大家用手抓著吃。拌炒麵和手抓羊肉是「土番」著名的食物。外省人到青海去經商的，也多喜歡一嘗風味。「土番」把殺過的羊的蹄子割下來，不洗也不煮，掛在牆壁上，使得蹄子腐壞有臭氣，在客人來的時候，便拿給客人，請客人吃，這樣他們以為是恭敬，客人若是不吃，他們就以為是不客氣。

他們的服裝，每人只是一件皮的衣服，毛向裏，皮向外，冬夏就是這一件，從不掉換。有錢的人，還圍件皮襖面，顏色多半是紫的、紅的、綠的、藍的，窮的連皮襖面都沒有。男女都不穿褲子，腳上穿一雙長到膝蓋的皮靴。用一條帶子係在腰間，使胸前與背後凸出二個囊來。囊的用處，是裝日常所食所用的東西，如刀子、碗等等。他們吃飯不用筷子，有的時候用刀子，和西洋人一樣。他們每個人都把左臂赤著，不穿衣服，把左邊的袖子披在背後。若是見了很貴重的客人，便把左邊的袖子拖到胸前，但仍然不穿起來，這表明是很恭敬的意思。身體的左邊靠腰間，不論男女都披一隻寶劍。剛才我已經講過，青海的「土番」是游牧生活，所以男女都善打獵、騎馬。女人真可謂有健而美的體格。青海內地的女子，不但有男子那樣雄赳赳、氣昂昂的態度，並且也有閨閣小姐的秀麗風姿，他們也如巴黎婦女一樣的愛好修飾，富家的太太或小姐，全身的裝飾品，有值萬元或數千元的。他們裝飾所用的東西，是麝香、珠寶玉器、金銀首飾，女人身體的右邊，有披套，從頭拖到腳下，披套的上面掛滿了大銀環，非常好看，閃爍有光。披套若是披在身前，這表明她是未出嫁的少女，若披在背後，是表明她已經出嫁過了。婚姻的事，多是男的方面佔便宜，因為女的往往從娘家帶許多東西到婆家去。

他們是男女平等的。西藏的女人執掌家中的一切事務，有很多的權利，男人不過牧牲畜和看看小孩……

四　經濟的狀況

青海經濟的中心，是在西寧和湟源，在青海南部的嘰咕（音譯），和北部的多闌（音譯）也有重要的商業。這些地方都有天津、北平、山西、陝西的商人，常住在那裏經商。青海主要的出品，為麝香、銀環、牛羊毛、馬鬃、駱駝毛，除銀環而外，都是出口的貨物，進口貨為日用品和小孩的玩具，來源為天津。大家曉得天津為充滿日本貨的商場，所以運到青海的貨物，百分之九十九是日本貨。青海的「土番」，也分辨不清楚，什麼是日本貨，什麼是國貨，況且日本貨又便宜又好看，所以大家也就樂得買。商人把帶去的貨物賣完後，便買牛羊毛或麝香之類，到天津、北京去出售。在青海的內地，羊毛每擔只售八塊錢。所用的洋錢為民國三年有袁世凱的頭的和大清銀幣的龍洋。這二種他們是稱為正牌子，其餘的洋錢便稱為是雜牌子，用時要貼水。青海內地的地方，無錢可用，仍是以物易物，和上古時代一樣。「土番」的財產是馬、牛、羊。北部多是蒙古人，他們的財產多是駱駝，富戶一家有養幾萬隻馬、牛、羊的。死時便把牲畜交給後人，作為遺產。

五　塔而寺[1]

它是黃教的發源地，在那裏有偉大的、藝術的、中西合參的建築。「堂皇富麗，高聳雲端」的情形，和貴校的校舍不相上下。青海

1　也稱作「塔爾寺」，意為先塔後寺，始建於1379年，歷史悠久，是藏傳佛教格魯派（俗稱黃教）的六大寺院之一，位於青海省西寧市西南的湟中縣魯沙爾鎮，是古絲綢之路進入河西走廊南路的必經之地，也是黃教創始人宗喀巴的誕生之地。塔爾寺在藏語裡叫「拱本」，是十萬個佛像的意思。

「土番」也有他們的文明，江浙的同胞，和他們比較起來，固然是進步的多得多，可是要研究他們文明，也是門外漢。塔而寺偉大的建築，正是代表他們的文化。尤其是廟院裏所繪的壁畫，彩色的深淺，畫工的細微，更能表現出來他們對於藝術的認識。這座大廟儼然像似一個高等的學府，與大學制度一樣，內中分設念咒院、誦經院、普樂院、跳舞院、雕刻院、建築院、繪畫院。所以我很希望這邊研究藝術的人，到那邊去參觀。廟中有座很大的禮堂，可容一萬人，在這個禮堂中，有九十幾棵粗的柱子，每棵柱子的周圍，二人的手合抱，都不能摟過來。「土番」的家中，若是有弟兄二人，就必須送一人去為僧；若是弟兄三人，就必須送二人去為僧。總之，只能留一個男人在家，所以令全青海的父母心，不重生男重生女了。廟中僧徒的用度，是從各地化緣得來的，往往也有許多的「土番」，願意把自己家中的所有，悉數撥歸廟產。每年正月十五在塔而寺舉行觀經會和跳舞會，這是「土番」最愉快的一天，男女可以自由交接，有各樣的土風舞。臨近的那幾天，無論男女老幼，歡喜若狂地前去參加。我記得有一年的觀經會竟到達十萬多人，可謂盛極一時。

川遊感想
——理想工業區　中國的縮影

俞頌華

俞頌華（1893-1947），名垚，又名慶堯，筆名澹廬，江蘇太倉人，著名新聞記者。日本東京政法大學畢業。一九二〇年起與瞿秋白等赴俄，採訪了列寧等革命領袖，成為中國首訪赤都的記者。所寫通訊報導對當時知識界了解俄國十月革命後的情況起了重要作用。一九三七年赴延安採訪，受到毛澤東、周恩來、朱德親自接見。其所寫通訊在《申報周刊》上發表，這是國內新聞界對中共抗日主張和陝北根據地情況的較早報導，曾引起廣泛關注。他相繼在十多家報刊任主編、總編等職，發表了大量新聞作品，被黃炎培先生喻為中國「新聞界的釋迦牟尼」。著有《遊記第二集》、《柏拉圖政治教育學說今解》等。

本文摘自上海理工大學檔案館館藏《新商業》一九三六年春季刊第二號。原編者指出，申報周刊主筆俞頌華先生客冬（去年冬天）從四川遊歷回來，應滬江大學城中區商學院新聞學會之請，講演其遊川經過與感想，茲將演詞記錄於下。

我現想先把西上的經過和重慶及灌縣的情形約略談談。

我在九月二十日出發，先在漢口小住四天，看看水災的情形，曾在那邊參觀武漢大學。該校的規模很宏大，凡成績良好的學生，都得免費求學，因此投考的學生很多，學校的入學考試便也格外的嚴格。

漢市考察畢，然後向西進發，直上宜昌，看見沿途多山，但高的山很少。宜昌以上，都是高山，懸崖峭壁，水流湍急，在船上環望前後都是山，好像沒有去路的樣子，但過後又變了一幅山景，可見江流的曲折很多。船隻航行很感不便，江底又多暗礁，偶一不慎，船身衝著暗礁，便遭破裂。所以宜昌以上，晚間不能行船，船行時即在不曲折的江面，也必須繞行前進，並且有一種受特別訓練經海關檢驗的人領港。這種人用肉眼觀察水紋，就得知水中有否暗礁。大概每艘船上有兩三個領港人，他們聚精會神的看著水紋，每人擔任兩三小時的輪值工作。

重慶是一個繁華的都市，差不多好像小上海的樣子，但是受了不景氣的打擊，市面也很清淡，商店到處都在舉行大減價。

灌縣有岷江分水流為幾支流，以水利著稱，相傳秦太守李冰曾在此處建設水利，所以四川人至今還不斷地崇拜二郎神哩（按二郎神就是李冰父子）[1]。

我有一種感想，即許多青年只想向外跑，到外國去留學，而不想到國內別省去旅行考察，這是一種偏見。我覺得到本國別省去旅行也有和出國考察同樣的意義和價值。

現在我想講四川的大概情形。四川不愧為天府之國，因為那個地方物產是太豐富了。不但有農產品，礦產、煤、鐵、金都有，而且氣候除了川北較冷外，川南川東是很溫和的，氣候非常之好。在地形較高的地方很寒，所以寒冷地方植物與熱地植物（如香蕉、文旦）都有出產。四川本來不大有好的西瓜的，去年北部農場提議種植，因為土地肥沃，瓜種優良，得到很好的收穫，試驗的農場賺了很多的錢。

1 按原文，原編者認為，二郎神是指李冰父子。

由此看來，四川的天時地利都極良好，中國要建設現代的工業，除了東三省以外，四川便是很重要的區域了。

重慶大學校長胡庶華[2]先生和工程師學會會員曾在四川做過一次調查。據胡先生告訴我，在中國建設理想的工業中心區有三處：（一）重慶及其附近；（二）五通橋；（三）株洲（湖南）。

講到人事方面，四川從前是軍閥割據的局面，故有所謂「防區制」，賦稅很繁雜，所以農民和商民多非常的困苦。

但聞西北回來的人們說，那邊是民窮才盡，反不如四川，原來川省是天府之國，人民經濟能力還是相當的厚。自從中央軍入四川，打消「防區制」，一方面裁軍，一方面整理幣制，因此現在川省的政治經濟比較上軌道了，這是四川的大轉變，與川省前途很有關係的。

但是減輕人民負擔的問題還沒有徹底的解決，將來要是能開發蘊藏，減輕苛稅，那麼川省的前途必定更加光明了。

現在四川的寶藏好像關在鐵箱子裏，要開發這種寶藏最重要的是資本和人才，有些人謂須用國內的投資，把它開發，也有人主張要大規模的開發四川，必定要連帶建設交通，非借外債，利用國際的資本不可。不過，在目前利用外債，不但有許多困難，並且很是危險，要是國際資本背後有政治或軍事的作用的話，那麼，將來的權仍操之於人，不操之於己，所以最好還是由國人自己去投資。

古語有云：「『天時』不如『地利』，『地利』不如『人和』。」川省「天時」、「地利」多稱優良，現在「人和」亦已有了曙光，這是很可樂觀的。

---

2 胡庶華（1886-1968），愛國科學家和教育家，湖南省攸縣人，1886年生於攸縣城關鎮一個教師世家。17歲參加科舉考試中秀才，同時又考入湖南私立明德學校。1913年考取公費留學德國。1920年獲鐵冶金工程師學位。1922年回國。1929年，任同濟大學校長，之後還擔任過湖南大學、重慶大學、西北大學校長。「文革」中受到批鬥。1968年6月17日逝世，終年82歲。

我們也可以說，四川是中國的縮影，不論四川一省，中國全國，今後在「人和」方面多用功夫，實在是很重要的。

至於川省的財政情形，據一位銀行界老前輩告訴我的，在前清末年是出超的，在民國初年還是出超，民初以後出口貨漸減少，民國八九年出入相抵，自民國十年起年年入超了，後來內戰愈烈，入超愈多（因為軍火是由外來的，買了軍火，非但減少生產，抑且破壞生產）。每年入超約二千萬元。自中央軍入川，一方面整理地方財政，一方面統一幣制，地方鈔票統由中央八折收買，行政方面，把各軍部裁減，約裁去三十萬兵。照現在川省的新預算是：幾齣：軍費由六千萬減至四千萬元，各項行政費一千二百萬元，公債基金利息一千萬。幾入：約六千五百多萬元，計算起來年可盈餘三百多萬元。但這個預算的幾入占的太多，事實上因為稅收短絀，所以每月收支仍是不足。

四川目下雖窮，可是有辦法的。因為那邊有水泥、石膏的原料，羊毛、棉花、絲綢、水果、煙草等很多出產。將來生產逐漸發達，不但人民不會鬧窮，省府財政也不至於拮据。

總之，四川有豐富的原料，農商業都很發達，只是缺乏新式工業，如果能利用新工業漸漸開發，人民的經濟生活是必定可以改變的。

西北歸來之感想

江亢虎

江亢虎（1883-1954），原名紹銓，中國社會黨發起人，晚年墮落為漢奸。生於江西弋陽，卒於上海。清末時任編譯局總辦、《北洋官報》總纂、刑部主事、京師大學堂教習、法部員外郎等職。一九〇一年起多次到日本和歐洲留學、遊歷，接觸了各種社會主義流派。一九一〇年提出無宗教、無國家、無家庭的三無主義。一九一一年在上海組織社會主義研究會，出版《社會星》雜誌，「介紹西來之學說」，企圖把他所謂的「社會主義」與中國傳統的封建主義合而為一。同年十一月五日，社會主義研究會改組而成的中國社會黨在上海成立。十二月三十日，孫中山在上海應約會見了江亢虎。此後，江亢虎曾在南京、崇明等地試辦地稅歸公的官辦「社會主義」試驗場。一九一三年八月，因袁世凱下令解散中國社會黨而出走美國。一九二一年四月去蘇俄，以中國社會黨名義列席共產國際第三次代表大會。一九二四年六月重組中國社會黨，一九二五年一月更名為中國新社會民主黨，依附北洋軍閥。一九二六年十月該黨解散。一九三九年九月，任汪精衛偽政權國府委員、考試院院長等職。一九四六年十一月，被國民黨政府以漢姦罪判處無期徒刑。

本文為江亢虎在一九三六年十二月十日晚在滬江大學的講演，由劉樂和（滬江大學化學系學生，1937年畢業，當時在讀）記錄。摘自上海理工大學檔案館館藏《天籟》第二十四卷第一號（1936年秋季號)。此標題為原記錄者所加，演講原題為〈西北之情形與感想〉。根據文末的內容可知，本講演係滬江大學邊疆問題研究社組織。

我記得十餘年前曾到貴校來過一次。兄弟在海外時久，此次歸來，見到各位青年以及中國之各項事業均有進步，心中覺得非常之愉快與欣幸。二十餘年前，兄弟曾主張過社會主義，經過時代與環境的變遷，雖然思想有改進但是主義卻並未動搖。二十餘年來行之仍一貫舊有主張。記得從前兄弟曾出版過一本關於社會主義的小冊子，其中主要的大約有三點：

（一）我對於前所提倡之社會主義，怎樣使理想呈於實現，並希望能保守此理想，使威武不能屈，富貴不能淫，並不主張作暴動等類的事情。

（二）檢討中國文化之觀點。有人以為中國文化有根深不可移性，絕對的不能加以改變；又有一部分人以為中國文化實在必須根本推翻。我個人以為這兩點都是錯誤，都太過於極端。中國文化並非在固守舊有，也並非在推翻，重新創建，而在如何使已死去或沉淪的復興，並加以補充及改良。

（三）社會政治之改革的希望。心理與環境之互為支配，我們不能肯定誰為因誰為果，正如雞蛋與雞子，世界上是雞先有呢，還是雞蛋先有呢？一般的不能有確定的答案。所以對於改革社會政治，在心理與環境互為支配之情形下，我們必須雙管齊下，使社會上之優秀分子明白其自身之責任，並注意其個人之修養，使得成為有能力之領袖，不為環境所移，並望能使之轉移環境。

今天所講的是〈西北之情形與感想〉。請原諒我在未講此題目前，引了以上這一段的贅語。兄弟在近兩年自海外歸國後，曾遊歷過十七省，北及內蒙，南及澳門香港等處。唯以在西南逗留較久，上海住過五月，北平住過一月，往西北並內蒙等處，則為時僅五月耳。「西北」普通是以陝西為中心，與其接近之處，則統稱曰西北。此次所到地有：陝西、山西、甘肅、察哈爾、綏遠等五省，並至內蒙，過漢蒙邊界，至蒙古各旗、百靈廟、滂江等處。就中則以西楚邇特旗——德王[1]所駐地最為國防並交通之要地。有人以為「西北」為退路之所，所以有陪都行都等預備式的名稱，殊不知假設東南不保，西北亦將何以見存？唯以此而引起國人對於此向不關心、淡漠不以為意之「西北」，而加以注意，實為一件值得欣幸的事。

此次所取路程，是由上海直赴西安，西安為周、秦、漢、唐四代建都之地，意料中必有極多珍貴之遺跡，表現中國至高之文化。然而一履其地，竟大失所望，此四代之文化所能遺留者，乃不得見。所見者僅為最近數十年來之新建設。公路、鐵道、建築物等均略有進步，具呈一新。電燈電話亦略具規模。此地最高學府，當推省立高中，並無大學之設立。迭受兵、旱、水各災之摧毀，近五餘年來，經極力之發展與整頓，始略具規模，略似四五十年前之北平，到處均見驢車所陷之痕深及馬蹄所踐踏之浮跡。所云古跡，只有兩處尚稍能見其端倪：一為考古會。以沿途所挖掘之古物，薈並收羅陳列之。此乃一種毫無系統與規則之發掘，故光怪離怪，賢醜畢陳，令人視而為之目眩心昏。二為碑亭。其中有晉代物，固稱極品，惟尚有模印、仿造之贋

1 德王（1902-1966），即德穆楚克棟魯普親王，察哈爾地區錫林郭勒盟蘇尼特右旗人，字希賢，內蒙古的王公，漢字書法家。主張內蒙古獨立，泛蒙古主義的主張者與推動者，內蒙古獨立運動的指導者。1934年4月，德王任蒙古地方自治政府秘書長，實際主持政務。1936年，出任察哈爾蒙政會副委員長，日本關東軍支持下的蒙古軍政府總司令。1937年10月，出任偽蒙疆傀儡政權首腦。1938年出任蒙古聯盟自治政府主席。1949年8月任「蒙古自治政府」主席。1950年初，德王逃往外蒙古，後被押送回國以偽蒙疆首要戰犯加以關押。1963年被特赦釋放，並被聘為內蒙古文史館館員。1966年5月在呼和浩特去世。

品。質雖稀而量極多，亭共十間，洋洋乎大觀，所謂碑者，已集其大成矣。其餘所謂古跡，當推墳墓了，惟土堆怎能表現其文化？墳墓旁之屋宇則又為新近二十年來之建築矣。

西安等處要表現其古跡，實在是一件不可能的事。曾記得在西安省立高中有過一次演講，也曾談起過這件事。昔西洋人云「中國人善於保守」，這種半似恭維，半似挖苦的話，兄弟聽了實在有一種說不出的感覺，所謂一種「mixed feeling」（五味雜陳）酸甜苦辣，也不知道到底是什麼味兒。此次一到西安的結果，這句話可以說完全打消，根本推翻。中國人並不會保守，各項的古跡均空無所見。並非說沒有，在底下當然還有許多寶藏，我所說的乃是已從地中出來被稱為「古」的，已是不能見到的了，若在已得到的，而能加以保守，則可不必再繼續往地下掘，做那近乎商業式的源流勾當了。所以從這一點上得到一個結論：凡是若不能進取，亦必不能保守。這進取與保守兩件事，並非南北極，實乃東西兩半球。現在可以舉個例子說。西安的古物往何處去了？大別之約有二因：其一，於前已約略言之，蓋受歷年來各種性質之災害所破壞。其二，天然之淘汰。這種天然的淘汰實在是一種最殘苛的事，因為天然淘汰之結果，少壯變老，萬物摧殘，一切人事亦凋零消滅。所以假設是沒有進取的話，則不必經過人事的破壞或摧殘亦將漸歸於消滅於無有。商業上有「折舊」這一個名稱。譬如衣服，現在摩登小姐們衣服的樣式不是年年有變更麼？假如去年做的衣服，到今年要變價脫售出去，那它的價格一定是不如去年的了，那並不是因為衣服有破損的緣故，卻因為是「過時」了。又如汽車，不是有什麼一九三五年什麼式，有一九三六年什麼式嗎？那它和一九三三年或一九三四年什麼式的來比較，它的價值卻又大有差別了，那是因為機器不行嗎？汽缸減少嗎？都不是，簡單說卻是因為「不合時」，或者說「不是今年的」。這些都是因「折舊」的緣故以至如此。說到文化，也不能例外。經天然環境的變遷，也「折舊」了。數十年來，在國際上，中國的文化已不如從前了，因為中國人不能進步的很快，所以以後需繼續不斷的努力。譬如房屋，每年必須加以修葺，使得保持其堅固與美觀。這叫做「歲修」。「歲修」即是繼續不斷的努力，假如它的工作利率能抵過「折舊」，則始能進步。雖然，吾人不能生奢望之心於極，但至少的希望，希望能夠稍微的改良、努力。假若能進取，換句話說，即是能保守。

進取者，自己必有其立場和出發點。從出發點開始，日迭有增加、進步，並保持已經有的成績再前進，這才是真的進取。有人以為前人的東西都是腐敗，要從自己創造的才說得上「行」。殊不知假設不能保持固有的，又從什麼地方能得到現在的？要想憑個人數十年的努力與創造，決不能較勝過於幾千年幾萬年日積月累所遺留下來的經驗，所以我們實應該保守那固有的成績。譬如經商，「多財長袖為發達」，這意思就是說要能保守固有，假如不能的話，那麼今日得來，明日又花去，既無積蓄，安能致富？世界之所以能夠進化，就是因為能利用前代的「遺產」而又發揚光大之。我們能採用前人的擅長處，再加上現在所自以為進步的一切學識和其它。這是比較前人要良佳多了，因為我們現在能參考過去的。而前人卻不能參考他們那個時代的未來的。所以這種「遺產」實在是天賦予後代人的特殊權利。假若我們不能承襲這種「遺產」──前人的成績則與無生命的糞土又有什麼不同？所以要進步必須要保守。

從西安有經鳳陽至甘肅之大路，承多年老友邵主席（力子），邀往參加其開路典禮，所經各地尚為富庶之區，至終點所謂「關山隴水」之處。兄弟當時被舉為來賓代表致演詞。深以為其它致辭的各位一般，說幾句恭維的話，實在有些無意思，且無益處，所以兄弟就將公路之利害，加以比較。其益處固可便於行政，普及教育，流通文化，便於軍事等，而其害處：汽車量增多，汽油消耗量亦增多，此均為外貨，所輸入無一件非漏資。公路如血脈之流通，漏資即如生一大瘡口，故要想使血越流得快（公路網越交密），則越死得快（國越亡得快）。現在全國上下人士都主張建設公路，但非常奇怪，為什麼沒有人提倡開辦製造汽車的工廠，並開發油礦呢？如美人福特氏，以私人之資財，尚開辦一汽車廠，而出品則風行全球。美國全國只有數省有油礦，但因開發得法，足供全國之需用。吾人獨不能以一省之力開辦工廠，一國之力開發油礦乎？蓋吾國之油礦產量，實較美國為巨也。今吾人但注意於公路之建設，汽車數量之增加，以示其實業，道路發展之進步，而獨不注意金錢外溢之禍害與危險，寧非怪事？此實大謬者也。

前十二三年前，兄弟在上海，有一次在一個紗廠開工會時演講曾說到：「據兄弟個人的見解，天然絲將來將成為美術品，而人造絲必大發達。曾勸滬上各廠商，拓具眼光，開廠競業。愚以為天然絲必不可於將來作日用品使用也。人造絲之佳處，乃在成本輕而又美觀，只耐久性不如天然絲而已。女子方面用之最多，惟現在衣樣時變，也用不著有長久性。所以人造絲將來必行發達。」奇怪得很，到現在中國這種工廠還是這樣稀少，而日本的產量已雄居世界第二了！（日本天然絲之產量極多，然能抓住時代之樞紐，努力發展，回觀我國，實瞠乎其後也。）

兄弟這次到過秦始皇、漢武帝、霍去病、衛青諸人的墳墓，並有名的唐昭陵墓。因昭陵而享盛名的「六駿」[2]，這次見到的只是「四

2 昭陵是唐太宗李世民和文德皇后的合葬墓，位於陝西省禮泉縣。墓旁祭殿兩側有廡廊，「昭陵六駿」石刻就列置其中。石刻中的「六駿」是李世民經常乘騎的六匹戰馬，它們既象徵唐太宗所經歷的最主要的六大戰役，同時也是為了彰顯唐太宗在唐王朝創建過程中立下的赫赫戰功。六駿中的「颯露紫」和「拳毛」兩石，於1914年

駿」了，因為其餘二駿已經撥開四蹄跑向外國去了，這是件多麼可恥和痛心的事！又見到歷史上出名的美人楊貴妃的墓，所見到的墳墓中，此墓要算修葺得最佳了。過關山而達甘肅之天水，使感覺更苦。不僅由於天災之影響，其更大的原因還在人事之陵替[3]。此地本為地瘠民窮之處，又為漢回雜處之地。漢回間每四五十年內必有一次大交戰，每次死傷之人數，實不堪數計。迄今其地尚未完全統一，尚有許多小軍閥各自割據一方，橫征暴斂，人民實不堪其苦，即地主所受之痛苦亦不減於窮人。從前人造字很有意思，譬如家中有田地的，大概都是些財主爺，所以「富」字、「福」字，都有田的分兒在內，而今可算著「累」字交到「田」的光降了。賦稅刻今已徵至民國四五十年的了[4]。軍閥每次之更換，則抽徵亦更甚，迄今若民國四十八年之賦稅尚未交納，即已有死罪矣，言之慨為三歎！

又遊華清池、太真[5]出浴處、終南山、華山等名勝。終南山、華山均憑西安，正如西山之傍北平，鍾山之靠南京也。離陝西而往山西，由入晉大道以至臨汾，由臨汾乘火車至太原，至雲岡，而至綏遠。沿途遊五臺山並關帝誕生處——壽縣。山西號稱為模範省，教育無進步之可言，此點頗使人失望。婦女放足運動，山西提倡為最早，然迄今較諸各省，成績亦最壞。山西設立大學亦最早，但迄今三十餘年來並未增長進步，倒反「折舊」了一大半。山西大學校長在留英時

被國人盜賣到國外，所以江亢虎看到的只有「四駿」。其餘四石現藏於陝西西安碑林博物館。

3 「陵替」二字出自《左傳．昭公十八年》中有「於是乎下陵上替，能無亂乎？」後以「陵替」謂綱紀廢弛，上下失序。

4 江亢虎發表此講演時間是在一九三六年。該處是指政府提前徵收賦稅。

5 「太真」即楊貴妃（719-756），名玉環，初見唐玄宗時，楊貴妃衣道士服，號太真。

是習工程的[6]，成績亦極佳，但他辦工程時，卻毫無進步，亦不知其原因在何。民國十九年，閻勢敗後[7]，深感軍事之不能統一，乃注意於生產事業；煤礦工廠開發興辦者計有二十餘處，工人亦近萬餘，至此對於實業方面，始稍有改良及進步。五臺山為佛教聖地，時為歷代帝王所臨幸。此山實則有臺而無山，往時需乘駝轎。在此轎中既不能坐，又不能睡，搖煤球似的須搖兩天，山是漸高，地勢是平坦而漸高，不似有山，故曰有臺而無山。此山無出奇可言，草木不生，五穀不長，只生一種叫做「蓧麥」的植物，不毛之地，有如口外。惟廟宇則金碧輝煌，計有數十所，均是新修。或問中國民窮財盡，此修廟之財何來？知之者知此財源是來自東三省，前時曾有幾千萬元運至五臺山造廟修廟，其地現雖屬偽國，惟其造廟之財則源源而來。且甚至有工程師長駐督修者。兄弟對於這些有四個字的考語，叫做「窮山富廟」。窮是窮得連草都長不出，而廟宇連門框皆是描金，天淵之別，有甚於此。

山西雲岡之北魏石佛，早已有名，慕名而往者，實不乏其人，語云：「百聞不如一見。」兄弟以為：「一見不如百聞。」此地水淺——乘汽車亦可渡河，四矚無景。石佛之雕塑功夫極細，但因為其質地係為沙石，所以「折舊」得非常快。有很多奸商暗地裏將石佛的頭面砍下，運賣往國外，兄弟曾有好多次在海外各國的陳列館或博物館中見到，請問：這種舉動是石佛丟臉呢？還是我國人丟臉呢？雲岡石佛，

6 指的是1918年8月至1937年11月出任國立山西大學校長的王錄勳。王錄勳（1885-1960），字猷辰，山西省臨汾市人，水利學家。1906年畢業於山西大學堂預科，1907年公派英國倫敦皇家大學工程科留學取得學士、博士學位。

7 1930年3月，閻錫山與蔣介石之間的關係進一步惡化，閻錫山在馮玉祥、李宗仁等的支持下，通電就職陸海空軍總司令，出兵討蔣，後又另組「國民政府」。雙方陳兵百萬，展開中原大戰，最後以閻、馮等反蔣軍全線崩潰而告結束，閻錫山亦於10月15日宣佈下野。

是因沙石之故，面目現在大概是模糊的多於清晰的了。遜清光緒十八年時，石佛已有經人工所毀壞者不少，當時有些人集資重修，用的是水泥「cement」塗補，手藝且俗不可耐，而又塗上五顏六色，真是不修尚可，一修可不了，這種發於「善心的破壞」，雲岡石佛可大受其殃！

出大同而至綏遠，一小部分地方已開通，歸化已有內地風氣，口外土地肥沃，並非一片沙漠，如所傳之甚者，凡在一百天內可以成熟的植物都可以種植，甚至於稻米。自歸化乘火車而至平綏路之終點包頭，該地商業情形，一落千丈，不可言喻。從前自包頭至寧夏，是乘駝轎，或經河道，後來又有汽車可通，但仍是需要許多時候，現在有輪船開航，下水五六天即可到達，輪船吃水甚淺，一切準備也和內地的相差不多。包頭已近蒙古，所以有很多的蒙古廟，但是有一件奇怪的事，就是並未見到一個蒙古人。

出張家口，萬全，經歸綏而至內蒙。途經大青山，見到的好像又是另外一個天地：坐汽車行一整日，可以見不到一個人、一所屋宇、一株樹木。見到的只是大青山外一片草地，平坦一望無垠，這種修葺如此平坦廣大草地，且是雇工修剪的嗎？乃是畜牧時牛羊齧踏所天然形成。汽車就是在這種草地上行駛的，而且隨處都可以走，惟間或遇有河流之處，遇水干時即成沙地。通過時，時常膠住車輪不便行駛，旅客到此則必須下車步行過去，一則減輕車身的載重量，一則因為人行於此種特殊之沙地（普通都有二三尺深）上，常較車行為快也。單輛汽車走時，常發生黏膠住在沙地上，或者當車身損壞時，周圍數百里，不見人影，徒喚奈何，為時已晚。故每次行時必成群結隊，蓋便於互相幫助也。

內蒙古到現在還仍舊保持著天然的成績，穿牛羊皮，食牛羊肉，住為以牛羊皮所制之敖包（即鄂博），燒牛羊糞，以一羊即能解決蒙古人之一切衣食住行的問題。所住的氈包，非常便於拆收，只費十餘分鐘已足，蓋便於遷移也。鄰右須乘馬往來，因為兩兩相距動必十餘里之遙。內蒙建築惟廟宇與王府為偉大，廟為西藏中國式，極其富麗堂皇，蒙人二兄弟中，必有一人做喇嘛。喇嘛之在蒙古，位尊而處優，可以不勞動，安閒度此一生。王府之建築，當較廟宇為稍遜，但是內蒙，已非時常可以見到的了。百靈廟為蒙古地方自治政務委員會所在地，現在外蒙古實際上已是俄國所有了。內蒙分為東蒙與西蒙，東蒙已在日本掌握下，西蒙在名義上還屬於中國的，為捍衛並防所未然起見，故有此委員會之組織，係半獨立的性質，直隸於中央行政院。百靈廟又名九龍口，有九條道路可通各處，其地有氈包百餘個，一切行政事務均在包內辦理。委員長雲王、秘書長德王均為兄弟舊交，所以有機會到那方去看看。德王通曉漢俄英日各地言語文字，又能騎馬射箭，所謂文武全才，是一個最有思想的人。兄弟這次去時告訴他們一切最近海內外各處的情形，他們都非常受感動。西楚密特旗——德王所駐地——地近滂江。蒙德王邀往參加蒙古每年一次大祭之腦包祭[8]。腦包即是大山的意思，在交通便達處，置有高阜，用以示路徑者也。於陰曆六月十五日全蒙有十餘處大祭，祭時在山坡上掛紮祭彩，山下虛設盔甲，旁置刀槍儀仗，示成吉思汗之來臨，當時該地有萬餘人眾而拜之。德王等均穿遜清官服，朝珠補褂，行三跪九叩首之大禮。此時女子不能上山，皆聚於山下分肉啖食。在山上與祭者，每人須揀石一塊，於行禮後圍山團繞三周，再將此石塊投於山

8 在草原上，用大小石塊累積起來的巨大石堆，上插有柳枝，此謂神樹，神樹上插有五顏六色的神幡。巨大的石堆矗立在草原上，鮮豔的神幡如手臂般召喚著遠方的牧人，這就是敖包，又稱「腦包」或「鄂博」、「堆子」，是薩滿教神靈所居和享祭之地。舊時遍佈蒙古各地。敖包神被視為氏族保護神，祭敖包為重要祭祀儀式。敖包作為蒙古民族文化的代表形式之一，在媒體的傳播下已達到家喻戶曉、婦孺皆知的程度，如蒙古族民歌《敖包相會》等。

上，如此則此阜山漸漸乃能增高。當時的酒席叫做「全羊筵」，要算是最豐富的筵席了，但是有羊而無酒。入筵時每人須自備碗、筷、刀各一副，將全羊肉自割一方，置於碗中即用鹽水蘸食，是日無大小貴賤貧富之分。食畢即開始舉行比賽。有地位的人在一處比射箭，兄弟看來，卻個個箭法高妙。差不多箭出弦後，沒有不中紅心的。賽馬則為八歲至十二歲小孩子的事，馬是既無鞍韂，又無韁繩的，一口氣須跑六十餘里，再跑回來，誰先到達者獲勝。壯夫則舉行摔跤賽，有種種的花式，在摔跤開始比賽之先，舉行舞蹈，六十四人參加，係採用淘汰制，得到勝利的人，那時候比「Loius Queen」還要帥氣些。這種尚武精神的表現，未始不是中國的一線新希望吧。

德王交遊很廣，這次有來賓三十餘人參加，各國人都有，漢人只有三人，一為兄弟，一為軍委會代表，一為政委會代表，其餘西洋女子亦有多人參加，日本則派有三架飛機前往參加。德記者密勒（Miner），英記者鍾斯（Johns）當時亦在。會後密勒與鍾斯相偕乘汽車往多靈諾爾，該地名義上雖為察治，然實際上已為日本軍事之中心。不意三日後，聞二人已被匪綁架，鍾斯漸亦被殺矣。致死之因，想為彼等通訊，洩漏某某二國所不願發表之消息，而遭妒殺者也。

諸位！現在的西北，已並非從前人目光中的西北了，內蒙地方也並非理想的沙漠，那方面生活程度甚低，絕沒有什麼不景氣的現象。……（中辭遵講者意從略）……責雖在政府，而人民若能加以不斷之注意，使互相聯絡感情，設一日主權喪失，而文化則尚能聯繫。貴會（邊疆問題研究社）能去作實地的考察，必更能得到比兄弟所講的更為詳細也。

先了解中國[1]

格雷

本文摘自華東師範大學圖書館館藏、一九二一年三月二十六日出版的英文版《滬江大學周刊》第十卷第一六一七合期。由潘恩霖記錄。原記錄注明，一九二一年三月六日，格雷博士在基督教青年會第一次常規會議中做了一次非常精彩的演講。

也許你會對我選擇這樣一個題目〈先了解中國〉感到奇怪。美國的學生在去其它國家繼續深造之前會接受「先了解美國」的培訓。然而，中國有許多留學生，在國外學習一段時間後，竟發現自己已經不習慣國內的社會狀況了，進而不能理解國人的想法做法。因此，對這些人而言，必須讓他們先了解自己的國家，以避免將來的忘卻。只有這樣，他們才能更好地勝任將來的工作。

中國是世界上最大的國家之一。她人口眾多，更重要的是，她的人民勤勞智慧、堅忍不拔。中國自然資源豐富，各個地區都物產富饒，礦產資源遍及全國。這些都是大自然的厚愛。

中國有著輝煌的歷史。她曾經是世界上最古老的文明古國之一，藝術、文學和哲學都一直先行於他國。現在我們對她的唯一期望就是希望她在這些方面能夠繼續成長壯大。

1　本文由上海理工大學研究生王琰、上海海洋大學教師杜義美翻譯。

在我們美國的大學裏，來自各州的學生經常聚集在一起談論自己的家鄉。他們都為自己的家鄉而自豪，各自都在說自己家鄉的優點。這樣，他們互相交流，分享心得，回到家鄉後就用所學的東西來改善自己的家鄉。他們開闊了自己的眼界，為自己的國家感到驕傲，也打算用同樣的辦法來促進其發展。我覺得你們中國學生也應該向他們學習，因為這是明智之舉。大家聚在一起談論各地區的社會狀況，互相取經，再想辦法去完善它們。討論各自存在的問題有助於彼此了解，以便達成共識，解決問題，培養自己用更開闊的視野去看待問題，從而加強自己的公民意識。

然而，了解中國並不是指孤立地了解中國這一個國家。你還必須對比其它國家政治、經濟、教育等方面的狀況，必須從他人的視角來看待中國。在美國，有這樣一個半幽默似的說法：一個人其實有三個樣子——一個是他自以為是的樣子；一個是別人眼中的樣子；還有一個是他將要成為的樣子（與前兩個完全不同）。現在，我們可以將這一說法用到中國身上。中國一直是這樣的中國：一個是中國人自己認為的樣子；另一個是外國人認為的樣子；還有一個是未來的中國。你們審視自己，指出其中的不足，然後提出更好的方法來改善她。你們接受外國人的意見，對其做出相應的調整，使其適合中國的狀況。這樣一來，理想的中國終會實現。布爾什維克主義者竭力在俄國宣導「重建工程」，但其實收效甚微，遲早會垮臺。我堅信，布爾什維克主義者垮臺後，新俄國根本不會出現[2]。

中國真正的未來將會是輝煌的，這個輝煌指的不是物質方面，而

2 格雷博士本次講演的時間是在1921年3月。這時俄國「十月革命」已經獲勝，不久後的1922年12月，蘇聯就宣告成立。但習慣上蘇聯歷史一般從1917年「十月革命」後開始算起。顯然，格雷並不認可「十月革命」的道路，不看好布爾什維克主義者的未來。

是精神層面的。解除了知識和精神枷鎖的中國將大放異彩。你們必須忘記一己私利，永葆樂於助人的精神。

曾經有個意大利軍官集合士兵準備革命，士兵問革命有什麼回報。

這位軍官的回答是：「我將給你們的是傷痛、飢餓和死亡，然而換回的將是意大利的自由解放。」

他的士兵果真負傷了，果真挨餓了，也果真死亡了，然而他們的國家意大利獲得了自由。你們中國人也必須為自己的祖國來承受這一切。可能不是在戰場上，但肯定是你們願意做出的犧牲。

先了解中國，然後為她奉獻吧。

青年與中華民族[1]

格雷

本講演稿摘自華東師範大學圖書館館藏、一九二一年五月二十一日出版的英文版《滬江大學周刊》第十卷第二十五期，原文由潘恩霖記錄。現題目為編者所加。

在 Gamma Alpha 的第二次會議上，我們有幸請到了格雷教授親臨現場為我們作演講。他今晚演講的主題是「中華民族」。

格雷教授說，「民族」這個詞並不是一個新術語。在過去的幾百年間就一直被人們關注並研究。民族的重要原則之一就是一個民族對自己的事務應該有話語權和自主權。

中國作為一個民族，具備發展的堅實基礎。歷史告訴我們，所有的中國人都有著相同的血脈，共同的風俗傳統，共同的經濟利益。雖然他們的方言各不相同，但他們的語言基礎大體相同。他們有著不同的信仰，但他們對宗教與生俱來的直覺是相同的。

中國資源豐富，土壤肥沃，但仍被他人視為一個弱國，在世界列強中無立足之地，這到底是為什麼呢？

中國歷來就不崇尚戰爭。她喜歡和平，厭惡戰爭。她的子民已經習慣了妥協。這就是「順其自然」的一百年來一直如此弱小的原因之

1 本文由上海理工大學研究生王琰、上海海洋大學教師杜義美翻譯。

一。也許阻止她發展的另一個原因就是她長期的閉關鎖國，缺乏科學知識的引領。

中國的民族精神正在提升，但速度還不夠快。我們從歷史教訓中得知，只有在遭受壓迫時，民族精神才能得以快速壯大。這是促進其發展的必要條件。

現在，中國可以像美國那樣採取一些措施，激發民眾對大戰的興趣。通過應用社會心理學法則——也就是，培養民眾的戰爭意識——通過提高士兵的士氣——美國就改變了其民眾的態度，把他們從不反對戰爭的中立狀態轉變為積極投入戰爭的狀態。

中國政府應該培養其公民關注本民族的事情。提醒他們銘記曾經擁有的輝煌，歷史和現有的豐富資源，教會他們如何更好地珍惜這一切，並勇於付出，努力實現中國的美好未來。他們也應該牢記自己的責任。

這點不容忽視——我們強調重視的是未來的中國，而不是過去的中國，也不是當前的中國。中國正向富強偉大的民族邁進，她所有的資源都將得到合理利用，政府和教育機構也都將得到改善，他們將會取得更大的成就。但這一切都取決於我們對未來中國發展所持有的堅定信念。有需求有願望，我們定會取得成效。

中國需要一批有遠見卓識的青年人從事社會教育、樹立民族感的工作。我堅信只需二十五年時間，這種民族感就會樹立起來。為了取得這樣的成效，應該實施一些政策，而這些政策需要由一些頭腦清醒、能看清未來的知識分子來制定。

總之，格雷教授鼓勵青年人擔負起培養國人民族新精神的歷史使命。他堅信二十年或三十年後，今晚在座的所有人都會看到自己在這方面努力的成果。這取決於他們是否願意擔當起這個責任。他們的同胞正在渴求教育，就看他們是否願意伸出援助之手，幫助他們實現愛國心了。這是解決目前問題的唯一出路。

格雷教授的演講如此精彩震撼，臺下的聽眾報以雷鳴般的掌聲。

美國男女交際上之風俗談[1]

格雷

華東師範大學圖書館館藏一九二一年六月十一日出版的《滬江大學周刊》第十卷二十八期第一二一三期收藏有此講演的中文翻譯稿。譯者高石麟還特別注明，此文為格雷在滬江大學懇親會上的講演稿。

高石麟（1897-1984），原籍浙江德清，曾就讀於德清新市仙潭小學、吳興中學、之江大學、滬江大學，久居無錫。翻譯此文時，高石麟應正在滬江大學就讀。一九二六年起在無錫當牧師，解放後任無錫市政協委員、無錫市宗教聯合會副主席。擅書畫，工山水。係美籍華人、著名鋼琴家高瑛的祖父。

當東方人或歐洲人初來我美之時，常覺我美風俗與彼國不大相同。最可注意者，即男女權各一方。在家庭之內，女子為主，有治理一切家務之權。男子在家，處於女子治權之下，僅有服從之義務。

至若外務，則男子有指揮女子之權。唯服從與否，悉聽彼意，男子不可強迫。當我與內人結婚之時，我特放棄彼所預許終生服從我之言辭。家庭之內，父母之對待子女一視同仁，或有愛女甚於愛子者甚多。

對於教育上及社交上言之，則女子所享與男子無異。彼等與男子

1　本文由上海海洋大學教師杜義美、上海理工大學研究生王琰翻譯。

交際時同坐同行，不以為異。而彼等亦自忘為女子者。女子所受之教育程度亦與男子相當，而女子之成績未必遜於男子。女子為國民之母。蓋一國之文明，與女子之程度大有關係也。

大多美國青年皆喜獨處。而結婚極自由。凡兒童年逾弱冠，必先自物色女友中為彼所最愛者之一而鍾之情。每引彼至公園散步，或戲院聽曲，或與彼跳舞，或贈彼禮物，種種手續，無非為愛情之媒。及得彼美目一盼後，遂直接求婚。及至得彼許後而訂婚約，即以布告親朋。

所訂婚約不必與父母商酌，但亦有恭請父母作顧問者。為父母者亦不因其稍有不滿意之處而阻止彼一雙伉儷之婚約。惟出幾句訓言而已。結婚以後，即與父母分居。而父母毫無干涉彼等新家庭之權。

結婚之期，為少婦所定，而通告彼未婚夫。兩家遂各自預備新衣，然極簡單而樸素。行禮之日，或在上午六七時下午一至四時不等。如在家庭內，賓客寥寥。或在禮拜堂內，親朋滿座，為牧師等所監督。禮畢後，監督者代為呈報區長。未結婚以前，必先至縣署取證書而簽名。僅付費半元。結婚以後，亦須謝監督員一元。慷慨者贈彼數十元亦有之。此時戚友亦皆贈禮物，至若妝奩等物，男子不可預聞。若男子查問，則女子可與之打消婚約。蓋以其有輕視之意也。故女子嫁資或有或無。非男子所得而干涉也。

國內不准一夫多妻，亦不准有不依法律之夫婦。婦人亦有與丈夫離婚之權。實則離婚之出自婦女者有百分之六十之多。最大多數之離婚案件。十二家內僅有一家耳。而其餘皆夫唱婦隨，快樂之家庭也。

其餘最重要之事，即教育兒女一節。教育兒女之職。隨屬為母者居多，然將來哲嗣學（Eugenics）[2]發達後，為父者亦負有完全之職。

2　哲嗣學（Eugenics），即優生學。

蓋女子皆宜習練戶外之事。如彼父也。婚姻雖一微事，而一國之文明係焉。蓋快樂健全有高等教育之國民，皆出自和氣完備之家庭也。

文明和資源
——一個地理的因素[1]

哈伯德

本文摘自華東師範大學圖書館館藏、一九二一年五月二十一日出版的英文版《滬江大學周刊》第十卷第二十五期。這是一九二一年五月四日，哈伯德（Hubbard）博士給滬江大學大一新生所做的講座，由滬江大學一九二四屆畢業生集體（當時在讀）記錄報導。哈伯德生平不詳。

「文明」這個詞可以定義為一種關係，一種人類與其周邊環境或地理環境之間的關係。風景就是地理環境的總體表象，因此它有自己的影響力和自身規律。人們在不知不覺中做這做那，完全沒有考慮到自己的意志力。但是有思想、有分析能力的人可以自行選擇自己的行為。他們對地理因素的反應就是利用環境資源並保護它們。

人們對文明的追求基於以下事實：人們能夠對生活中出現的問題愉悅地進行接受，進行判斷，並有效地去處理，不僅為自己也為他人謀利。地理環境在培養人方面起了很大作用。她培養了人的貿易能力，使商業得以發展壯大，也使我們認識到，地理環境的差異需要生

1 本文由上海理工大學研究生王琰、上海海洋大學教師杜義美翻譯。

活在不同地區的人們互相說明。有的地理環境有利於生產或製造某樣事物，而別的地理環境又有利於其它的事物。因此，我們必須學會了解各種地理環境，重視貿易。

人們理想的文明很大程度上和其周圍的地理狀況密切關聯。首先，讓我們拿社會群體做例子。他們的天性各不相同，有的在城市，有的在鄉村，有的在海濱，有的在山區，有的在島上，還有的在陸地。每個群體都會受到地理狀況的限制，他們有著各自的語言、理想、偏見等。山區人只知道他們自己，因為他們沒有機會和世界上其它地方的人們接觸。他們有自己的個性特點，只會欣賞他們居住的環境。

政治群體的形成也是如此。每個大的群體都有著本民族的想法。各民族的想法千差萬別。政治觀點是人們和周圍環境接觸的產物，也和地理環境有關。對這個事實的忽視會毀滅許多生命，會造成不同國家間的分歧。我們有責任彼此了解並為彼此的共同利益一起努力。只有人們的互相理解才能最終實現世界大同。

同樣地，研究宗教群體的文化和地理環境的相關性也是一件有趣的事情。最初的基督徒們強調「天堂」和「地獄」，這是因為生活在巴勒斯坦的人們討厭炙熱的太陽和乾燥的天氣，所以他們把地獄描繪成如此模樣；他們喜愛溪流和微風，所以天堂裏就有溪流和微風。起源於類似地域的其它宗教也有著相同的理念。今天那些熱帶地區沒有受過教育的人們仍然相信熱的地方代表地獄，涼爽的地方就是天堂。相反，住在加拿大北部的人們則認為溫暖的地方是天堂，寒冷的地方是地獄。所以宗教就是人們對地理環境的一種情感表現。

迄今為止，我們都堅信地理因素在人類文明中起著重要作用。即使研究工業和歷史，我們也不得不把地理環境作為背景因素來考慮。什麼是歷史？簡單地說，就是人類對地理環境的一種記載，是人類之間的互相作用，是人與事物的相互作用。

政治篇

滬江大學政治與歷史學系的歷任主任為：韓森[1]（1915-1935）、余日宣（1935-1951）、卓如[2]（1951-1952）。韓森是芝加哥大學碩士，一九一五年來滬江大學後開設歷史學、政治學和經濟學的課程，創立了政治與歷史學系，掛靠社會科。一九二二年，李錦綸[3]受聘進入滬江大學，滬江大學政治學科力量大增，並逐漸奠定了從事國際關係教學和研究的傳統。一九二三年，曾友豪成為政治學專業的第一個研究生，翌年獲得碩士學位。

滬江大學立案[4]後，文學院設國文、英文、政治、社會四系。鑒於「上海這座國際化城市裏各國人物薈萃，具有研究國際關係的特別機會」，該系力圖形成國際關係學特色，此時更進一步向這方面發

1 韓森（Victor Hanson），布埃那學院文學學士，芝加哥大學碩士，滬江大學教授。根據海波士（John BurderHipps）回國後所著《滬江大學》（王立誠譯，珠海出版社，2005年），韓森正是劉湛恩校長遇害時的目擊證人之一。但根據90高齡的滬江大學校友會原會長、1939屆滬江大學化學系畢業生李昌允先生的回憶，這個目擊證人是海波士。

2 卓如，1949-1952年期間任滬江大學政治與歷史學系教授。

3 李錦綸（Frank. W. Lee, 1886-1956），廣東臺山人，生於美國紐約。在芝加哥大學獲法律學士學位，在紐約大學獲政治學碩士學位。1911年回國，任廣東交涉署政務科科長。後曾任孫中山秘書。1918年4月，任廣東軍政府外交部政務司司長。1920年任粵海關監督兼廣東交涉員。1922年為上海滬江大學副校長兼政治學教授。1927年任國民政府外交部參事。1928年任國際仲裁裁判所代表，同年10月，任駐墨西哥公使。1929年任國民政府外交部政務次長。1931年任代理部長，同年底辭職。1933年任駐波蘭兼捷克公使。1934年調任駐葡萄牙公使。1943年辭去公使職務，改任外交部顧問。1956年病逝於美國紐約，終年70歲。

4 20世紀20年代，中國掀起了一場收回教育權運動，謀求「教育與宗教分離」，「取締外人在國內辦理教育事業」，民國政府明令要求外國人在華所辦的學校必須向中國政府立案。1928年2月，劉湛恩就任滬江大學校長，在他的主持和努力下，1929年3月，滬江大學完成向政府立案，改稱「私立滬江大學」。

展。一九二九年，它成立了國際關係研究社，劉湛恩宣稱這是因為「我們希望我們的學生不但成為一個好的民族主義者，而且成為一個國際主義者」。該社在學校圖書館的一側闢出一個國際關係圖書館，得到國民政府外交部、卡內基國際和平基金會、國聯、國際勞工局等方面的贈書，成為一個擁有數千冊藏書的專業圖書館。已任外交部參事的校友譚紹華和已成為外交部政務次長的李錦綸曾先後來該系兼課，更使學生興趣大增。前文提及的邊疆問題研究社更是紅極一時。學校為此還將原來的博物館辦成一個邊疆民俗博物館。學生的畢業論文題目涉及〈上海公共租界工部局〉、〈國民黨在中國的歷史及其組織〉、〈中美關係研究〉、〈總統制下的代議政府〉、〈中國東北的國際關係〉、〈中日關係〉、〈英德俄在遠東〉、〈中國與國聯〉、〈廢除在華治外法權芻議〉、〈中英關係〉、〈一黨制與民主〉等為時人關注的內政與外交問題。一九三五年，專門從事國際關係研究的余日宣接替韓森，成為該系主任，使該系的國際關係專業特色更為明確。原上海理工大學黨委書記、現上海市教委主任薛明揚教授經過調查發現，吉林省圖書館現藏有四十二篇滬江大學畢業生論文，其中以余日宣指導的為多，內容多為政治與歷史方面的。

從畢業生的就業情況看，由於立案後滬江的學生可以和國立大學學生一樣直接進入政府部門，因此在政府中謀職的人數有所增加，超過尚未立案的聖約翰大學。一些畢業生開始在外交界逐漸嶄露頭角，例如陸士寅於一九三五年出任駐美國西雅圖總領事，譚紹華於一九三六年出任駐墨西哥公使，這使得該系把「為學生在省市地方政府供職做準備」作為一個培養目標。

作為教會大學，滬江大學校方曾一度阻止學生參與政治，介入戰爭。事實上，當「一・二八」的炮火震撼上海的時候，滬江大學便成了戰火波及的學校之一，再也無法置身於這場戰爭之外，甚至只得在一九三二年四月初借用租界內四川路上的青年會大樓和城中區商學院的校舍開學，直到日軍撤去封鎖才於當年六月一日回到楊樹浦本校。日本滅亡中國的野心日益昭然若揭，使得劉湛恩那樣的基督教領袖也逐漸地從「和平主義」轉向奮起抗日。一九三七年，抗戰全面爆發，日寇侵華暴行更使得一向奉行人道主義的劉湛恩奮起投入救亡運動，被推為上海各界人民救亡協會理事、上海各大學抗日聯合會負責人。他在給世界浸禮會總幹事羅士克的一封信中指出：「基督教教會過去曾做過一般性的反對戰爭的聲明，但在導致戰爭的具體國際事件上卻沉默了。我們宣導國際和平，但有時候我們忽略了國際正義。我們必須分清是非，在是與非之間沒有中庸之道。」「八一三」事變後，滬江大學被迫再次撤離楊樹浦校園，把位於公共租界的城中區商學院作為全校的臨時校舍。在劉湛恩的領導下，滬東公社於十一月開辦了復興難民收容所，在難民中開展了「上午工藝，下午教育」，還施醫施藥和組織說書、話劇、募捐等文娛活動。而國防科學研究會亦自一九三七年起成立，顯然和當時的國情有關。

滬江大學轉為滬江書院後，尚未撤退回國的滬江大學傳教士教師最初仍在學校裏執教。但在日偽的壓力下，汪宗海、韓森、畢義思[5]和時俊光四人在一九四二春季學期結束後退出，英文系的貝特和高樂民以及耆荷福夫婦則於該年十月十六日被關進集中營，直到一九四三年十一月被遣返美國。於是，書院裏除了個別教第二外語的外僑外，就只有中國教員。他們中大部分是老滬江的人馬，王治心[6]、余日

5 畢義思（Sterling S. Beath），文學碩士，歷任滬江大學講師、副教授、教授。曾任城中區商學院事務主任。

6 王治心（S.C.Wang, 1881-1968），名樹聲，浙江吳興（今湖州）人，清貢生。1913-1918年間任基督教刊物《光華報》編輯。1921年任南京金陵神學院國文和中國哲學教授，編輯《神學志》。1926-1928年間任中華基督教文社主任編輯。1928年起出任福建協和大學文學院院長、國文系主任、教授。1934年後應劉湛恩之請出任滬江大

宣、林卓然、鄭章成、涂羽卿、唐寧康和鄭世察，仍任國文、政治、教育、生物、物理、化學和商學系系主任。但書院「因環境關係」，音樂和中文兩系不再作為專業係，政治係改稱「社會科學系」，先後受聘的董運嘉和查修都是留美博士。

在重慶，滬江大學與東吳大學合辦的聯合法商學院除正規課程外，每學期舉辦一次國語、英語競賽，「每逢星期一晚，舉行紀念周，除開會如儀並報告校務外，必請名流學者專家演講」，並且「遇有名流專家學者過渝，即非星期一，亦常邀請蒞校演講，惟以不妨學生正常上課時間為原則」。根據《聯合法商學院院刊》的記載，一九四三年至一九四四年間的演講人及其演講題目有潘恩霖：「領袖欲」；梁寒操：「國父之革命學」；鄭濤：「兵役法」；李惟果：「目前世界大戰分析」；龔德柏：「意大利投降後之國際局勢」；王雲五：「用大氣力做小事情」、「戰時英國之動員」；章乃器：「此次世界大戰之估計」；居正：「法治與法律教育」；張志讓：「憲政運動」；De Pass：「美國大學生之戰時工作」；佘廷襄：「我國軍法之演進」；盛振為：「憲法草案」；楊蔭溥：「吾國文化與經濟思潮之淵源」；羅吟圃：「最近國際形勢之分析」；海波士：「美國戰時情形」；章淵若：「修己治平之民族哲學」[7]等等。

學國文系主任。1948年從滬江大學退休後回金陵神學院教授國文和教會史，主編《金陵神學志》。1957年從金陵神學院退休後一直在北京居住。著有《孔子哲學》、《孟子研究》、《中國歷史上的帝觀》、《道家哲學》、《墨子哲學》、《中國學術源流》、《基督徒之佛學研究》、《莊子研究及淺釋》、《中國宗教思想史大綱》、《孫文主義與耶穌主義》、《三民主義研究大綱》、《中國學術概論》、《中國文化史類編》、《耶穌基督》（與朱維之合編）、《評基督抹殺論》（與范子美合編）等，為當時中國基督教界有較大影響的、多產的著述家之一。

7 參見王立誠著《滬江大學簡史》，頁127-128。

凌憲揚[8]主政期間，積極推行滬江大學的非政治化，要求所有的黨派退出學校，甚至公開宣稱：「我的口號是『政治滾蛋』。我們不允許任何黨派在校內進行政治活動。」為此，他著手清理學生隊伍，去除無論是共產黨方面還是國民黨方面的「職業學生」，並加強對學生的監視。

上海解放後，滬江大學政治係的結構發生了重大變化。它不僅增聘了剛從美國留學歸國的王毓華和陸增鈺，而且增聘了卓如、徐德麟、謝嘉等教師開設馬克思主義政治理論課程，顯示了滬江大學適應新時代意識形態的趨向。

令人興奮的是，諸多重大事件在本篇收錄的講演稿中都有所反映，如濟南慘案、「五四」運動、中國革命等。一九二〇年三月，陳獨秀在大禮堂演講「什麼是新文化運動？」。一九二〇年五月，孫中山來校演講「中國之再造」。一九二四年十月，瞿秋白來校演講「社會問題與社會革命」。一九三二年，陶行知感於時事艱難，「國難」當頭，因此要「從教育上謀國難的出路」。到了一九三四年，東北形勢更加惡化，「日帝國主義鐵蹄下的『滿洲國』教育」的講演人不得不匿名，則說明了當時形勢之惡劣和國人抗爭之精神。（前文1936年12月10日晚江亢虎在滬江大學之「西北歸來之感想」講演也有部分內容「遵講者意從略」。）這兩篇文章雖然說的都是教育，但落腳點仍然是國家的存亡，所以，編者將其歸入「政治篇」。此外，關於戰爭的

---

8 凌憲揚（Henry Hsien yang. Ling, 1905-1960），廣東寶安人，滬江大學最後一任校長（1944-1949），孔祥熙的親信和乾兒子。滬江大學附中畢業後，考入滬江大學商科兼攻政治。1927年畢業後赴美南加州大學留學，1929年獲工商碩士學位。1941年，擔任中央信託局在重慶的中央印製廠經理，併兼任《星報》社長。1943年春，任「東吳滬江法商學院」的商學院院長。抗戰勝利後，任滬江大學校長。1949年5月，凌憲揚受到校內「革命群眾」的壓力而辭職。1951年4月，在「鎮壓反革命運動」中，凌憲揚被捕，1957年初釋放，1960年逝世。

話題佔據了相當的比例。顯然，這是和當時的國際、國內的形勢緊密相關的。而基督徒對中日戰爭的態度則體現了滬江大學的教會特色和抗日民族統一戰線的基礎所在。有些講演內容還涉及東西方的關係等等，為今天的我們了解當時的社會狀況提供了參考。

本篇共收錄二十一篇講演稿，其中外籍人士講演稿四篇。諸多學生的講演、辯論雖涉及政治問題，則集中歸入學生篇，這裏不再涉及。

什麼是「新文化」運動？

陳獨秀

本文摘自一九二〇年四月出版的《天籟》第九卷第四期，由滬江大學一九二二屆畢業生蘇燦福記錄。蘇燦福在按語中說：「三月二十四日下午一時，本校全體學生極有幸福得請到陳獨秀先生在大禮堂演講。他所講的題目就是〈什麼是『新文化』運動？〉。小子敬將陳先生所講的偉論約略記在下面。但是終不能盡達陳先生所講的意思，所以還要請陳先生原諒呢！」

今天蒙諸君寵召，很覺慚愧。現在我要講的題目，叫做〈什麼是「新文化」運動？〉。這個題目我從前已在上海青年會講過了，登在報上，想諸位大概也看見過。現將這個題目再講，其中還加添些新近的意思罷了。

「新文化運動」這一個名詞，中國不論南方北方的人，都是很留心的。但是許多人還是不明白這一名詞的內容。因不明白他的內容，就發生了誤會。因發生了誤會，就起了不滿足之感。第一要知道「文化」佔了什麼的位置。「文化」運動是同產業的軍事的政治的三大運動並立。「文化」的內容就是「科學」、「道德」、「文學」、「美術」、「宗教」和「音樂」。所以「文化」二個字是這些學問的總名詞。是「軍事」、「政治」、「產業」以外的東西，不能和三者合而為一的。

中國的舊文化，很多不滿人意的地方，所以必須要改變。且不特要改變，還要採取西洋的學說，以彌補他的不足呢。現在我對於上列的六種新文化的內容，略為分別說明一下：

（一）科學　科學有二種。一種叫做「自然的科學」，一種叫做「廣義的科學」。

大凡物理、化學、生理、天文、地質等科學均屬於「自然的科學」呢。大凡社會學、倫理學、哲學和心理學，都屬於「廣義的科學」呢。簡而言之，用了科學的方法，去研究人、事就是了。古時沒有用科學的方法去研究這些人、事的學問，所以古代僅有哲學。但是後來的學者用了科學的方法，從哲學中抽出了這些心理學、倫理學出來。故科學是「新文化」的一種文化呢！但現在有人以為德國的科學是很發達的。然而德國已被協約國打敗了，科學終究是無效呢。又梁任公前在《時事新報》說：「現在西洋人很覺得西洋文化不甚好，要傾向於東洋文化呢。」這二個意思都錯了，使他們聚在一塊，是很危險的。實在因為西洋人看德國人太相信科學。受此反感，覺得科學以外，要用些精神來扶助他就是了，並不像我國人所想的和梁任公所說的話。且西洋人同梁任公所說的話是客氣話，恐怕不能代表西洋人的真意呢。世上假使沒有科學，一定很危險的。德國人因誤用科學，做了壞事，並不是科學的不好。我國人有先研究舊學，然後去研究科學的。吳稚暉有一句話說：「我國人去研究舊學可以的，但是必須先要懂得西洋的學問，再去研究中國的文化。」這一句話很是不錯的，好像「只許州官放火，不許百姓點燈」了。中國的舊學，須用科學的方法去研究，方才可以呢。故做「新文化運動」的人不看輕科學的。現在美國的哲學家哲姆斯所講的情意哲學，都含有科學的基礎。英國的羅塞爾、法國的柏格生所講的一切人志的心理學，也都是用物理學等去證明的。他們並不反對科學，完全用科學去證明心理的現象。故現代的哲學均用科學去說明了。有人說「『新文化運動』無須用著科學的地方」，多是假造的謠言或受了思想的誤會了。前幾天我從南洋公學出來，後有一個青年人，上前來問我這一段謠言。我答他說：假使真是如此，那麼「新文化」做了一個大罪惡了。

（二）宗教　第二我要講宗教問題。我前時已有在報上說明我對於宗教的見解，但有許多人反對我的見解，以為「新文化」的運動是不要宗教的。我的幾個朋友也寫信來質問我，說道：「你如何起來利用宗教去鼓吹『新文化』呢？」我從前也以為宗教是無用的。但我現在不是這樣了。宗教的末流，自然不能據之以批評宗教的不好。哲姆斯、羅塞爾輩，皆不反對宗教的。大凡人類的動作，均從外界的刺激而來。人已受外界的刺激，內部即起反應。在刺激和反應的中間，就是智識出來了。人所以高貴的，就是有智識呢。至於反應的好不好，要用什麼法子，暨反應的後來，將收怎樣的效果，這都是屬於智識的問題了。不過反應的時候，有用智識的，有不用智識的。疆場的兵士，勇於打仗的，大概是智識簡單的。因為刺激和反應的中間，沒有智識商量的餘地，所以他們一直等到打死，也不逃脫呢。反言之，很多有學問有智識的人，所做的壞事更加利害。故科學和智識，對於人生是不足夠的，必需要宗教，以扶助人生的本能。假使人類沒有宗教，即要變成不完滿。「新文化」的運動，是要使人類完滿。故宗教萬不能丟掉的。

（三）道德　「新文化運動」的文學，我現在擱去不講。現在要講的，就是「道德」二個字。我反對我國舊時的「道德」，因為是不完全的，狹義的。即如孟子所說的「人人親其親長其長」一句話。他以為人人知道此理，以後對於別人，也能夠照此做去呢。但是不應以父母妻子為限止，應該將此孝悌主義、家庭主義，擴充至人類的全社會，方才足夠呢。不過現在「新文化運動」裏面有人對於「新道德」、「新家庭」大大的誤會。他們因為母親太腐舊了，就拋去不顧。

這是很錯的。他們對於社會的親愛還沒有做出來，倒反先使自己的母親受了痛苦。非特不能夠擴充「舊道德」，反將「舊道德」縮小了。此實係大誤會，以為一入「新文化」的運動，母親就不要了。此誠大錯了。

（四）音樂和美術　現在「新文化運動」的人，沒有談及這兩件事，其實是很要緊的。美學和音樂是人類的精華。現在社會假使沒有這二種的學問，社會是定要受很大危險的損失。現在上海的新世界、大世界，許多人反對他，但是我不大反對他。又較新世界、大世界稍低下的遊戲，譬如打麻雀，我也不大反對的。前天吳稚暉說：「中國有三大勢力。第一是孔夫子，第二是官僚，第三算是麻先生了。」以我說起來，麻先生應當在第一呢！大凡每個人家裏頭，不論男婦老少大小，都歡喜打麻雀。但我何故贊成他們打麻雀呢？因為打麻雀比較食鴉片煙好得多了。若不許他們打麻雀，使得他們沒有一點兒遊戲消遣，未免太苦了。因為現在社會所有的音樂和美術，實覺得太薄弱。西國人家多備有庇阿諾或滑奧林的樂器，以便閒時作樂的。又如在日本，每十家人家中必有三四家能夠彈琴作樂的。還看我中國是怎麼樣呢？一百家人家中，差不多沒有一家人家備有樂器的。故小兒輩常常自唱歌謠，他們覺得很可樂呢！因為個個人都具有音樂的天性的。中國的美術和音樂，除了香煙公司的月份牌和天蟾大舞臺等劇團之音樂以外，可說是沒有了。故每遇著新年只看見人家鑼鼓亂敲，這也是可憐可厭的。假使並此沒有，那麼社會真不堪設想了。女人家迷信燒香是可恨的，但他們沒有再好的消遣法子，這也應該可憐的。男子可有打球等遊戲，自然可不必打麻雀、吃鴉片。但如何能夠不要女人燒香呢？照此老世界的人是沒有用的，還是用一炮打死好呢！所以我說美術音樂的教育很要普及的。若沒有普及，便做不成「新文化」了。故中國現在的社會，音樂美術要快快發達。若沒有再好的遊戲、消遣的法子去代替現在的舊法子，則欲禁止舊法子，這一件事定做不成呢！

現下「新文化運動」的六種內容已講過了，但是「新文化」也有應注意的事情。大凡社會的「公同運動」，是中國人所缺少的。中國人都是個人單獨行動，就是他們幾個最好的朋友中，也常生有意見出來。南打北，北打南，都沒有公同的思想。至於學生聯合會，也生出南北的意見來。這豈不是更可稀奇的事嗎？中國人這一個老毛病不除去，則「新文化運動」也將不成。然而要公同心，實在是什麼的緣故呢？西洋人的公同心很發達，所以即使有做壞事的人，私心的人，也受了公同心的阻壓，因而減少些罪惡了。但中國人純粹是私心，家庭制度太發達了，就將公同心消滅了。做官做到八十歲，還要做壞事，多買田屋。為了家庭犧牲，不肯辭去了官，享享個人的安樂。又如賣國的人，並不是為他個人的謀劃，也為同樣的家庭的犧牲。再如守財奴，天天省得了不得，幾乎一個蛋，要分一天來吃。家財百萬，藏了不用。他不是為了他自己的個人，純作了家庭的犧牲了。故有二句詩說「各人自掃門前雪，莫管他人瓦上霜」，即足以代表中國人信守家庭主義呢！因相信家庭主義，公同心就此消滅了。人家抱他的小孩子，打開大門便向街衢溲溺，不管大眾的衛生。這便是沒有公同心的明證。所以「新文化運動」，須要大「新文化運動」。第二件應注意的事情，便是不要抄襲西洋人的話，須要進一步再進了一步。康有為的話，自稱為聖。但我們決不可說，「我說的話。比康有為說的好」，自以為滿足。仍還要說「後來的人所說的話，比我的話更加進步」，方才算是對呢。有人對別人說道，「你的兒子比你好」，他就不快活起來了。小學生中，假使有學問比大學生好的，大學生應當歡喜他的。所以我說「前無古人」是可以的，但不要「後無來者」就是了。

「新文化運動」確和「軍事」、「政治」、「產業」三者沒有同一範圍的。但是能夠將「新文化」的運動加入此三項範圍以內，更有完全最高的理想。世上軍事是可不要的，但現下軍事不能免去。什麼緣故呢？我們主張使戰爭受了「新文化」的感化，使軍士反對一切非文化的野蠻。至於說起產業方面，我想也應該如此的，也應該使「新文化」去指揮他的。現在世界資本家、勞動家的衝突起來了。我們中國雖然是沒有達到這一步地步，我們應該將「新文化」去感化現在的資本家、勞動家，使得資本家明白，勞動家也是人類，並不是牛，並不是馬，應當好好的看待他們。也要使得勞動家知道，他們不當專受資本家壓束的。

政治也應當使受「新文化」的感化。「新文化」作政治的引線，使政治日日發達，不至於爭權奪利。我們應該使政治受了「新文化」的指揮，萬萬不可我們反受了政治的感化。現在的中國，無論南方北方，可說是沒有一個好人。官僚、政客、軍人，都是如此，無非爭點權利罷了。他們哪還有時候去管國家呢！我們的「新文化」的運動，只可以使狗加入，萬不可使我們加入狗裏邊去！

中國之再造

孫中山

一九一八年六月至一九二〇年十一月，孫中山先生一直在上海從事政治活動。此次講演時間為一九二〇年五月二十五日。正文前有按語：「五月二十五號晚，本校自治會敦請孫中山先生演講，題曰『中國之再造』。茲敬錄於下，難免謬誤遺漏之處，惟冀先生曲宥之耳。」

此次講演，對青年學生的思想和人生道路也發生了影響。當時正在上海東吳二中讀書的浙江象山籍學生賀威聖，得知孫中山在滬江大學發表演講，趕去聆聽。賀威聖並向孫中山闡發自己的見解，深得孫中山的贊許。這次會見給賀威聖留下了深刻的印象。後來他在一篇文章中回憶說：「這次見面，使我深刻認識到孫中山先生不但是一位最智慧、最偉大的政治思想家，而且是最勇敢、最能幹的實行家。」不久，他就參加了國民黨。一九二三年，賀威聖考入滬江大學，因積極從事反對帝國主義侵略和軍閥混戰的宣傳活動，被校方強令退學。後輾轉就讀上海大學社會學系，並加入中國共產黨。一九二六年七月，賀威聖被中共上海區委任命為中共杭州地委書記，一九二六年十一月被捕犧牲。

本文摘自一九二〇年六月出版的《天籟》第九卷第六期，原題為「孫中山先生演說辭」，記錄者為蘇燦福。蘇燦福是滬江大學一九二二屆畢業生，當時在讀。

今天兄弟到貴校參觀，蒙諸君縫愛，來請兄弟講演，私心也是很喜歡拿意思貢獻於諸君。諸君是世界上一青年，也是中國一青年。我們人生要有一個目的，現在我們大家的目的，要怎麼樣呢？民國已有九年了，諸君大概有二十多歲，當記憶民國九年前的事情。我們九年前，是滿清政府的奴隸，現在是中華民國的國民，我們大家要擔負中華民國的國民的責任。我們應知道，擔負中華國民責任的是要哪一種人呢？是要一種有學問有知識的人。諸君都富於學問的，為什麼士為四民之首呢？因為他們有學問有智識的。若論智識，是從學問生出來的，學問則從學堂來的。諸君能得在大學堂裏求學，中國四萬萬人中占極少數，所以這一個機會，是很難到手的。前時滿洲政府，不要人民有智識，要使他們成了專制的奴隸，但今日我們已脫離了專制的奴隸，做了民國的奴隸了。「奴隸」二字，含有責任較人家高一等的意思。學生擔負責任，如何做法呢？近時中國流行一種毛病，就是人人「避嫌疑、避責任」。這句話是從哪裏生出的？很不明白了，但望諸君不要被這一句話蒙蔽，放棄了責任。

但是他們發出「避責任」的話，莫非因為受了留學歐美學生對於「政治」二字的誤解。英文 Politics 一個字，包括了兩個意思，一是國家的政治，一是家庭的是非（Family Politics）。現在南方政學會，北方研究系，陰謀詭計弄出爭端，這也是叫做 Politics。所以歐美用 Politics 一個字，有兩種解說。普通用 Politics 一個字，含有不好的意思，所以他們歐美人避去不講。我們留歐美的學生，以為 Politics 一個字是「是非」的解說，是「黨爭」的解說，不知道中國「政治」的意義，是與「是非」、「黨爭」二解說完全不同的,是帶好意思的。我們新開通的人，也效歐美人，不要聽政治。這對於中國前途，很是危險啊！我們現在的責任是要講政治呢。

中國人民數千年來，多不理政治。二百年前，滿人把中國人民當作了奴隸。就為這一個緣故，中國的原來學問，此刻多已失了。周秦漢時代，是中國學問文化進步的時代。到了元朝，中國學術退化了。後來明代承替，中國學術又恢復了。及至清代，中國學術較明退化了，可以說沒有學術了。所以，我們須往外國求學。由此看來，國家最大的力量，除了政治力量外，沒有再大的力量了。

我們要把中國的進化，跟到歐美各國，須要將政治弄得好。外國商人，到了上海做生意，設一自治政府於租界，就是工部局。初時，外人到了我國上海，看見中國政治很不好，說中國的法律不能治理他們，所以外國商人設立了這一個工部局自治的團體。法國租界也有同樣的自治團體。現在上海的政治比別地好得多了，但是，還不能和外國的政治，和理想的政治相較。我們試取租界和華界相比，就知他們租界自治得好。他們商人留心政治，天天將政治改良起來，我們中國的政治適成一個反比例。他們覺悟起來，知道政治的重要，爭把政治來管了。

世界上最大的力量就是政治，政治使文明進步。政治好的，文明也是好的；政治不好的，文明也是不好的。我國一千年前，政治好的，所以那時候的文明，較西國來得進步。中華民國成立九年，沒有好的政治。但是好政治不是一天能夠成功的，我們要天天起奮鬥。雖然無政府主義派看政府不好，不過他們無政府主義派，在歐洲沒有經過無政府，所以以為無政府好了。但我們要一個好的政府，因已有經歷了。上海外人的學問也是平常，但他們很留心政治，天天起改良政治。我國新脫了專制的羈勒，國民大多數對於政治改良，尚沒有知道，所以這一個責任，要諸君學生去擔負了。

我國的學生，是不能效外國的學生不講政治的。我們的學生第一先要把政治弄得好。國民不留心政治，是很不好的現象。我們不好誤解了 Politics 的意思，「政治」是他的好意思，「是非」是他的不好的意思。外國人不留心政治是可以的，因為他們的政府已建設得好了，但我們不當如此。九年前，我國是在破壞的時代，現下是建造的時代。我們已掛了「中華民國國民」的招牌，來建設民國。這一個責任諸君去擔負，比較別人擔負的重大得多了。四萬萬人中，有幾個人享受像諸君的大好的機會呀！諸君出上海時，沿途所看見的無非是工廠裏作工的小童，他們約計有十多萬，都是沒有機會到學校裏讀書去。諸君已有了好機會，將來學問成就，要擔國民的大責任，做了普通人民的模範，代四萬萬人謀幸福，使中國和歐美各國並駕齊驅。諸君呀！起來擔責任呀！

民國十三年之回顧及吾人應有之覺悟

何伯丞

何伯丞，即何炳松（1890-1946），浙江金華人，曾任國立暨南大學校長等職，擅西洋史研究，為中國近代傑出的史學家和教育家，著述甚豐。

本文摘自一九二四年十月二十日出版的《天籟》第十四卷第一期，記錄者為朱亞松、王鑑賢。朱亞松，滬江大學一九二六屆教育科畢業生，當時在讀。王鑑賢，滬江大學一九二六屆商業管理學畢業生，當時亦在讀。文末注明了講演的時間和地點：「十三年國慶日前一晚在思伊堂」。思伊堂，現為上海理工大學第四學生宿舍。

中華民國成立到現在，已經是十三年了，中華民國的憲法，到現在已有三次的變化。最初的憲法，是辛亥年十月十三，在武昌時，所組織的臨時憲法，共總有二十一條，成立時是中華民國元年一日。第二次的變更，在民國元年，南京政府所做成的臨時約法。第三次就是去年今日國慶日，所頒佈的憲法，也就是吳景濂[1]等少數人所包辦的

1 吳景濂（1873-1944），字蓮伯，號述唐，1902年考入京師大學堂，後留學日本。吳景濂是國民黨的創始人之一，曾四次出任國會議長。

憲法。我恐怕在座的看見過，或研究過的人很少，因為這種憲法不是根據民意的。現在大部分人，沒有人遵守，就是有違反憲法的，也沒有人注意。我們人民，對於我們的憲法，真是太不負責了！

總統　照天壇憲法[2]會議所定總統選舉法，總統的任期，是五年一任的。但是中華民國，從成立以來到現在，有五個總統，每一個總統不過兩年半。而其中有三個總統，被人趕走的。第一個是黎元洪，在民國六年時，被張勳趕走的；第二個是徐世昌，被吳佩孚趕走的；第三個又是黎元洪，被王懷慶、馮玉祥趕走的。五個總統，既然有三個被逐。還有兩次，沒有總統，一次是民國十一年，徐世昌被逐，攝政內閣執行一切，有一個多月。到了去年，差不多有三個多月，沒有總統。這種景象，和以前墨西哥相彷彿。但是我們的總統，沒有一個是終任的，因為他們不是民意的，任武人擺弄，而且國會不能代表民意，國民和政府很為隔膜。

內閣　在這十三年中，內閣的更迭有三十九次。每一年之內內閣更換至少三四次。平均每一內閣，只有四個月。試問僅僅四個月的時期，有什麼可以建樹？這種景象和法國、意國內閣差不多。但是法國的內閣所以更改，因為國會中政黨不同，每一個黨，有他的黨綱，有他所要做的事。但是在我們中國，一點也沒有。而且我們的總統制和內閣制，都鬧不清楚。在袁氏時代，內閣任他指揮，在黎氏時代，引起府院之爭。這種景象，都是人民太不負責，太不注意的結果！

國會　民國自成立以來，一共有兩個國會。但是全世界國會的任期最長，中國要算第一。民國第一次的國會，就是在南京召集的臨時參議院。第二次就是正式國會，在民國二年召集的。一直到現在，已歷十一年之久。他們的成績如何，諸位都是知道，他們的招集，是在

2　即《中華民國憲法草案》，民國初年第一屆國會憲法起草委員會起草的憲法草案。

民二，民三被袁世凱解散。等到民國五年，袁氏死後，又行招集。到了民六，因為參戰和張勳復辟，被段氏解散，他們就到廣東，民九到雲南，十一年黎復任總統，他們移至天津，後來又移至北京。這一班議員，由京而粵，而川，而津，又回到京。他們的成績有三：第一是憲法，極少人去注意；第二是曹錕被選為大總統，每人得票價五千元；第三是任期延長了，想必他們因為自己的成績很好，所以嫌任期太短。但是他們之所以如此，因為流品不齊。我們要反轉來問一問，他們所以當選，是不是我們舉的？我們為什麼舉他？這是我們的責任。

除上述的立法機關外，還有兩個。一個由民三到民五，就是袁氏當國時代，參政院代理立法機關，共有兩年之久。第二是所謂安福國會，選舉徐世昌為大總統。但是，也不過兩年。

變化　國內的變化，頂少一年有一次。最大的幾件，如同辛亥革的第一次革命；民二的二次革命，袁世凱與國民黨失和；民四民五，帝制動動，籌安會和西南獨立等；民六，對德問題，引起黎段之爭，張勳復辟，南北失和等；民七、民八，安福禍國，「五四」運動；民九有直皖之爭，這時張作霖、吳佩孚共打段祺瑞；十一年，又演成奉直之戰，張吳又起衝突了；十二年，黎氏出走後，蹈於無總統之時期；今年哩——十三年，北有奉直的戰爭，南有江浙的兵燹。以上種種都是變化中犖犖大者！

但是我們再看民國二年時，孫與袁抗，而孫敗。為什麼到了民四、民五袁氏謀帝，到反被遠在滇邊的蔡鍔推倒？他既能敗孫，為什麼又不能勝蔡？民七、民八安福掌國，他們的聲威，何等樣的大。段徐在京，吳馮在汴陝，照情理上講，吳馮北上，段徐可以「以逸待勞」，有中央政府以資號召，為什麼不能勝直？到了奉直之戰，為什麼又是直勝？一言以蔽之，「民意」兩個字。民意關係於軍閥之盛衰，如同民二之時，人心厭亂，所以二次革命不得成功。民四五時，人民不贊成洪憲帝制，所以袁氏失敗。直皖、直奉之爭，其勝敗亦因民意所傾向而定。這次奉直、江浙之戰，我們用過去的歷史作參考，其勝敗亦不難揣想了。

無責任心　我們已經看到上面種種的敗壞，其中根本的原因，當怪我們自己。我們不負責任，而空責他人，是沒有用的。所以中國之壞，是我們不負責任的緣故。

人格墮落　我們國民，對於責任，既不能負，而且人格也退步了。有人說，袁氏用金錢利祿來籠絡人，有許多人被他軟化了。更有許多人看風使舵，看國民黨得勢了，就入國民黨，進步黨得勢了，就改進步黨。只要有利可圖，就是頭髮黨、馬蜂黨亦無不可加入。朝秦暮楚，見異思遷。有許多人，不但不責備他們，反而羡慕他們。

無堅定志趣中國一般政客，固無一定志趣，而武人軍閥，也是如此。利害關係，為結合中心，乍合乍分，乍分乍合，沒有一定的旨趣的。如同張吳結合共御段，到現在又段張連合共抗吳了。我們看到以前的事實，我們實在很難了解他們結合的志趣。

無實心任事吳佩孚未得勢以前，有許多人，盼望他，仰慕他，使他能為中國盡一點力。等到他得勢了，成績如何？不過位置私人，為自己伸地盤。他們絕少理想，這種緣故，就是人格問題，影響於青年很大。有許多人，有這種觀念，「成則為王，敗則為寇」。這種是中國很大的危險。

我們每一個人，都是要愛國。每一個人都是要救國。但是我們愛國救國，絕不是開幾個會，演講幾篇，發幾通電報，到衙門去轉一轉，所能濟事的。根本的方法，仍是老生常談的幾種。

對於國家負責　「國家興亡，匹夫有責」。如是國民各得其所，各安其業，如農工商等，各盡各的責任。我們不要妄想，我們當認定我們的職務，向前做過去。

人格的陶冶　如同前《東方雜誌》某期說，當養成士氣。養成士氣有三要素：一，尊重品格；二，耿介；三，輕生死，犧牲自己，為社會謀幸福。

抱希望的態度我們看到以前的種種，諸位或者要灰心。但是諸位不要失望，事是在人為的。諸位若抱有希望，向前做過去，中國有很大的希望啊！

社會問題與社會革命

瞿秋白

瞿秋白（1899-1935），江蘇常州人，中國共產黨早期主要領導人之一，馬克思主義者，無產階級革命家、理論家和宣傳家。一九三五年二月在福建長汀被國民黨軍逮捕，六月十八日慷慨就義，時年三十六歲。

本文摘自一九二四年十一月一日出版的《天籟》第十四卷第二期，記錄者為彭善彰。有部分字跡不清，無法辨認。彭善彰，浙江平湖人，滬江大學一九二六屆教育科畢業生，當時在讀。

一九二三年夏，于右任、鄧中夏創辦上海大學，瞿秋白擔任上海大學教務長兼社會學系主任。彭善彰在按語中稱：「十月十七號晚，本校新成立之社會問題研究會特請上海大學社會學系主任瞿秋白先生來校演講，演辭甚長，茲述其大意於下，錯誤之處，在所不免，請讀者諒之。」據此判斷，瞿秋白作此講演的時間當在一九二四年十月十七日晚。

社會問題是很新的，也可說是現代社會的產兒。若是研究社會進化史，便知古代社會制度組織非常簡單，所以社會問題也是很少的。惟研究古代社會即發現一種特別現象，這種現象，就是共產。例如中國的大家庭制，有三世或至五世同堂的家庭，上至正主人，下至半主人，對於一切生產，都抱共產態度。不過這共產的名辭，比較來得廣泛些。而其與真正共產不同之點，即在對內則為共產，對外即為私產。並且有時候挾其私產，侵略別人的私產，而飽其私欲。研究古代社會，除了共產之外，還有一種特別的現象，即是合作。在古代社會中，遊獵漁牧是他們的主要職業。在這種職業，□□他們很有合作精神。而且古代人民沒有厭足心，在遊獵所得來的擄獲品，共同分配，分配所得，盡其食欲為止。這可說是共產製的分配，到後來社會制度組織一天複雜一天。而社會問題也一天多一天。即以生產、分配二事而論，可分兩種階級：(一) 生產階級，(二) 無生產階級。

(一) 生產階級　何謂生產階級？就是那些資本家，他們有了生產的資料，他們藉著這生產的資料，可以□□，開工廠，以及各種能生產的事業。

(二) 無生產階級　至於那些無生產階級，他們連生產的工具也沒有，還有什麼生產的資料？他們只有二隻手，是謀生的工具。可是因為戰爭的結果，不得不屈服於生產階級之下。例如社會上的工廠制，以極大的資本而製造極大的出產品，以至物價可以低廉，而物品又是優美，至於鄉間的工業，當然不能與工廠互相競爭。他們□□□□□□□□□□□□□□□□□□□□□□□□□□資本階級。此後社會上一切社會問題，勞動問題，婦女問題，都從這勞動問題上產生。而解決種種社會問題，又非打到資本主義不可。

社會問題與社會同革命有什麼關係呢？要知革命，是分社會與政治兩種。政治的革命當然與社會革命不同。現今社會上最迫切而急待解決的問題，就是一個生產分配問題，而社會革命就是這個問題的對象。而達到社會主義的社會，才是社會革命的目標。

何謂社會主義的社會？就是生產的分配，不可用著商業上的方法，當以社會分配為準則。例如農人要計算一年的生產，個人的預算往往因災荒或他故，不能準確。但是國家所立的工廠，預算比較來得正確，而又簡便了。

世界上自從有了資本主義，便有了社會主義。而解決這資本問題，非拿合於科學的方法，來平均分配不可。若是這個問題有了解決，那麼別的問題也可以解決了。

何以要有社會革命？因為社會上的被壓迫階級實在是太苦了；而革命的手續，就是藉著這些無資產階級起來，打倒那些有資產階級，這才是真正的社會革命。

今晚上鄙人所要貢獻於諸君者，就是對於社會革命的二種態度：（一）穩健的態度。（二）激烈的態度。

（一）穩健的態度　抱這樣態度的人意思是說：不要使解決這個問題十分困難，他們用的方法和孔孟所用的相彷彿。他們到處遊說他們的君主，使君主覺得「民為貴、君為輕」，否則那些老百姓要起來革命了。這種態度簡直是東方文明的態度。

（二）激烈的態度　抱這種態度的人們，他們不怕革命，不怕困難，到處鼓吹那些被征服的壓迫的階級，使他們起來和那些資本家宣戰。這種態度，可說是西洋文明的態度。

以上兩條大路，要謀社會革命的諸君，究竟要走哪一條路呢？

孫中山先生事略

惲代英

惲代英，中國共產黨早期領導人。原籍江蘇武進人，一八九五年生於湖北武漢，武昌中華大學畢業。學生時代積極參加革命活動，是武漢地區「五四」運動主要領導人之一。一九二〇年與蕭楚女等發起組織中國社會主義青年團，一九二一年加入中國共產黨。一九二三年，前往上海，在上海大學任教員，參加共青團中央領導工作，並任《中國青年》雜誌主編。一九二四年，惲代英奉命加入中國國民黨，推動共產黨和國民黨的合作。一九二五年，在上海領導五卅運動。一九二六年，前往黃埔軍校任政治部教官，協助周恩來工作。一九二七年，蔣介石、汪精衛相繼決定分共後，被派往九江，參與組織南昌起義。一九二七年底，惲代英領導了廣州起義，任廣州蘇維埃政府秘書長，失敗後流亡香港，後去上海。一九二八年底開始主持中共宣傳工作，創辦《紅旗》雜誌。一九二九年六月補選為中共中央委員。一九三〇年五月六日，惲代英在上海被捕，押往南京，初未暴露身份，後遭顧順章出賣。蔣介石派人勸降未果後，將其殺害於南京軍人監獄。

一九二五年三月十二日，孫中山先生在北京逝世。為了深切悼念這位中國革命的先行者，國共兩黨聯合發動社會各界舉行追悼會。時任國民黨上海執行部宣傳部秘書的惲代英，參與了上海舉行的各種追悼活動。

本文原載一九二五年四月出版的《天籟》第十四卷第十一期「紀

念孫中山先生專號」，由潘楚基、潘啟基同記。文末有「記者附白」：「楚等因時間忽猝，不及送交惲先生校正，遺漏之處，在所難免，尚望惲先生並閱者原諒！」

潘楚基，湖南寧鄉人，為湖南知名愛國民主人士潘基礩長兄。一九二八年畢業於復旦大學文科，「九一八」事變後，被推為上海學生聯合會主席，率隊赴南京請願抗日，觸怒當局，被迫出走海外。潘啟基生平不詳。

我今天以國民黨黨員的資格到貴校來講演，覺得非常的要感謝諸位。但是我仔細想想，我不應該感謝諸位，因為今天我們開的是追悼中山先生的大會。中山先生是全國的領袖，並不單是我們一黨的領袖。在先生生時，有許多人不能了解他的主義，甚至於反對他，但是他死後，無論商人、學生，或是他的仇敵，除了《時事新報》以外，沒有不紀念他，並且沒有不承認我們失了一個偉大的領袖——中國再沒有第二個人——這個領袖到底是什麼人？他的事實和主義到底是什麼？我們都應當明白。我希望此後大家多讀他的書，了解他的學說。

今天我們雖然是開追悼會，不是來宣傳主義，但是我們有宣傳的機會，應當宣傳，因為中山先生的主義，完全是為著我們。在這短時間內，我不能詳述他的主義和事蹟。當他抱病在京的時候，我們決不想到他會死，我們希望他永遠生存，領著我們奮鬥——可憐我們內受軍閥的蹂躪，外受強權的壓迫——所以我們也不敢預備他身後的事。他死了以後，我們雖搜集了許多關於他事業的材料，但是因為無時間印刷，不能貢獻諸位。至於中山先生究竟是個什麼人？欲回答這問題，且看他的遺囑上說：「予致力於國民革命凡四十年……」從這一點，可知先生著手革命的時候，年紀輕得很——二十歲——那時正是法人打敗中國的時候。先生覺得外人勢力侵人，日甚一日，滿清政府腐敗，決沒有能力解除我們的壓迫，於是先生立志要革命。那時先生在一個外國人辦的學校裏讀書——正和諸位一樣——聯絡同志，實行宣傳。二十一歲的時候，先生到香港進了一個學堂，因為在香港對於宣傳事業上比較的要自由一點。以後到澳門、到廣州各處宣傳，但是沒有人相信。他們四個朋友，三個在廣州，一個在上海。他們一談到革命問題，他們的戚友沒有一個不笑罵他們——罵他們是「四大寇」[1]、是發狂。但是他一概不管，他只曉得是負著革命的責任。他畢業後，在廣州澳門行醫，繼續的交結了許多同志，暗中在各地組織機關。在香港組織了一個糧食行，在廣州也有相似的機關，但是他失敗了！他運了六百支槍，被海關查著，同志被殺了許多，他事發後十多天才僥倖逃出。他跑到南洋群島向華僑鼓吹革命，華僑不幫助他，不相信他，他跑到美洲。那時候在美洲有一種與哥老會相似的會社，是明朝的遺民組織下來的，他們的目的是要「滅清復明」。中山先生向他們鼓吹革命，他們不表同情。經了先生許多的解釋，他們才漸漸相信。先生借了這個會社，做個基礎，但是此時相信他的人還是很少。多數人看不起他，說他是騙錢的，是假的。然而他只曉得他應該做的事是什麼，什麼艱難險阻，一概不顧。他從美國回來，滿清政府極注意他的行動。後來他跑到英國被捉住了，經他的外國朋友費盡心力把他救出來。甲午戰爭，中國被日本打敗，中山先生此時愈覺得滿清不倒，中國就會滅亡。轉瞬間到了庚子年，八國聯軍入北京，結果，我國的損失不可計數。中山先生此時眼見滿清把便宜得來的地方，——

1 四大寇，是孫中山、陳少白、尢列、楊鶴齡四人的昵號。清末時期，他們常在香港中環歌賦街二十四號的楊鶴齡祖產商店楊耀記處會面，並議論中國時政，大談反清逐滿及太平天國遺事，倡言革命，鼓吹共和。其所言無忌，聞者動容，因此親友稱孫、陳、尢、楊四人為「四大寇」。1921年，孫中山建立廣州軍政府時，常與白、列、鶴齡三人在廣州觀音山（今越秀山）文瀾閣會面；孫中山還修治文瀾閣並題曰「四寇樓」，以志昔日在楊耀記時的生活。

我們的──一處一處的送把他人，受了這種刺激，知道革命是急不容緩的。他在歐洲組織同盟會，連在比京法京德京開會，每一次到會的人有幾十個，或十幾個，那時都不敢明目張膽說革命。後來先生到了日本，我國留學日本的學生，對於先生的主張，漸漸相信起來，先生於是正式組織革命同盟會，親往安南勸華僑捐助。此時同志漸多，廣州、惠州、雲南、河口等處皆有革命事起，然不久皆歸失敗。許多失敗的同志因此灰了心，他們以為人家兩百多年的江山，憑几個赤手空拳的人，怎能把他一旦打倒。加之他們在外，艱苦備嘗，有時連飯都沒有吃，他們更覺得前途無望。但是先生經了一次失敗，長了一番的閱歷。先生一方面竭力鼓勵同志、一方面設法向華僑募款，此時華僑亦樂得捐助。先生初向華僑募得了八千塊錢，不到數日又募了幾萬塊錢，於是分派同志，向內地進行。辛亥三月，廣州起事，不幸又大失敗，死了同志七十二人──就是黃花崗之役──這時候大家相信革命是永遠不可能的事了。然而到了八月，武昌起義，革命竟告成功！滿清何以倒得這樣快？實在是因為革命黨的人太勇敢，太不怕死，他們殺了滿清許多重要的官吏，滿清一班狐鼠官員都被嚇倒了，加之一處起事，各地回應，所以於不知不覺間，大功告成。

中山先生革命的目的，不僅限於打倒滿清而止。滿清既倒，先生對於建設民國種種進行，皆有極詳細的計劃。先生的計劃，分為三個時期：（一）軍政時期。就是要首先打倒反革命的勢力；（二）訓政時期。就是要練習國民的自治能力。（三）憲政時期。就是實行憲法。可是這種計劃，不獨不能得著大眾的信仰，連他的同志，也說他僅僅是一個「理想家」。這一來，他不能不灰心了。他想他的計劃，既然不能實行，就做了總統，也是枉然。所以他決計不幹，讓袁世凱去做，他自己組織了一個在野黨，──把同盟會改為國民黨──一方面在各處提倡教育實業，一方面監視袁世凱。袁氏與國民黨，本是水火不相容的，此時懷恨益深。中山先生不怕危險，親自跑到北京，馬上通電全國，說他相信袁世凱能夠幹得好。可是不久，袁氏的真面目現出來了！——暗殺宋教仁——拘捕民黨——先生始曉得袁氏不是好人，立志起來倒袁。不幸全國人都不主張急進，所以無人回應。後來袁氏竟大借款，——如五國借款，善後借款——大買槍枝，練好北洋軍閥，一面把南方國民黨都督漸次免職，同志始稍有一點覺悟，起來反抗，可是時機錯過，失敗了！失敗以後，先生知黨內太無紀律，又曉得袁世凱要做皇帝，乃改組中華革命黨——黨員須服從黨綱——分派黨員到各省運動，反對帝制，經歷次宣傳，人民方曉得袁氏要做皇帝是不對的，所以袁氏不久也就失敗了。袁氏死了，中國應該好了，可是不到幾年，風波又起，段祺瑞解散國會，取消臨時約法——臨時約法本來不盡善盡美，但是要軍閥服從，不得不使之存在——南方起來反對，先生乃同程璧光等率海軍到廣州建立政府，國會議員也先後南下，未久，岑春煊、陸榮廷、唐繼堯等組織七總裁制。先生知和他們這樣做，是不成功的，乃辭去總裁制，遄返上海，寓滬著孫文學說，大意是說人民不革命，是因為不知，並不是不行。假若知了，實行便極容易。先生的學說，與昔人所謂「知之非艱行之維艱」恰恰相反。先生又發表發展實業以及其它一切計劃——載在《建國方路》內——詳論長江黃河水利應如何改良，全國道路應如何修築等等。

中山先生對於國內各省的情形，沒有不知道的。先生平居，畫地圖，閱參考書不肯一刻暇。他用英文著了一本書，詳述中國應如何整頓，如何改革，是給外國人看的。外國的政府，有時也口口聲聲說要幫助他，不過中山先生雖想要得著人家的幫助，卻不肯喪失中國的主權，所以這一點，不能得著外國人的歡心。外國人也有少數真心愛中國的，然而他們不能得著政府的同情，因為對於自己沒有利益的事情，他們的政府是決不幹的。

中山先生在滬不久，廣州總裁政府投降北庭了！陳炯明打到廣州。中山先生以陳為數十年的部下，乃又到廣州組織政府，進行北伐。不意陳竟叛變，先生免陳職，又回到上海。其時適值吳佩孚打敗安福系，高唱「廢督裁兵」，先生乃亦主張和平統一。後來直系毫無誠意言和，陳炯明為滇桂軍所敗，先生乃又到廣州繼續進行革命事業。

前年（十二年），先生整理中國國民黨，想各種法子去宣傳，但是青年人不覺悟，不肯加入。去年，先生乃召集各地代表開會廣州，講演三民主義及一切政綱等等。時俄國列寧死，人人都說俄國革命不會成功，中山先生召集了自己的黨員，對他們說道：「列寧雖死，但是他的黨有組織，有精神，斷不會渙散，至若本黨的進行，則我死後，不知如何。我現在要把我的擔子，交給你們，繼續努力的反抗壓迫中國人者。」這宣言發表以後，有許多人加入進行。中山先生年已六十，在廣州的時候，每日辦理軍事政治而外，時常到各處講演，一天講演三四次，不覺疲倦。去年謠傳先生逝世，死是假的，病是真的。得病的原因，就是勞心過度。去年五月一日——勞動節——先生經了三四次講演，到了晚上十一點鐘，還是在外面演說，這就是先生得病原因。

先生是什麼艱險也不避的，任憑許多人欺侮他，他也不管。去年為著海關事，與英美兩國幾起釁端，為沙面罷工事，又招英領反感——英領要求先生助其得締罷工，先生說「罷工是世界都有的，並且在你們強借的租界內，我尤不當管，除非你們把租界退還我們，……」——因為上述種種的事故，得罪了帝國主義者。所以在陳炯明勾結少數商團叛變的時候，英領竟敢對先生說：「你若要打商團，我就要打你。」——這事先生已宣佈全世界，——他們又造作謠言，說中山先生為共產黨，——國民黨是不是共產黨，三民主義是不是共產主義，在國民黨累次宣言中都發表過。如果中山先生真是共產黨，他死後，又怎能得著許多人的哀悼？國民黨所以與俄國有交情的原因，就是因為俄國是聯絡全世界被壓迫者反對帝國主義的國家，對待我們也與別國不同。——實則先生不僅代表勞動界，乃是代表全中國人，——全民革命！

去年北京政變，段祺瑞請中山先生共商國是，先生由廣州到上海，由上海到日本，由日本到天津，萬里奔波，舊病勃發。先生赴京本來是為的要開「國民會議」，但是段氏要召集軍閥政客開什麼「善後會議」。先生委曲求全，乃在病中與段交涉，善後會議最低限度，須加入人民代表，無表決權。諸君呀！孫先生在臨死前，還說：「革命！中國！和平！」等等說話。這樣的精神到底是為什麼？現在他死了！他死了！我們怎樣辦？可憐我們受帝國主義者壓迫的國民，一旦失了領袖，還有什麼人來指導我們？但是我們決不要灰心，決不要往後退。諸位要知道國內外的壓迫，是常有的。自孫先生發表取消不平等條約以後，外國公使都怕了他，說要開關稅會議——諸君知道中國外國關稅的比較麼？他們收人家的關稅百分之七十五、八十五，但是我們收他們的百分之五還不足，——現在先生死了！先生死了！他們都不怕了！我們的壓迫，一天比一天重了！但是我們要知道孫先生雖死，孫先生的精神永遠不會死。孫先生雖死，孫先生所創辦的國民黨，絕不會分裂。我們平日受了孫先生的教訓，永遠不能忘記。當此千鈞一髮的時候，即使我們的政見偶有出入，為孫先生故，為中國故，為自己故，也會萬眾一心，努力奮鬥。說到此地，我要申明一句，就是遵循孫先生的遺囑，「革命尚未成功，同志還須努力」。所謂同志，並不僅指已入民黨籍的。我們曉得凡事眾擎易舉。我們國民黨雖有幾十萬人，但是還覺得太少，力還不夠，所以在這種大家禍福相關的事業上，還是要請大家幫助，加入合作。

孫先生死後沒有什麼遺產。有之是「三民主義」、「革命精神」。

這幾件東西，盼望諸君能發揚光大起來。若然，則中山先生軀殼雖死，精神還永遠在我們腦子中活著。今天晚上的追悼會，也不是照例的表面的無意識的哄人的了！

求學與雪恥

楊杏佛

楊杏佛（1893-1933），名銓，江西清江（今江西樟樹市）人。經濟管理學家，社會活動家，中國人權運動先驅，中國管理科學先驅。早年就讀於上海中國公學。一九一一年，與茅以升一道考入唐山路礦學堂(現西南交通大學)，加入同盟會。武昌起義爆發，赴武昌參加保衛戰。一九一二年一月，孫中山任中華民國大總統，他到南京任總統秘書處收發組組長，同年春參加南社。一九一二年十一月，他赴美國入康乃爾大學學習。畢業後，又轉入哈佛大學學習。留學期間發起創辦中國科學社和《科學》雜誌。一九二〇年回國，任東南大學教授，經常與共產黨人惲代英接觸，還利用業餘時間到中國共產黨創辦的上海大學講課，因而遭校方忌恨，被迫離校，奔赴廣州，投向革命。到廣州後，任孫中山秘書。一九二四年十一月隨孫中山北上。一九二六年一月，國民黨上海特別市黨部執行委員會秘密成立，楊杏佛被選為執行委員，主持策應北伐軍工作。「四一二」政變後，認清蔣介石面目，以中國濟難會名義極力接濟和營救革命者，被國民黨當局撤職。一九二七年任國民政府大學院副院長，一九二八年任國民政府中央研究院總幹事、社會科學研究所研究員兼代所長。為反對國民黨政府非法逮捕和監禁愛國人士，與宋慶齡、蔡元培等著名人士於一九三二年十二月在上海發起組織中國民權保障同盟，任總幹事，並組織營救了不少被關押的共產黨人和愛國人士。一九三三年六月十八日，楊杏佛與其子楊小佛駕車外出，被設伏特務槍殺於上海亞爾培路（今陝西南路）。

本文摘自一九二五年六月一日出版的《天籟》第十四卷第十五期，講演時間為一九二五年五月九日，由「培培」筆記。文末有「記者附白」:「楊先生講演時，記者草率記下，頃因本刊索稿時限迫切，未及送交楊先生校閱。錯誤在所難免，又因楊先生當時未將題目宣佈，只得冒昧代擬，統希楊先生與閱者原諒！」根據內容和學生性格判斷，「培培」應為滬江大學一九二七屆政治係畢業生邱培豪，當時在讀。

今天是我們的第十次「五九」紀念，我們在這十年當中，每年今日要來照例開會紀念，但是究竟有多少人能夠明瞭我們的國恥在什麼地方？許多的人以為日本於民國四年今日壓迫我們承認二十一條，便是我們莫大的羞恥。其實這不算我們的國恥，這要算日本的國恥。因為日本乘人之危，以強權來逼迫我們，並不是我們的罪過。也有人說，袁世凱賣國，與日本訂了這種條約，所以我們引為奇恥。其實這也算不得國恥，因為袁世凱不過代表少數的賣國賊。我們所引為羞恥的，就是當時大多數的人民，私毫不以為恥，顧亭林所謂士大夫不以為恥，那真是我們的奇恥大辱了！現在我們來紀念「五九」，如果我們僅只有這一次國恥，那真算是萬幸。但是我們翻開歷史看一看，幾十年來外交上的失敗，主權上的喪失，幾無時不有，為什麼沒有人紀念？我以為在民國紀元以前的人民，渾渾沌沌，不管國事；民國成立以後，大多數的人以為從此可以做好國民，不必管國事。不意袁氏暗地與日本訂了二十一條，當時人民引為莫大的奇恥，當作永久的紀念。後來這一類的國恥，一次兩次三次，要紀念也紀念不下來，幾乎月份牌都記滿了，人民也就率性不顧問了。所以我敢說，民四「五九」以前的人，是糊糊塗塗的不知國事，不問國事；「五九」以後的人民，是清清楚楚的不愛國，不救國！

中國人對外國人的觀念一天不同一天，我現在把這些態度分做五個時期：（一）洪楊[1]以前輕視外人時代。那時我們稱外國人為「南蠻北狄」，蠻是蟲變的，狄是狗變的，就是視外國人為畜牲的意思。同時我們看到自己是天朝上國的人，不屑與外國人往來。（二）恐怖時代。洪楊時外國人的軍器到了中國，野蠻人雖然沒有「仁義道德」，但是他們的機關槍野戰砲，足以使中國人大恐怖。恐怖的結果，就是割地求和、訂不平等條約、遣大臣去賠罪，這樣下去有幾十年。（三）仇視外人時代。那時許多人看了外人兇橫實在過不去，於是想法子謀抵抗他們。抵抗的法子就是符咒——太上老君，急急如律令勅——可是他們大失敗了，國家所受的恥辱更大了。這一班拳匪，我們可以說是無學問的愛國者。（四）崇拜外人時代。中國自受了庚子大刺激以後，覺得本國的東西，沒有一點適用的。於是派遣學生出洋去求西方的文明，國內人民亦處處表示一種崇拜外人的心理。（五）利用外人時代。這個時期人民的心理完全變了！因為外國人只要割地賠款就可以與他們說話，所以怕也不必怕了，崇拜也用不著崇拜了。於是許多人利用外國人來陞官發財，譬如袁世凱想做皇帝，他就要請古德諾來做顧問。古德諾是外國的法學博士[2]，他說「中國一定要改

1 指洪秀全、楊秀清等人利用鴉片戰爭失敗後國人仇恨帝國主義的情緒及一般人崇拜洋教的心理，發動的太平天國運動。

2 古德諾（Goodnow，Frank Johnson, 1859-1939），美國政治學家，教育家。1883-1914年在哥倫比亞大學教授法律，1914-1929年任約翰·霍普金斯大學校長，先後教授行政法、歷史和政治學，是美國政治學會的主要創建人，並於1903年成為該學會第一任主席。1900年參與起草《紐約市憲章》。1913年曾到北京任中國政府法律顧問，於1915年發表《共和與君主論》，認為共和制度不適宜中國，為袁世凱的復辟製造輿論。著作有《比較行政法》、《政治與行政》、《美國的市政府》、《美國行政法原則》等。

做帝國，民國是不成功的」。幸而袁氏的帝制沒有成功，假若這把戲竟當了真，我們受這位外國顧問的賜，豈不大麼？

袁氏死了，留下二大罪惡：（一）北洋軍閥勢力。這個人人都清白不必我講。（二）倚賴外人心理。我們從教育一方面看看，中國人自己不能辦，要求乞外國人。於是不管外國人有學問沒有學問，一味的崇拜，把他們當做菩薩一樣，抬起來東遊到西，西遊到東。試問我們中國的教育，為什麼自己不能有提倡，一定要請什麼杜威博士、孟祿博士？中國要提倡精神文明，為什麼一定要請什麼泰戈兒？從這一點看了，我們可以曉得中國人依賴外人心理——凡事要請外國人來做的心理，何等利害？我們從前打曹、陸、章等東洋留學生，因為他們賣國。但是不久顧維鈞等幹出許多賣國的勾當，國人卻很相信他們。這就是因為他們受的是西方文明得的是西方博士，有幾個並且是孟祿和杜威先生的弟子。但是這種趨向的結果如何？我可以說，就是造成一種瓜分思想——留法的學生主張法國化，留德的學生主張德國化，留日的學生主張日本化，留英美的學生主張英美化，但是無人主張中國化——智識界既然如此的思想紛亂，普通人民當然尤其沒有獨立自由的觀念；現在我們要求這班人來雪國恥，到底能不能做到？

我們都知道對於國恥，不僅僅應當紀念，最重要的是在能夠雪恥。但是恥怎樣雪法？據我看來，雪恥方法不外以下兩點：（一）從此努力做人。（二）從此努力求學。中國何以弄到如此地步？我可以說因為中國缺乏人材——缺乏思想、身體、道德完全的人材。現在我們所希望的人第一要有人格，同時要有學問與堅忍不拔的精神。這幾點，我可以說就是建國根本的東西。為什麼要有人格？古人說：「人必自侮，然後人侮之。」現在我們國內的知識界，多缺乏了這種高尚的精神，他們是富貴可淫，貧賤可移，威武可屈的。他們對於有勢力的人，逢迎讒媚；對於勞動階級，不把當做人看待。本國的人既然不把本國人做人看待，反要求外國人把我們做人看待，能乎不能？為什麼要求學？現在中國的博士碩士，一船一船的從外國運回，加以國內的留學生，也一天一天的加多，豈非「材不勝用」嗎？但是他們的學問，十九不能夠救國。諸位要曉得真正的學問，不是在文憑分數上得來的。真正的學問，要對於自己有實在，對於國家社會有用處。現在一班所謂博士碩士，有幾個非欺世盜名的？他們口所說的，筆所寫的，雖然冠冕堂皇，究竟有幾句不是唯心之論？所以我敢說，現在的「博士」、「碩士」、「學士」多是變相的「翰林」、「舉人」、「秀才」。不過從前老人物，甘於吃碗老米飯，現在的新人物，慣於貪享些物質文明的生活罷了。

現在有許多人不知道真正的人材是怎麼樣的？所以他們專講社會運動的人，今天這裏開會，明天那裏遊街，自己也弄得莫名其妙。我們看從前「五四」運動裏的人，竟有許多做了官，發了財的。試問這種人對於國家有什麼補益？反之，我們看別一方面的人，天天閉戶讀書，什麼物理化學等，都念得純熟，但是他們到底有什麼發明？他們到了社會上，是不是仍舊是一般飯桶。原來這以上所說的兩種人把救國求學看做兩件事，他們不知道學者要有犧牲精神和高尚人格，救國者要有充分的學問。救國者沒有學問，譬如醫生跑到人家去診病，打開藥箱一看，一點藥也沒有。這不是去送終嗎？學者沒有犧牲精神，譬如醫生不肯與人家診病，而但希望社會上幫助他。這種醫生能夠在社會上立足嗎？我們打開中國歷史看一看，第一個社會運動家，不是孔二先生嗎？他天天四處奔走，連席都不暇暖，然而他的學問怎樣？豈不是我們稱為「大成至聖先師」的麼？他是不是因為要救社會，就犧牲他的學問呢？再看到明末清初，我們所稱的四大儒——王船山、顧亭林、黃梨洲、朱舜水——他們的著作，在兩三百本以上。有人一定以為他們沒有工夫來從事社會運動，可是我們翻開他們的年譜看一看，就曉得他們從年小的時候，就奔走救國。如朱舜水奔走日本，黃王顧也是一樣的勞碌奔波，死而後已。由此看來我們曉得歷來的真正愛國者，一定是大學問家。他們求了心之所安的學問，看看「一夫不得其所，若已推而納之溝中」，於是不得不盡他們的能力來改造社會了。

有人說：「一個人多少精力，還是上半日求學，下半日救國呢？還是一隻脚在門外跑，一隻脚放在門內呢？」這其實沒有關係，我們求學是為的要解決問題，問題是由外來的；我們救國是要實行我們的主張，主張是由內發的。所以如果說因為要救國，就不能求學，那個人就是翹課。如果說因為要求學，就不能救國，那個人就是怕犧牲——自私。誠意救國的人，是翹課的麼？誠意求學的人，是怕犧牲——自私的麼？有人說，求學用不著犧牲，關了門在書本上鑽研，犧牲從哪裏來？他們不知道學識越充足的人，犧牲的精神越大。Galilei 說地球是動的，羅馬教皇因為他的學說與宗教有不利，下他在牢裏，強迫他否認自己的學說。Bruno 也是為爭宇宙的真理，被教皇燒殺。假如沒有他們的犧牲精神，今日科學能不能夠發達到這麼地步？所以無論什麼學問——科學、文學、哲學——如果人們顧恤安全，避危險，不用犧牲精神去宣導，結果也是等於零的。

現在在中國講到有犧牲精神，把救國求學同時實行的人，我們不能不想到死去的孫中山先生。固然有許多文學家、哲學家——如胡適之、梁任公先生等，想要把易經與老子、莊子等的學說整理起來，但是因為他們不能把救國和求學合而為一，所以他們把「國故」一天一天的整理，國恥也同時一天一天的加多！結果他們這種事業，與現在國家社會，毫無關係。反之我們看孫中山先生，他去年病在天津的時候，還是叫汪精衛先生和孫夫人把民生主義關於「住」、「行」的參考書籍檢給他看。現在一班人以為學問是敲門磚，一到政治舞臺，就把牠丟棄。孫先生不然，一面革命，一面求學；一輩子革命，一輩子求學。不因為革命而放棄求學，更不因為求學而不談革命。這不是我們的模範麼？這不是我們雪國恥的中堅人物麼？

講到我們的國恥，我看到處是的。我們的政治上、經濟上，無處不受外人的侵略。我們住在租界上，穿還要穿外國衣。講到此地，我敢說，中國人當亡國奴也不如了！泰戈兒是一個亡國奴，還是穿了他的印度衣服，在世界上各處跑。至於我們到外國去，如果不穿西裝，穿了中國舊式衣服，那麼外國人一定說我們是野蠻人，因為我們衣服不文明。最近的例子，就是上海的公園。上海的公園，不是寫了「中國人與狗不准進去」嗎？上海是中國地方，中國是一個號稱獨立的國家，乃人民被人家如此看待，這不是國恥嗎？

人人都說中國國際地位低落，是因為政治不良。政治為什麼不良？最大的原因，是不是經濟不發達，國內諸事不能振興麼？經濟為什麼不發達？最大的原因是不是關稅為外人所限制，我們不能得應得的入口稅麼？關稅為什麼有這種制度？是不是不平等條約，做牠的保障麼？孫先生因為看清了中國的致命傷，所以起來高呼，取消不平等條約。許多人聽了孫先生這句話，說孫先生是有神經病，是不經思索亂說話。在他們的意思，以為這是事實上不能做到的。他們不知道日本與土耳其從前也是一樣的受人壓迫，但是因為他們的國民爭氣，所以不到幾年，一切不平等條約，都取消了。日本並且列入強國中間了。假若我們四萬萬人都有學問，都愛國，齊聲喊要求取消不平等條約，他們外國人敢持異議麼？最可痛心，就是我們大多數沒有人格，不敢說這句話，不能說這句話！

國恥一年一年的過去了！一年一年的加多了！現在我們中國人對於雪恥的責任，怎麼樣？老的人說：「老夫耄矣，無能為也！」這是你們後生小子的事。年少的人也是你推我，我推你。更有人說，少年人是血氣方剛，不能夠負救國的責任的。不知救國不論年紀，老的負有責，少的也負有責。老的能夠做，少的也能夠做。我們看看西洋史，Joan of Arc 是不是一個十七歲的年輕女子？然而她做的救國事業，何等偉大？法國當日之不變為英國殖民地，是不是她的功勞？所以我們才要明白救國的責任，不要彼此推諉，更不要因為在學校裏混了幾年，畢了業，得到了飯碗，就不記得什麼叫做國家，什麼叫做社會！現在有許多人提倡職業教育，想為學生謀飯碗，但是我看如果學生僅僅能夠解決飯碗問題，不講人格，是沒有用處的。所以我最後盼望諸君，從今天起，加倍用功讀書，加倍用功做救國運動。那麼，完善的人材一多，我們的國恥，也就容易在最短期間洗去了。

革命與人生

沈玄廬

沈玄廬（1883-1928），浙江蕭山人。早年任雲南某縣的知縣。曾在家鄉推行社會革命運動。辛亥革命初，曾任浙江省參議會議長。一九一七年參與創辦《民國日報》副刊《覺悟》。「五四」運動時，參與主編《星期評論》，宣傳馬列主義。曾參與創辦上海共產黨組織，參與起草《中國共產黨黨綱》，成為中國共產黨的創建者之一。後與中共分道揚鑣，投向國民黨懷抱。一九二八年八月二十八日遇刺身亡。

本文摘自一九二五年十月一日出版的《天籟》第十五卷第一期，記錄者為劉熙麐。劉熙麐為滬江大學學生，具體專業不詳。

剛才諸君聽了孫中山先生遺傳下來的演說——留聲機片——大家發生的感想，當然和我一樣。記得中山先生有一次到日本的時候，高麗有一個團體派了代表到孫先生那裏去。那代表對先生說：「我們很要歡迎先生，但是我們不敢，因為若是我們今天在此歡迎先生，明天就會被捉到監牢裏去的。不過今天要簡單和先生說幾句話，就是我們高麗人很羨慕中國有這樣一個慈愛的父親、忠實的導師、勇敢的大家，同時感覺我們高麗沒有像先生這樣的人。所以很希望先生把你的慈愛的熱血，灑到我們高麗人身上，把我們從帝國主義壓迫之下救出來。」他說到此處，就大哭不止。中山先生當時也沒有和他講什麼，現出一種很沉默的態度對著他。那代表臨走又說：「先生，我今天只能夠在這間屋子裏面哭，倘使在這屋子外面的地方哭，被員警看見，我立刻就會被他捉去！」高麗人對著孫中山的態度是如此。當孫先生生時，我們大家看他不過是一個很平常的人。不過他曉得立志革命，曉得為國民奮鬥罷了。現在他為我們奮鬥，已經死了，大家才覺到要在中國找出像他這樣的一個人來，是絕對沒有了。所以我們聽了他這傳下來的演說，就大為感動。不過我們不是空空洞洞的感動了事的，我們還須要繼續他的事業幹下去！

知識是革命唯一的武器，所以我們要了解革命的人生，要將這種知識向國民講說，使他們都能了解，然後他們才肯出全力擁護我們殺上前去。這就是今日所講的題目，「革命與人生」。

人沒有單獨能夠生活的，不但是吃飯穿衣要倚靠群眾，就是他在他的母親懷裏吃乳的時候，也不是母親一人可養活他的。因為他母親的乳，是由於母親的衣食住能夠滿足而來的。母親的衣食住，是由社會多方面的結合的勞動力得來的。所以小孩才落地的時候，第一口乳就是群眾勞動的結晶，以後的生活都要時時仰給於社會的。人生大抵如此。國民因為生產能力、經濟狀況不同，機會環境不同，所以社會上生活情形，就很難同立在一個水平線上。在上古時代，人們生活很簡單。他們跑到山中摘樹上的果子吃，後來他們把果子摘下藏在家裏慢慢吃，因此有人就在取來的地方吃現成的果子。有了這取來取去的關係，於是就發現了兩種人，一種是搶奪人家的，一種是被人家搶的。搶奪著要團結許多人去搶奪，被搶奪者也要團結許多人去抵抗。因此團體的關係就從這兩種人發生。到現在我們所穿不是樹葉木皮，食不是茹毛飲血，住不是穴居野處，我們的生活與原始時代的人雖大不相同，然而結合團體的需要則一。可是我們大多數人現在忘記了自己沒有團體，又不知道人家有團體。他們搶奪的人大規模的團結起來，我們被搶劫的人卻是一盤散沙。現在中國人口占全世界四分之一，但是如不能團結一致，即使我們的人數佔了四分之三，也是沒有用，也是要亡國。至於他們搶奪者來搶劫我們，用怎樣的團結力，這是顯而易見的事實。去年廣州海關的事件，孫先生對英國人講要收回中國的海關權。但是英國、法國、日本以及極小的葡萄牙，都來插口干涉，聯合幾十艘兵船來示威。當時美國的公使，從北京跑到廣州作假惺惺的調停，孫先生對他說：「你不應當開口，因為你已經聯合他們把兵船來威逼我們，到此時還有甚麼調停之可言？」那位公使聽了自知理屈詞窮，就把兵船退出廣州。美國人到底肯不肯把不平等條約取消？他們到底肯不肯承認我們徵收我們應得的稅？他們聯合團體來侵略中國，什麼事都取一致的行動，來壓迫我們。我們除了供給他們壓迫和侵略以外，所得到的權利就是民族精神衰落，人民生計困難，思想腐陋。在這種情形之下，我們國民應不應該大家趕快團結起來繼續孫先生的責任呢？

近來關於帝國主義侵略的行為，優秀的青年多少都有點了解。他們的侵略是從政治侵略進而為經濟侵略，又從經濟侵略進而為文化侵略。政治為經濟侵略手段，文化他們是侵略不了，他們還是作經濟的侵略。舉一個很明顯的例子來說：在歐戰以前，有一個英教師想在武昌——中國的中心——辦一個大學，他在英國各處募捐。捐了幾個月，還沒有什麼成績，後來他就和他的一位朋友商議。他這朋友，是英國最有名的經濟學家，馬上就替他打個主意。主意是什麼？他——這位經濟學博士——第二天就跑到倫敦，向商會的人說：「你們在倫敦費了許多的廣告費，無非是圖你們的貨物暢銷，但是世界上第一個最好銷貨的商場，就是中國。你們的廣告，為什麼不貼到中國去？貼在牆上的廣告，極容易失掉效力，因為你貼了不久，人家又貼一張在上面，還加以風侵雨蝕日頭曬，故易破壞。現在有一種頂好的廣告，人家不能撕去，風也不能侵，雨也不能蝕，日頭又不能曬壞。你們何樂而不為呢？」那些商家都異常歡喜，急問他的方法是什麼？他說：「現在某某教師要到中國開辦大學，你們何不趕快捐款，助成這件大事呢？你們要曉得，如果他的大學辦成功。他們所教育出來的學生——中國青年——口裏所講的是洋話，身上所穿的是洋衣，耳朵所聽的是洋東西，眼裏所見的是洋東西，每天所學的無非是洋學問，他們自然完全變成洋化，這不是絕好的廣告嗎？並且這種廣告不僅在他們身上生影響，同時有一種很大的傳播力。因為他們變成了洋化以後，為要高抬他們的身價起見，不得不把一知半解的洋東西，在他們的親戚朋友面前大吹法螺，替你們招徠主顧。這種含有化學作用的廣告，最好的商標，豈不比任何廣告好得多嗎？」由上面這條例子看來，我們就可曉得他們文化侵略就是經濟侵略了！中山先生的民生主義，就是為的要解決國民生活問題。我們的生活何以這樣的困難？就是因為受帝國主義的壓迫，帝國主義用什麼方法來壓迫我們呢？最初就是用武力和那與人民痛癢不相關的滿清訂條約，後來又不斷的和袁世凱——如日本二十一條——馮國璋、徐世昌、曹錕等許多軍閥官僚訂許多賣國借款的條約。他們於是藉口這些條約的力量來壓迫我們。現在他們英國人說，他們是世界上文明的民族，最偉大的民族，凡日光所到，都有他們的領土，都說他們的英語，但是他們這種文明民族的行動，究竟是怎麼樣呢？我們就拿鴉片戰爭——中國頭一次被迫訂不平等條約的戰爭——一事來證明，可以知道他們的大概。最初他們把那殺人不見血的鴉片菸，大批的運到中國銷售。等到中國人吃上了癮，他們又運用手段說要禁菸，把產菸的地方——雲貴閩粵等省——的情形拍了照去，在報紙上極言中國人如何不好。試問這鴉片菸從哪裏來的？不是從英國的殖民地來的嗎？他們一面鼓吹禁菸，意思是向中國國民說：「我們如何的勤勞替你們禁菸，你們應當如何感謝我們？」一面大批的、不斷的把菸從印度運來，——可是他們菸常時被發現了，被登在報上了——更從事勾結國內賣國賊暗地裏幹這類的勾當。現在我們都切齒恨這班賣國賊——軍閥、官僚、劣紳、買辦階級——是帝國主義的媒介。我們要打倒他們，首先要打倒他們的倚靠者——帝國主義者。現在世界上帝國主義者很多，最強的是英美日法，次一點要算意大利、葡萄牙等，都有很鮮明的侵略色彩。我們用什麼方法去打倒他們？我們的方法就是，第一把他們中間最強的打倒，再依次的打下去。譬如我們推翻滿清時候，即袁世凱、馮國璋也認作友軍。我們反直的時候，許多人反對我們聯絡軍閥——段祺瑞、張作霖——他們說，國民黨既要打倒帝國主義，為什麼又要聯絡帝國主義的走狗——軍閥呢？但是他們不曉得我們因為國民對於打倒軍閥不一致，放棄責任，袖手旁觀，都抱「肉食者謀之」的態度，所以聯絡軍閥去打軍閥，這是國民黨應有的手段，也是迫不得已的步驟。現在講到帝國主義最強的，當然要推英國。所以英國的帝國主義不打倒，世界惡勢力不會變的。現在英國對於我們怎麼樣？最近在上海侵犯中國人的言論自由、出版自由，訂了什麼出版法附律，遠之如去年勾結陳廉伯造反，幫助吳佩孚濫用武力等，都是很明顯的。我們在辛亥以前，對滿洲人奴顏婢膝，當時國民不曉得什麼叫做壓迫，但是自從得了中華民國的名稱以後，自當了解革命的意義，聯合在革命旗幟之下來奮鬥，努力去打倒一切帝國主義，實現孫先生所希望民族自由平等的主張。

現在大家都知道英國是行的保護政策，以很重的關稅來阻止別國貨品在本國銷行，同時把本國大宗出產品向這些殖民地盡力運售。不過在這些地方，他們常時遇著敵手競爭貿易，所以他們不得不減低成本來圖勝利，他們減低成本在那裏取償呢？又是在他們本國勞動者身上。所以他們勞動階級受他們這種政策的厚賜，本國貨物，自己做得便宜買得貴。現在中國如果能革命，不獨中國好，英國民眾也得著好處。因為我們的生活總多少有世界關係的。我們穿外國布做成的衣服，固不必說，即以鄉下人而論，他們縫大布衣的針，織大布的機都是外國來的。中國這樣大，可憐連一根針一架機都帶有世界的色彩，自己也不能做，這是何等痛心！青年諸君！如果我們能夠戮力同心起來革命，打倒這些壓迫者，那麼，全世界受我們的賜不很大嗎？所以總括起來說，我要勸諸君，要徹底了解革命與人生的關係，趕快仔細研究孫中山先生的三民主義，不但為中國民族要大聲疾呼起來革命，就是為全世界人類，也更加應當起來革命！

李頓報告書的研究

余日宣

余日宣（Stewart Yui），湖北人，一八九〇年出生，著名基督教人士餘日章之弟。文華大學文學學士，曾赴美留學。歸國後，歷任武昌文華大學教授、天津南開大學教務長、北京清華學校政治學系主任、國民政府軍政部中校秘書等職。曾任滬江大學政治與歷史系主任、文學院院長、教務長。一九五一年二月，滬江大學由上海市人民政府接管後，任校務委員會主任。滬江大學停辦後到復旦大學任教授。

本文由曾寶荀記錄，摘自上海理工大學檔案館館藏一九三二年十一月二十八日出版的《滬大周刊》第二十卷第六期。

今天我講這個題目，有兩層大的困難：

（一）每個人對於這個報告書[1]，都有不同的意見。所以我今天

1 「九一八」事變後，日本帝國主義不顧中國人民的反對和國際聯盟的制止，在佔領中國東北全境後，於1932年3月1日，宣佈偽滿洲國成立。國際聯盟在中國政府的一再申訴下，組成國聯調查團，團員有法國的克勞特中將、意大利的馬克迪伯爵、德國的希尼博士、美國的麥考益少將等。調查團1932年3月來華，4月抵瀋陽，4-6月在東北進行調查，9月向國聯及中日兩國政府提交調查書，10月2日正式公佈《國聯調查報告書》，因調查團長是英國前代理印度總督李頓，故通稱「李頓報告書」。報告書共10章，主要內容是：尊重日本在「滿洲」（中國東北）的利益，允許其對該地的佔領；不承認偽「滿洲國」獨立，但作為中國的一部分，允許其擁有自治權；主張「國際共管」中國東北地區等。報告書表明英美等國為均霑在東北地區的權益而縱容日本侵略的綏靖主義立場。日本對此仍不滿意，向國聯提交反駁文書，國聯組

所講的，不過是我個人的見解，絕對不是代表什麼團體的。

（二）今天談論這個問題非常複雜，現在印出來的英文報告書，共有二百七十多頁，我在這短短的時間，要把這麼厚的內容，加以批評，實在是一件很困難的事。

前面是申明我講這個問題的困難，現在我要講到題目的本身了。這個報告書不能說它完全是不對，其中也有些地方使我們能夠滿意。顧維鈞[2]這次到歐洲去，有許多人問他對於這報告書的意見，他的答覆是這樣的：「在大體上看，這報告書不失為公正，將來解決中日紛爭可以此作基本案，日本人罵報告書罵得很厲害，這便是報告書大體公正的一個準確的憑據。」

前不久有中國博愛會等十五個團體致電國民政府反對報告書，馮玉祥、李烈鈞等，也通電指謫報告書的謬誤，其實這種態度很不利於我國，因為日本人正在恨他，如果我們在這個時候也表示不贊成，那就正中了日本人的詭計，將報告書完全推翻了。

我們對於報告書滿意之點，約略述之如下：

（一）承認東三省是中國的

報告書上說：「目下滿洲之屬中國已為不可變易的事實；東三省人民的文化及國民性與河北山東無異，大多數的人就從山東河北去的，因此足見東三省是中國的。」這一點是我們可滿意的，因為日本

成19國委員會審議「李頓調查書」，經辯論，通過決議，既表示無需恢復「滿洲」原狀，也拒絕承認偽「滿洲國」。1933年2月國聯投票表決，通過上述決議。日本遂於同年3月宣佈退出國聯。

2 顧維鈞（1888-1985），江蘇嘉定（今屬上海嘉定區）人，1912年獲哥倫比亞大學哲學博士學位，旋任總統袁世凱英文秘書，後歷任中華民國北洋政府國務總理，國民政府駐法國、英國大使，駐聯合國首席代表、駐美大使，海牙國際法院副院長，被譽為中國現代史上最卓越的外交家之一。晚年口述了計13卷、600餘萬字的《顧維鈞回憶錄》。1985年病逝於美國紐約。

人根本就不承認東三省是中國的，他們說東三省是無所屬的。誰有能力奪東三省，就歸誰所有，並且他們還說，他們已經讓了很多的機會給中國，但是中國不去利用時機，所以他們不能再坐視不理了。

（二）日本之占東三省非出自衛

調查團承認日本在「九一八」的軍事行動不能視為合法的自衛。日本人說他們之所以動武的原因，是因為中國拆了他們三十一英寸的鐵路，這個理由太不充分了，為這些微小的事，不應當就強佔我們的東北三省，但是調查委員會恐怕這個批評太掃日本人的臉，所以後面又加一句說：「惟當地官佐或以為他們的行為是出於自衛」，替他們留點餘地。

（三）不承認滿洲國

日本人說：「可惜美前大總統威爾遜[3]已去世，如他沒有去世，他必首先贊成滿洲國的成立，因為他素來主張民族自決。」但是調查團的意見不同，以為在「九一八」之前，絲毫沒有聽到滿洲要獨立的新聞，忽然間有這種的大變動，可見此次滿洲的獨立運動並不是滿洲人民真正的自動自決，完全是被日本在朝在野的人所操縱而成的。

（四）中日問題之解決

調查委員會以為解決中日問題的方法，無論如何必須根據以下三種公約：

---

3 伍德魯・威爾遜（Woodrow Wilson, 1856-1924），曾任美國總統（1913-1921），畢業於普林斯頓大學，曾任林斯頓大學教授、校長，1910年當選為新澤西州州長。國際聯盟的首倡人，1919年諾貝爾和平獎的獲得者。

1 國際聯盟[4]會盟約；

2 華府會議九國條約；

3 非戰公約。

（五）造成世界公論

這個報告書出來之後，許多人都懷疑它到底有什麼益處？書雖然裝成這麼厚一冊，但是國際聯盟到底會不會提出來討論，還是一個問題。講到這裏我又想到曾經有一個外國的新聞記者向我說：「中國想要外國來幫著打仗，那是萬不可能的，就是經濟絕交的論調也決不會實現，因為如對日本經濟絕交，本國的商業，一定會受到重大的損失，他們為中國來受損失的事情，當然他們不會做的。」但是我覺得這個報告書對於我國還是有相當的利益，這個報告書是中立國委編成的，當然一般人對於這個報告無論如何總得認為它是公平的。日本人的宣傳力很大，他們常在各處宣傳他們占東三省的理由是如何的充足，所以有許多國家因為聽了日本一面之詞，對於中日的關係發生種種誤解，以為日本有理，中國無理，他們現在看了這個報告，至少對於日本的信任心總會要減少些。我們要曉得輿論的力量是很大的，有了相當的機會便會發生很大的效力。

以上是我們對於報告書滿意的幾點，現在我要談到我們認為不滿意的幾點：

（一）責任問題未說清楚

調查委員會說明這個報告書不是討論責任問題，目的是要討論中

4 國際聯盟（League of Nations），簡稱國聯，是第一次世界大戰後組成的國際組織，宗旨是減少武器數目、平息國際糾紛及維持民眾的生活水準。但實際上，國聯卻不能有效阻止法西斯的侵略行為。第二次世界大戰爆發後，國聯名存實亡。大戰結束後，1946年4月818日在第21屆「國聯」大會上，國聯正式宣告解散，所有財產和檔案均移交聯合國。

日問題怎樣解決。不過報告書上面對「九一八」事件暗指（應由）日本負責，有些地方彷彿也要中國負責，若是他們大公無私地承認這次東北問題完全由日本負責，那就好了。不過他們中立人不肯說公道話，也是有他們的苦衷，任何方面他們都不願意得罪。

（二）報告書的前後是自相矛盾的

1　不贊成恢復東北原狀

以前承認東三省主權是屬於中國的，但是後來又不贊成東三省恢復原狀，這話的意思不是明明地要把我們東三省送給日本嗎？

2　主張東三省自治

如果中國對於東三省有真主權，東三省自治問題，不應歸他們來定奪，若是我們有真的主權，那麼東三省的一切問題當然應當由我們自己來決定，他們不可加以干涉的。

3　主張中日雙方的兵退出東三省

這件事若是實行，當然又是中國吃虧，日本占優勝，因為日本兵只要退到朝鮮，而中國的兵一直要退進山海關，那麼日本可以頃刻間就踏入東三省，我們由關內出兵就困難多了。但是最重要的還是主權問題，中國果真有主權的話，如何沒有主權駐兵呢？

4　主張東三省組織地方憲警而聘用外國顧問

東三省的地方比較德法二國的地方還大些，試想憲警怎樣可以維持治安？並且現在是軍器最發達的時候，恐怕只消幾架飛機到東三省丟幾個炸彈，憲警就會嚇跑了，要靠憲警保持這麼大的東三省，當然是不可能。再者，為什麼我們必定要聘用外國顧問（當然日本人在內）？這太可笑了！難道我們堂堂的中國，還沒有辦憲警的經驗，要靠他們來指教麼？總而言之，他們雖然口頭上不能不承認東三省是屬中國的，但是實際上他們把中國對於東三省應有的主權，完全剝削乾淨了，換句話說，就是他們不承認中國對東三省有任何主權。

（三）要中國承認「二十一條」

我們十幾年來都沒有承認「二十一條」，難道因這次他們的提議，我們便服從嗎？當然是不會的，在這二十一條中，不但是講東北問題，並且裏面還包括了內蒙，福建，沿海漢冶萍[5]等處的問題，如果我們承認了「二十一條」，那就把目前的中日問題更鬧大了。

（四）熱河列入報告書

報告書把熱河也包括在東北問題裏面了。原來日本組織的滿洲國，實際上沒有把熱河列在裏面，調查團又何苦替日本把熱河也拉入漩渦呢？

（五）承認事實

日本在中國已經佔有的權利，無論是否非法，既成事實，調查委員以為不得否認，這是很危險的學說，應當抗議。滿洲國是否事實，滿日條約指《日滿議定書》。一九三二年三月一日，滿洲國宣佈成立，首都設在長春（改名為新京）。同年九月十五日，日本關東軍司令官兼駐滿洲國特命全權大使武藤信義與滿洲國國務總理鄭孝胥簽署《日滿議定書》，規定日本正式承認滿洲國，並在滿洲國駐軍擔負滿洲國的國防。在附件中規定由日本管理滿洲國的鐵路、港灣、航路、航空線等。此外，還約定日本軍隊所需各種物資、設備由滿洲國負責，日本有權開發礦山，日本人有權充任滿洲國官吏，日本有權向滿洲國移民等等。是否事實，為什麼調查委員不承認呢？

（六）倒果為因

他們說日本之所以有此暴行，是因為中國抵制日貨，和三民主義上的排外宣傳所釀成的。其實此次抵制日貨運動，是在「九一八」之

5 1908年，盛宣懷奏准將漢陽鐵廠、大冶鐵礦、萍鄉煤礦合併，改為商辦漢冶萍煤鐵廠礦股份有限公司，實際生產靠外債維持。該廠一直管理混亂，負債累累，又受戰爭影響，生產極不正常。抗戰勝利後，國民政府接收，作為敵偽產業清理結束。

後才有的，換句話說，我們之所以有此抵制日貨的運動，就是因為日本的暴行才發起的。至於三民主義的排外，完全是指抵制帝國主義及不平等條約而言，並不是指見了外國人就要殺，看今日中國，什麼地方沒有外國人的足跡呢？

（七）顧問會議

顧問會議是由中國日本及滿洲國三方代表組織而成的，中國、日本都是獨立的國家，滿洲我們既然不承認是獨立國，當然他不能正式地派代表，若是我們派代表去參加這個會議，那就是表示我們已經承認滿洲是獨立了。當然我們為主權的關係，根本就不贊成這種會議，並且會議也不能得到什麼結果。

（八）所謂國際合作

他們提出孫中山先生所說的「國際合作」一句話，來做他們干涉我們國內問題的理由。其實孫總理說這句話是指工商業合作，並不是指政治合作，他們根本就誤會了孫總理這句話的意思。

把以上我們對於報告書滿意和不滿意的地方比較起來，不滿意的比滿意的地方多些。現在我要講一講日本對於這個報告書的批評：

（一）他們說委員會是為調查而設，只應當調查已往的事，不應當討論將來的事，委員會對於中日問題沒有建議權。

（二）否認報告書說他們「九一八」的軍事行動不是出於自衛，否認的理由是說調查團在出事的時候，沒有親自在那裏看見，怎樣可以曉得他們不是自衛？是否自衛的這個問題，應當由當局的人決定。

（三）他們說這本報告書是在北平編成的，編報告書的人是受了張學良的迷湯，所以偏袒中國，這本報告書只能代表他們五個編者的意見，並且他們在滿洲只住了一個多月，怎樣可透徹地明瞭中日複雜的問題？他們既不能明瞭滿洲問題，當然做出來的報告書是不會正確的。

（四）這個報告書在六個月之前做出來，還有討論的價值，現在滿洲已經獨立有六個月之久了，還有什麼討論的價值。

（五）「九一八」戰爭是因為中國人拆鐵路的事而起的，那並不足為奇，因為每次大戰的起因，都是因小事而起的，歐戰的起因就是因為一枝手槍而起的[6]。

（六）反對日本退兵的事情，因為憲警不能維持滿洲的安寧。

（七）他們說中國好像一個小孩子，其它各庇護中國的國家就好像母親，若是母親太放縱小孩子了，倒反害了小孩子。這話的意思就是說，中立國若是這次袒護中國，便是害了中國。

日本原來是非常激烈的，他們預備下月十四號到日內瓦去開會的時候，簡直不理這件事，但是他們現在彷彿和緩些了。不過這次開會他們到底討論些什麼，我們還不知道。只是我們想現在收回失地，可說是絕望了，但是將來收回，現在也應當準備了！

6 指塞拉耶佛事件。1914年6月28日，奧匈帝國在其吞併不久的鄰近塞爾維亞邊境地區的波士尼亞，以塞爾維亞為假想敵人進行軍事演習。6月28日是塞爾維亞和波士尼亞聯軍在1389年被土耳其軍隊打敗的日子，是塞爾維亞人民的國恥日。奧匈帝國演習選定在這一天顯然是具有挑釁意義的。奧匈帝國皇儲斐迪南大公親自檢閱了這次演習。演習結束後，斐迪南大公返回塞拉耶佛市區時，被塞爾維亞青年普林西普用手槍近距離擊中斃命。這就是著名的塞拉耶佛事件。奧匈帝國立即以此為藉口，挑起了第一次世界大戰。塞拉耶佛事件事件遂成為第一次世界大戰的導火線。

戰爭與和平（一）

余日宣

本文為余日宣一九三六年十月二十五日在上海聯秋令會上的講辭，由大朱（筆名，滬江大學學生，真實姓名不詳，當時在讀）記錄，摘自上海理工大學檔案館館藏一九三六年十一月二十日出版的《角聲》第一七一八期合刊。

一　戰爭是什麼？

「戰」字的古寫法是「岪」，上面是「止」字，下面則是兩個「干」字，彷彿兩國相爭，以干、戈相對。可以說戰爭的目的乃是「止干」——停止糾紛的意思。所以它的講法和如今兩樣。左傳上解釋「武」字，也說：「止戈為武。」可見得戰爭與武力都不是一種目標，而是一種方法。這種方法可以停止爭鬥，達到和平的境地。歐戰時一般人常說「A war to end war」，也就是消滅戰爭的意思。戰爭的真義的確不是我們如今所想到的。

二　戰爭的原因

德智體三育的發展不均，是為戰爭的主要原因。現在的人智體二育已經過度發展，尤其是在所謂「科學戰爭」方面！而德育的發展則尚差遠甚，彷彿人頭大體重而心窄小，因此道德觀念敗壞，人心險惡已極，遂發生戰爭。少數野心家的貪婪，是道德不良的結果。社會制度的不良，也是受了道德不振的影響。因為社會制度的好壞，全靠人民的道德標準的高下而定。只是制度好而沒有人去實行它也是等於無效。墨西哥的憲法是效法美國，但是美國強盛已極，墨西哥仍是靡亂不已，弱小非常。制度是一種空洞的東西，所謂「革命不革心」，是毫無用處的！

三　消滅戰爭的方法

提倡和平就可以消滅戰爭。然而一般人都把和平二字誤解了。按辭源，「不剛不柔」謂之「和」。「剛而不柔」，則成「無愛」，國家、個人完全一樣，帝國主義的侵略是缺少愛心所致，極端的國家主義也是缺乏愛心。「柔而不剛」則變為「溺愛」，雖可以忍耐一切，然其結果則為亡國滅種。一切都是退讓，一切都是降服，則永無生氣！「剛而不柔」、「柔而不剛」都不可以，所以得「有剛有柔」才是「真愛」，才是真和平。能夠如此，平常盡可溫柔待人，但是當有人侵犯的時候，必要拿出「剛」來，抵抗外來的侵略而不至於屈服！談到抵抗，我們必定事先有很好的準備才行。古人說：「兵可百年不用，不可一日不備。」所以準備是必要的。美國的大中學生近年來曾數次罷課一小時，表示反對美國參加任何戰爭。但是現在一方面雖仍然反對戰爭，而另一方面則竭力主張準備抵抗。他們說：「Unpreparedness invites war」[1]，可見得事先準備，充實國防是必須的，空言和平，等於無用。

1　意為「無準備會招來戰爭」。

四　基督徒的態度應該怎樣？

在此國難嚴重的時候，基督徒更應當「有剛有柔」，以期達到真正的和平。耶穌的一生也是「剛」、「柔」並用。對於為上帝作工而與罪惡戰爭的事，他是絕對的「剛」，絕對的主張反抗，主張奮鬥，甚至於痛罵法利賽人[2]，拿繩子做鞭子去打兌換銀錢的人[3]。但是關乎自己的事，耶穌是可以忍讓一切，雖將生命犧牲在十字架上，也是死無遺憾。耶穌常教訓我們說：「愛你的仇敵。」愛的目的就是和平，但是愛也有剛柔之分，愛仇敵就是「剛」的愛不是「溺愛」，是要拿正義去愛他，從罪惡中將他救出，不是容忍他反叫他多犯罪。譬如有個狂夫，拿著手槍在馬路上亂放，同他講道理又講不通，如果聽其亂放，恐怕路人和他自己都有喪失生命的危險。我們若真愛他，就應當一方面用武力去抵抗他，並將他手中的槍奪下，一方面為他禱告上帝，求上帝醫治他的狂病。所以真正的愛，真正的和平，並不是絕對的退讓！絕對的降服！解決戰爭的方法只有真正的愛心，真正的和平。我們要把愛變成世間一種最大的力量，去反抗一切不正當的戰爭！

最後的話即是：消滅戰爭唯一的方法就是以和平（愛力）去勝戰爭（武力）。

2　又譯法利塞人（Pharisees）。法利賽人是西元前2世紀到西元2世紀猶太教的一派，標榜墨守傳統禮儀，是當時猶太教的四大派別之一。「法利賽」這個名詞源於希伯來語，意思是「分離」，指一些為保持純潔而與俗世保持距離的人，與撒都該人追求俗世的權力及物欲相對，過於強調摩西律法的細節而不注重道理。

3　據約翰福音二章1315節：猶太人的逾越節近了，耶穌就上耶路撒冷去。看見殿裡有賣牛、羊、鴿子的，並有兌換銀錢的人坐在那裡，耶穌就拿繩子做成鞭子，把牛羊都趕出殿去，倒出兌換銀錢之人的銀錢，推翻他們的桌子。

戰爭與和平（二）

涂羽卿

本文為涂羽卿一九三六年十月二十五日在上海聯秋令會的講辭，摘自上海理工大學檔案館館藏一九三六年十一月二十日出版的《角聲》第一七一八期合刊。

「戰爭與和平」問題，為基督教中最難解決的問題之一，其困難之點，大體說來，可分四項：

第一，在耶穌的言行中及《聖經》裏，尋不出關於戰爭與和平的具體答案，在《聖經》裏有時還可以找出矛盾的解答來。所以主張戰爭的人可以引證《聖經》裏的話來自己辯護，主張和平的人也可以引證《聖經》裏的話來自己辯護。因此基督徒們對於這個問題，沒有一個共同的主張，各有各的見地。譬如美國南浸禮會會長DrSampey[1]便是主張：在目下的中國，是應該戰爭才足以自衛。

第二，戰爭不是個人的問題，乃是社會問題，團體問題，或階級問題，而宗教，無論是什麼宗教，皆是個人的問題。雖然宗教也有它

1 約翰·桑佩（John Richard Sampey, 1863-1946），出生於基督教家庭，11歲時立志獻身於基督教事業。1895年始，服務於國際主日學委員會。1905年，組織世界浸信會聯盟。1929-1942年，出任美南浸信會神學院院長，並於1935-1938年，任美南浸信會主席。1937年，他被任命為美南浸信會代表出席於愛丁堡舉行的關於信仰與秩序的會議，1946年8月18日逝世。

的社會表現，但究竟是從個人起頭。社會行為的動機和個人行為的動機不同；宗教對個人的行為動機雖具有極大的約束力，但這種力量是否足以操縱社會行為，尚不能斷言，至少還沒有充分有力的表現出來。宗教對於社會的約束力量尚小，而且是從反面看去。宗教的差異卻引起了不少的衝突與戰爭，例如猶太人與阿拉伯人目前的糾紛，印度教徒與回教徒的鬥爭皆是。此類衝突雖不能以宗教為唯一的因素，但其為重要因素之一則不可否認。

第三，研究這個問題，很容易感到個人有分裂的情況。在宗教上，我們要效忠上帝，遵守耶穌所給予的教訓。然而同時我們也不能忘卻我們的國家，對於國家民族也應當效忠才行。似乎在這兩者之間我們只能取其一，因此我的忠誠之心便感到要分裂了。

第四，從學術研究上，在冷靜的、超人的眼光之下，決沒有人要贊成戰爭；特別是在這種科學時代之下，我們都明白戰爭的罪惡。然而在情感衝動之中，又不能避免戰爭的途徑。理智與情感之間，似乎又不可以得兼。

然而，在這困難重重之下，有沒有幾個共同的原則，可以作打破這種困難的根基？

第一，基督教在任何情境之下，是應該反對戰爭的，尤其是要反對戰爭的來由與造成戰爭的背影。這種背影就是：不公道，不守正義。有了國際上的，種族上的，經濟上的不公道，才產生出國際戰爭、種族戰爭和階級戰爭；基督教是反對這種不公道的情況以及因其所引起的戰爭！

第二，我們的立場必定要有平衡的狀態才行，我們不應當在二者之中選擇其一，而要使二者互相融合起來，使趨於平衡。我們所信仰的上帝，在《新約》裏說上帝是愛，在《舊約》裏說上帝是莊嚴和公義；這兩種說法都是對的，然而只有愛或只有莊嚴都不可以稱為我們的上帝，必二者兼有才行。

第三，理智與情感亦需加以平衡才行。我們的愛心與情感為理智所引導，而理智亦必先由愛心所策動，才能平衡起來。完全反對戰爭而不顧民族的利益和前途則太冷血，完全主張戰爭而不顧戰爭的害處也太急烈。

戰後是值得令人回憶的。戰爭的時期完全是暴動的，幾乎是毫無愛心可言。戰後似乎是應該注意愛心和正義了，但歷史上戰後所產生的不公道每每較戰前更甚，歐戰後的《凡爾賽和約》[2]便是世界上最不公道最無愛心的條約了，愛國愛民者很難甘心承受此種不平等不公道之條約永遠的束縛。如此戰爭曷得而免！

中國人向愛和平，假使一旦趨入戰爭，而且得勝的話，應該在歷史上另闢新頁，不以自身的利益為前提，而把我們的愛心和公義貢獻到世界上去，使戰後的正義較戰前進步，以免除後來的戰爭。

至於個人對這嚴重困難的問題，可取：

（一）謙卑的態度。所有一切人類生活的不公道皆基於個人的或團體的罪惡或知識上之缺乏。我們的思想不是上帝的思想，我們的方法不是上帝的方法。因此要想避免戰爭而建立和平，便應該依著謙卑的心，去追求上帝的意旨和方法。

（二）奮鬥的態度。盡力追求，決不放棄，以謀解決此問題。奮鬥的根基即是信仰，應當信仰我們的上帝是和平的上帝，基督是和平之主。絕不可相信戰爭是人類永遠不能脫離的災禍，而和平只是一種

2 全稱《協約國和參戰各國對德和約》，是第一次世界大戰後，經過巴黎和會長達6個月的談判，戰勝國（協約國）與戰敗國（同盟國）於1919年6月28日在巴黎凡爾賽宮簽署的條約，其主要目的是懲罰和削弱德國。該條約的簽訂，標誌著第一次世界大戰正式結束。中國沒有簽署凡爾賽條約，但與德國另簽訂和約。

想像中的理想。站在基督徒的立場上，不能不相信和平的天國是可以達到的目的！否則整個的基督教便沒有什麼意思。

從教育上謀國難的出路

陶行知

原編者指出：在本刊第一期裏，載有陶行知先生的《社會與學校》的演講錄，記者讀了後就聯想到陶先生的另一演講。因為那次本校同學到會的只有十餘位，記者就在此略為讀者諸君一述，以供教育家辦學的借鑒。

原編者還說，暑期期間，在本校舉行了一個華東大學夏令營，因鑒於國難方殷，青年急欲明瞭國難的真相和謀國難的出路，所以這次夏令營的總題是「國難的挑戰」，陶行知先生就在那時講了這一篇《從教育上謀國難的出路》。

本文摘自上海理工大學檔案館館藏一九三二年十一月六日出版的《滬大》（即《滬大周刊》）第二十卷第三期，由伯敏（滬江大學學生，專業不詳）略述。講演時間為一九三二年十一月一日。

教育是什麼？教育是解決問題的，若是教育不能解決問題，那就不能算為教育；換句話說，教育是力的表現（education is the transformation of energy），變化世界的一切，是力創造的。在傳統的教育制度下，教育是不能解決問題的，它是死的，所以它根本就沒有力量。我們要謀國難的出路，就先要培栽這種力量，而且是大多數的，有組織的，行動的，自動的和手腦並用的力量，不是在傳統制度下所培養的少數的，散漫的，空談的，被動的和只用頭腦的力量。

（一）少數的力量不及大多數的力量。在傳統制度下，專在培養少數人，使他們成為一種特殊階級，反言之，只有這一種特殊階級，有受教育的機會。這樣因循下去，結果就沒有大多數的力量產生出來，自難謀國難的出路。

（二）散漫的力量不及有組織的力量。封建教育制度所給我們的是散漫的力量，它引我們走入鄉紳之路，造成一種特殊階級。我們要有組織的力量，非但不要走入鄉紳之路，而且更進一步，要認識真工人真農人——自食其力的同胞們。陶侃[1]每天忙著搬運磚瓦，可是他不是真工人，他是靠做官吃飯，不是靠運磚過活的。儒林外史的王冕[2]倒是真農人，因為他雖讀書，但不是靠讀書吃飯的。

（三）空談的力量不及行動的力量。從書本得來的知識，沒有什麼力量，惟有從行動上得來的真知識和經驗，才是真力量。教育應當培養行動，不當培養知識，愛迪生發明電燈，小孩兒明白火能燙手，都是從經驗得來的。王陽明[3]說「知是行之始，行是知之成」，應當翻一個一百八十度的斛倒，就是「行是知之始，知是行之成」。

---

1 陶侃（259-334），字士行，江西鄱陽人，一代名將，東晉大司馬。初為縣吏，漸至郡守。永嘉五年（311），任武昌太守。建興元年（313），任荊州刺史。後任荊江二州刺史，都督八州諸軍事。他精勤吏職，不喜飲酒、賭博，為人稱道。在東晉的建立過程中，在穩定東晉初年動盪不安的政局上，陶侃都頗有建樹。史載陶侃佔領廣州後，沒有事的時候總是早晨把白磚運到書房的外邊，傍晚又把它們運回書房裏。別人問他這樣做的緣故，他回答說：「我正在致力於收復中原失地，過分的悠閒安逸，唯恐不能承擔大事，所以才使自己辛勞罷了。」

2 王冕（1287-1359），元代著名畫家、詩人，字元章。出身農家，浙江諸暨人。王冕不願奔走豪門乞食，以耕作賣畫為生。他親身參加各種體力勞動，農餘讀書寫詩作畫，以賣畫易米糊口和納租付稅。

3 王陽明（1472-1529），名守仁，字伯安，浙江餘姚人，因被貶貴州時曾於陽明洞（今貴陽市修文縣）學習，世稱陽明先生、王陽明，是我國明代著名的哲學家、思想家、政治家和軍事家。

（四）被動的力量不及自動的力量。中國現有的教育制度是被動的，結果有的不能動，有的不敢動了，好似一個小寶寶，專靠老祖母的幫助，總是不能自立的。我們要明白真工人真農人，要到鄉間去，要改革他們的生活，不要使他們處在被動的地位，要的是和他們同工，在旁指導他們，這樣他們才能獨立，才有力量。改革鄉村如此，教育何獨不然！

（五）用頭腦的力量不及手腦並用的力量。中國從孔老夫子以來，可說是成了一個書呆國家。傳統教育的矛盾，也可請孔老做總代表，他說「君子謀道不謀食」，而他自己不做，要別人去供養他，而且他「割不正則不食」[4]，真是一個好吃懶做的無賴。讀書人想出許多解決國難的方法，可是沒有力量，所以我們要想謀國難的出路，就要把一般知識分子變成工人，用雙手來幹，有歌曰：

我是小工人，
我有雙手萬能。
我要造富的社會，
不造富的個人。

人生兩個寶，雙手與大腦。
用手不用腦，快要被打倒。
用腦不用手，飯都吃不飽。
手腦都會用，才算是開闢天地的大好佬！[5]

---

4 出自《論語》中〈鄉黨〉一章的「割不正不食」一說。世人多解釋為：「孔夫子窮講究，肉一定要切得方方正正，才肯吃。」也有學者認為「割不正不食」之「正」該解作「正當，依禮而行」的意思，「割不正不食」是指「殺牲不對路或生病的牲口，不吃」。

5 前一首歌的歌名為《小工人》，後一首歌的歌名為《手腦相長歌》。

更要緊的，我們不要怕苦，而要去吃苦，用我們的雙手和頭腦來幹，來開闢天地，來打出一條出路。

我是小盤古，
我不怕吃苦。
我要開闢天地，
看我手中雙斧。[6]

總之，四萬萬人能手腦並用，要有組織的，自動的，行動的力量，這個力量是有把握的，用這種力量，來謀國難的出路，那時不難了。

6　該首歌的歌名為《小盤古》。

日帝國主義鐵蹄下的「滿洲國」教育

王某某

本文由金冬日（滬江大學商學系學生，1938年畢業。當時在讀）記錄。他在文前加有按語，內容如下：

河山破碎，東北淪亡，倏已歲月數更，健忘的中國人民，對它恐怕已由熱烈而淡漠，由淡漠而忘卻了吧？現在我來告訴大家一些「滿洲國」的教育。這裏要聲明的，就是本文的材料，是摘錄某先生在本校教育學會演講的事實。某先生因種種的不方便，恕他不能把真實的姓名告訴我們，他現在服務於「滿洲國」某教會學校，新近從那裏來滬，沿途經過嚴密的檢查考詢，始達目的地。現在把他的話很簡單地寫在下面。

本文摘自國家圖書館館藏一九三四年六月出版的《滬大教育》第二期。北京大學圖書館也收藏有該講演稿。

一

滿洲自日帝國統治以來，表面上確是較前進而安靜得多了，沒有偷竊盜案，可是人民常在恐怖中討生活。平時每日下午五六時，家家戶戶都關門入睡，夜裏不准點燈火，有一家一個老婦在夜裏燈光下整理衣物，忽被日憲兵巡查發現，即破門而進，不問理由，隨地槍決，所以一到晚上，居民都很早睡覺了。在夜間不時聽到槍聲，這是日憲兵防備中國軍隊或義勇軍埋伏各地，所以每晚放槍，來作示威運動。滿洲人民遇見日憲兵，都不敢正視，俯首而過，否則即被無理地殺死，至於地方上發生的盜匪搶案確較前少，平時如果某村發生搶案，由居民報告憲兵司令部，司令部就根據他們的報告，製成統計，公佈在報紙上，向國際宣傳日本人統治「滿洲國」以後的政績。但事實絕不是這樣的簡單，原來滿洲的土匪非常地兇悍，都有槍械，又因地方情形的熟悉，日憲兵往往敵不過這般土匪，所以想出毒計，就是遇到村上發生盜案不管張三李四就從遠處用槍炮射擊，結果村莊化為一片焦土，盜匪和居民同歸於盡。因此，各村即便遇到有盜案，也不願向司令部報告，表面上盜案確是減少。這樣一來，日本人所編造的盜案統計，還會正確嗎？

二

上面所講的，是治安方面的情形，現在開始講些教育方面的情形。滿洲被占後，學校停頓了許久，才勉強的把小學恢復，各小學的課本，是採用中華書局八九年以前新學制教科書，參酌大連課本，經日人審查，加以增刪，內容關係孫中山、蔣介石等的相片事略，都在刪除之列。各校的課程，只有國語、算術、修身、遊戲手工等課，其它像歷史、地理有關民族思想的課程早被取消掉了。很可惡的日本兵平常闖進學校，向學生發問：「你是哪兒人？」學生中有回答「我是中國人」立刻被他打幾個嘴巴，所以學生見了這般兵，都很害怕，不敢再自認是中國人了。其次，中學方面開學最遲，所以遲的原因一則怕中學生聯合起來反對運動，二則找教材難，三則是經費無著。現在只開辦初級中學，不主張設高中，現有一校設高中工科文科，工科畢業生充任工廠裏的工頭，文科畢業生充任機構裏的下級職員，如書記之類。各校校長都是中國人，他們為什麼願意做校長呢？原來他們以往將學生繳納的學費未曾報銷，放到自己的腰包裏去，現在如果不願意繼任校長，要他們交清帳目，試問有幾個校長能照辦呢？所以他們不得不繼續下去。校長的待遇很高，可是職權很小。校內有一位日語教員，待遇和校長相同，他除擔任教課外還有監督學校行政的任務。

三

「滿洲國」的教育宗旨是發展「王道教育」[1]。教育最高行政機構是文教部，設部長一人，由日本人充任；省設教育廳，廳長一人，由中國人充任，但職權極小。教育廳設總務科長一人，由日本人充任，一切職權都操在他的掌握中，廳長辦事，須先徵得總務科長的同意。教育廳本身講，確是很有權力的，各學校的校長教員，都由教育廳委任，甚至校具雜件之購置，也由教廳代辦，很可笑的，校中損壞了一塊玻璃，也要量好尺寸大小呈報教育廳代配。最近，各校派來一位日本會計員，擔負經濟上的責任。教育廳所代辦的各種校具等等，盡是日本貨，適用與否，那是不問的。至於私立學校，以前有錢的人或官僚來辦學校，認為是榮譽的事，自被日本軍侵佔後，私人財產都充公，所以，私校也開不起來。現在只有教會學校，因西人的勢力，日本人不敢過分地干涉，但監視也很嚴。前年文教部頒行私校一立案，就拿權力來干涉了。

---

1 1932年3月，偽滿洲國在《建國大綱》中提出：「實行王道主義」教育。所謂「王道教育」，是指在「仁義」、「禮讓」、「親仁善鄰」、「民族協和」、「人類相愛」等騙人詞句掩蓋下的殖民地奴化教育。其實質是通過剷除民族觀念、泯滅反抗意識，使所謂的「滿洲國民」特別是青少年心甘情願地接受日本帝國主義的奴役。

四

教育廳舉辦教員登記考試。凡願充「滿洲國」教員的人都先經過這種手續。從前只要向教廳登記好了，現在必須經過考試，考試的科目那是簡便極了，把一本有關三民主義的書籍令應考者當場試讀，問題就在這裏發生了：如果你讀得很純熟，認為你是國民黨的信徒，決無錄取的希望，如果你讀得太慢了，又認為你故意裝腔作勢，也給你個不及格。總之教員的真才實學是不論的，完全以你的思想——親日的思想定取捨的標準。上面已講過教員是由教育廳委的，校長無權顧問，教育廳隨時抽調各校的教員，使互相沒有團結聯絡的機會。

五

現在再來講些學校的生活情形。教員、學生的生活很是枯燥，他們的行動早已失去了自由。教員規定上午八點鐘到校，不論有無教課，都要坐在校裏，直到下午四點鐘散學為止，教員才得離校。這樣教員終日枯坐校裏，被稱為「坐堂制」，散學以後，教員一概離校，不准留宿校內，所以下午四時以後盡讓學生鬧得天翻地覆，也沒有人去過問。日本人的用意在預防知識分子白晝在校不能到外面去活動，晚上使教員學生無接觸聯絡的機會。教育廳對斥退的教員監視很嚴。普通假期內教員如果離開該地先期須向教廳登記，說明來往日期、地點。如果要到中國來出席什麼會議，那是很困難的事情，日本人會用奸詐的手段留難你，使你失去船期，不能準時出席會議。從滿洲到上海，在大連檢查最嚴，到上海再經過一次查驗然後始得登岸。至於學生的活動，那是很少的，每級有一位級主任充指導，各科有研究會，請日本人做主席，這是校長要減輕自己的責任，而不得不想出這種辦法。因為校裏發生了什麼事變，教育廳惟校長是問。初入學時，每個學生必須寫三封信，寄給日本憲兵司令部讚頌功德，感謝「滿洲國」。在溥儀稱帝的時候，強迫國文教員作讚頌文，如果不從的話，非特飯碗敲碎，還有生命之危險呢！

六

教育廳委派各校校長教員，組織考察團赴日本各地考察，聯絡情感，每到一地，備受日本人熱烈歡迎，招待周到，請公開演講，宣傳日滿親善，表示感謝日本匡助的恩德。日本人就把他們的相片和演講的材料登在報上，向國際宣傳，蒙蔽國際視聽，其用心之毒孰甚於此哉！

七

我想大家都要問滿洲人的心理怎樣？我可以說滿洲人生在這樣的重重壓迫之下，他們仍然承認是中國人，否認是「滿洲國」人，他們的心沒有死，到現在還沒有死。去年國際調查團到滿洲的時候，他們很冒險地從機關裏拿出各種證據，供給調查團。他們對於各種紀念集會，照舊舉行。記得「九一八」紀念日的一個晚上，在十點鐘以後，挑選了一部分的人，聚集在一間很簡陋的小屋裏，把四面的視窗門隙都遮蓋起來，外面派二三十人做看守，屋子裏不點燈火，就在這黑暗的屋裏開會，沒有正式的黨旗，只有一面三四寸大小的青天白日旗，從衣縫裏拿出來，臨時釘在牆壁上，大家向她行三鞠躬。黑暗像地獄般的會場，卻充滿了淒涼的空氣，在裏面沒有一個人不痛哭流淚，出來時沒有一個不激昂慷慨！最近溥儀稱帝的時候，在三月二日早晨，在美國領事館門口，發現一大包的信件宣言反對成立「滿洲國」，暴露日本人陰謀毒計，這可證明滿洲人的心還沒有死，還在掙扎奮鬥！

我們的東北

李次山

李次山（1887-1936），號時蕊，出生於安徽六安州英山縣（今屬湖北）的一個農民家庭。幼年在私塾讀書，一九〇六年赴安慶求學，一九一一年畢業於安徽官立法政學堂，同年參加辛亥革命。因參與討袁被捕，出獄後潛逃日本，一九一七年回國，在上海當律師。一九一九年創辦「聯合通訊社」。一九二四年加入國民黨。「九一八」事變後，曾以上海律師公會會長身份參加「上海各團體救國聯合會」從事抗日救亡活動。在拒絕了蔣介石高官厚祿的誘惑後，一九三三年一月，李次山被國民黨當局以「反對中央措施，散發通電宣言，詆毀黨國」為名，開除國民黨黨籍，弔銷律師證書，並被秘密逮捕。出獄後，仍致力於抗日運動，並同褚輔成、杜重遠、黃炎培等聯名發表《東北義勇軍後援會通告國內外同胞援助拼死抗日各軍》電文，還以後援會第一常務理事身份，攜款北上，慰勞抗日義勇軍。察綏抗日同盟軍成立後，李次山與褚、杜、黃等發表《抗日到底》聯合宣言，予以聲援。次年再次潛赴日本。返滬後被國民黨特務秘密綁架，後以身患重病獲釋。一九三六年三月十七日在上海病逝。

滬江大學師生十分關注東北淪陷後的狀況，並以實際行動支持東北義勇軍的抗日義舉。一九三二年十月二十三日出版《滬江大學周刊》第二十卷第一期被確定為「援助東北義勇軍募捐運動專號」，以配合滬江大學學生自治會發起的為東北義勇軍募捐運動。這期周刊刊載了「為東北義勇軍募捐啟」、「東北義勇軍現在怎麼樣了？」、「一張日本人的傳單」等文章。同期在「學生自治會最新狀況」介紹，十月十六日，請自德（國）來之慕爾夫人演講援助東北之意義；十月二十日，請李次山先生演講援助東北之必要。本文摘自上海理工大學檔案館館藏一九三二年十月三十日出版的《滬大》（即《滬大周刊》）第二十卷第二期，由黃家煌記錄（滬江大學物理系學生，1934年畢業，當時在讀）。可以判定，李次山此次講演的具體時間為一九三六年十月二十日。

關於李次山的講演，原編者指出，「李先生是東北義勇軍後援會的委員，他此次演講的最大使命，是報告東北的情況，與鼓勵同學捐助東北義勇軍，在這篇演講裏，我們可以知道東北與中國的關係，東北的重要與目前東北義勇軍的近況。」相關資料表明，此次講演結束後，滬江大學掀起了捐款捐物、支持東北義勇軍抗戰的熱潮。有一個學生不幸病重，在生命的最後一刻，他還委託同學將自己僅剩的一點錢捐獻給東北義勇軍。

今天得與諸君共聚一堂，實屬萬分榮幸！可是在這安樂閒適的禮堂中，我不禁想起淒風苦雨的東北。我們的東北，向來被日本論為生命線，他們覺得東北與日本的存亡有關。但是我們的東北，對於中國實在有休戚與共的密切利害，東北是我們東三省三千萬人民的寄託所，東北的土地，是我們十八省[1]的伸張，是我們的腦袋，枕頭，肢

1　內地十八省，或稱關內十八省、漢地十八省，是歷史上曾使用過的一個名詞，指清朝將原明朝統治區重新設置為18個省份。十八省與其它地區的界限主要是長城。內地十八省的概念與範圍自康熙年間至光緒年間200多年來大致維持不變。中華人民共和國成立後，則在少數民族聚居的地區設立了5個自治區，另設有自治區以下級別的民族自治行政單位。

體，日本說東北是他們的生命線，可是東北是我們的生命，無東北，我們就無生命！

東三省向屬中國，東北的政府，向受中國政府的指揮，由中國任命，這是各國週知的事實，所以在血統、土地、主權和組織上，東北是屬於中國，是中國的肢體，是中國的生命，有則生，無則死的生命！所以我們今後應當一致認為東北為我們的生命！

東北的鐵道幹線有二十條：有中俄合辦的，有中日合辦的，有中國自辦的，支線共有七條，總共二十七條鐵路，長有六千四百八十四公里。鐵道所佔地面，更是龐大無比，東北的鐵道在中國講是最多，最長，這種鐵道網在經濟上交通上最有價值，這種稠密的鐵道網，即對歐美各國講亦不多。

東北的土地，肥美之至，東三省地質的黑土，深有七尺以上，而華北各省的黑土只有三尺，所以東北的農業產物，豐富至極，蘊藏眾多；農產生產極速，耕地又很多。東三省的森林，特別茂盛，煤鐵蘊藏量極富，據估計煤藏量有二十七萬一千一百二十四萬噸，鐵藏量有九千七百八十七萬噸，足供中國數千年之用。東北的面積，就東三省講，共四百七十五萬四千八百六十華方里，人口共兩千七百二十七萬一千七百零九人，若加上熱河的土地五十九萬華方里，人口三百九十餘萬人，東北的土地就占全國土地面積四分之一以上，人口總數超過三千萬人。

中國內地每年移民東北者，河北、山東、河南三省已有三百萬人以上，大部分是春去秋來，每年滿載而歸；有的就永遠住在東北，所以就移民的家族而言，東三省替中國本部養活一千多萬人，則其經濟上的價值，可想而知。現在東北對中國就如此，今後若能再加以發展，其重要定不止於此！去歲全國水災，本想在東北購糧，以救內地，不幸東北失守，只得購買美麥，假使長此讓東北陷於日寇之手，則中國民食前途，將如何？

東三省地勢險要，山川起伏，而熱河尤其天險，一過熱河則華北無險可守，所以失去東北，即將失去華北，這是我們應當注意的。山海關現在成為兩國共守之地，長城既不可恃，熱河最關重要，國防險要，千萬不能放棄！

東北地大物博，人口眾多，出產豐富，地勢險要，這都是中國的至寶！為天賦的權利著想，我們應當收復東北！在東北有我們三千萬同胞的生命與財產，為我們的義務著想，我們應當收復東北！

日本奪去東北，有國聯盟約、九國公約、非戰公約可為我們的保障。就三種條約講，日本實不該以武力奪我土地，所以在國際地位上，在正義公道上，我們應誓死抵抗暴日的侵略，以保護我們自己！

東北現在義勇軍的進展，對東北前途特別重要，內地既不出兵，張學良又不救援，所以抗日禦敵的工作，就全靠留在關外的軍隊與農兵所組織的義勇軍了。目前東北的軍隊共有八部：

（一）馬占山[2]：在黑省中部海倫克山拜泉一帶進攻日軍。

（二）蘇柄文[3]：原係護路軍，勢力雄厚，地勢險要，在黑省北

---

2 馬占山（1885-1950），字秀芳，吉林懷德人，陸軍上將。出身於綠林，1911年投清軍當兵。「九一八」事變後，任黑龍江省代理主席兼軍事總指揮。他不顧蔣介石的「不抵抗主義」政策，奮起抗日，血戰江橋，打響了武裝抗日的第一槍，成為蜚聲中外的抗日名將。「七七事變」後，任東北挺進軍總司令，率部在晉綏抗擊日本侵略軍。1950年因肺癌病逝於北京，終年65歲。

3 蘇炳文（1892-1975），字翰章，遼寧新民人，保定軍官學校第一期畢業後入中央陸軍模範團。1925年起任東北軍第十二旅及第六旅參謀長、團長，東北國民軍第一參謀長等職。「九一八」事變後，在黑龍江堅持抗戰。1932年3月在海拉爾通電就任黑龍江自衛軍總司令，10月就任東北民眾救國軍總司令，12月，因彈盡糧絕退入蘇聯境內。1933年6月回國，被任命為軍事委員會中將委員。南京失守後，蘇炳文隨國民政府遷居重慶，就任上將軍事參議官。抗戰勝利後，被國民黨當局以「思想異

部滿洲里一帶，大興安嶺領土皆為蘇佔領。日本誇言以興安嶺為國防，現在是被義軍佔領。

（三）李杜、丁超：現在吉林綏芬河一帶圍攻哈爾濱。

（四）王德林[4]：義軍中之勢力最雄厚者，現在遼東一帶，計劃進攻長春哈爾濱四周，並推展至鴨綠江朝鮮南滿等處。

（五）唐聚五[5]：勢力雄厚，佔據遼東五十六縣。

（六）朱雲青、朱子橋：在遼西一帶進攻。

（七）韓民義勇軍：朝鮮人組織，多與義勇軍聯絡，以攻日軍。

（八）華僑義勇軍：在俄國境內，已有三十萬以上，在上海還有援助會。

義勇軍雖然勢力雄厚，殺賊不屈，但是後援不濟，餉械軍需又不充足，現今還穿單衣以應敵，極盼關內同胞接濟。今天謹代表東北義勇軍後援會，向諸位請求救濟，無論銀錢食物衣著都可以，因為現在助義勇軍即救東北，救東北即救自己，請諸位快設法籌款，以救濟那在疆場為國效死的東北義勇軍。

動，不滿現狀」為由，被迫退出軍籍。後隻身返回東北籌辦工廠。錦州解放之際，曾策動國民黨部隊起義。新中國成立後，蘇炳文參加中國人民政治協商會議，當選為委員。1954年，又被推選為中央人民政府第三屆委員。同年12月起，就任黑龍江省體委主任、民革黑龍江省委員會副主任等職。1975年病故於哈爾濱。

4 王德林（1873-1938），原名王林，字惠民，山東沂南縣，抗日愛國將領。1895年逃荒東北，1932年率部反正抗日，成立「中國國民救國軍」，被譽為「救國軍常勝將軍」。1938年12月病逝。翌年2月，延安《解放》周刊發表專文，號召愛國青年學習「民族老英雄」王德林為國奮鬥的精神。

5 唐聚五（1891-1939），字甲州，吉林省雙城縣人。本為張學良東北軍，後為中日戰爭初期之高級將領。1932年，任遼寧省政府代理主席兼遼寧民眾自衛軍總司令。1939年5月陣亡於平臺山之役，為中日戰爭期間陣亡的中國軍方高級將領之一。1940年4月，中華民國政府明令褒揚。

負，而一致的意志和世界弱小民族抬頭的高潮卻是我們民族生存的必要條件。如何可以統一意志，怎樣應用這種世界潮流，一句話就是豎起抗日的旗幟。日本國內並不穩固，國債比中國還多，我們有廣大的土地和眾多的人民，只要我們能維持一兩年，勝利也因之亦變。故總括講，抗日才是我們的出路。有人說：「基督徒與戰爭是不相干的」。其實不然，基督當然反對帝國主義，故基督徒站在反帝國運動的立場上亦該努力於救國工作，基督徒是希望解放人類的，如果連自己頭上的鎖鏈都解除不了，如何去救人類呢!所以我們必須站在最前線比一切激烈的黨派更激烈，負起救人與救己的重任吧！

基督徒學生與國難

吳耀宗

吳耀宗（1893-1979），祖籍廣東順德，出身於廣州一個非基督徒木材商人家庭，中國基督教三自愛國運動發起人，愛國愛教的典範。一九一三年進入北京稅務學堂，畢業後在海關供職。一九一八年受洗加入北京公理會，一九二〇年任北京基督教青年會學校部幹事，組織唯愛社。一九二四年，赴美國紐約協和神學院及哥倫比亞大學攻讀神學、哲學，獲哲學碩士學位。一九二七年回國，任職於基督教青年會全國協會出版部。吳耀宗熱心於抗日愛國運動，曾和沈體蘭、曹亮等發起組成中國基督教學生運動委員會，宣導進步的學生運動。一九四九年九月，吳耀宗代表宗教界參加中國人民政治協商會議。一九五四年，基督教三自愛國運動委員會正式成立，吳耀宗出任主席。「文革」期間，遭受迫害，一九七九年九月十七日在北京去世。

本講演時間為一九三六年四月十九日。本文出自上海理工大學檔案館館藏、滬江大學基督徒學生團契出版部一九三六年五月十日出版的《角聲》第十二期。原稿將吳耀宗誤為「吳宗耀」，本文作了更正。記錄者為「葉子」。

自「九一八」以後，國難是一天一天地趨於嚴重的境域，縱然表面上沒有什麼明顯的發展，一切事情的內部都指示我們中國已到了不堪設想的地步。不過從另外一方面看，「九一八」的炮聲已將睡夢中的人們驚醒了，不單是驚醒了上層的知識階級，工農商等莫不一樣，同時學生運動可以表示出青年們苦幹有為的行動，這些都是值得樂觀的！都是中國前途光明的鐵證！進一步以自我批評的眼光來看看基督徒的救國運動吧！這不得不使人慚愧，除了少數以個人資格參加救國工作以外，其餘基督教團對於國難的工作實在很少。照目前中國情形看，有「前進」與「保守」兩種趨勢，而基督徒學生卻站在當中，固然外力的重重壓迫是使學生不能動彈的原因，但是這次華北學生的救亡運動就是在這種環境裏爆發的。那麼到底怎樣呢？現在舉出幾個原因：

（一）認識的不清楚。尚有對於「讀書」與「救國」二種事體未認清楚的。在不需要學生關心國事的時候，還可講「讀書」不談「救國」，而現在的中國環境，正是需要學生以自覺覺人的態度來擔負起救亡的重任，喚起全國同胞對於國難的注意的時期。基督徒與非基督徒都是一樣的，我們對於「讀書」與「救國」是打成一片的。也有一般人錯認為中國現在是困於貧弱，更有許多人把個人與制度的觀念沒有弄清楚，盲目地崇拜個人。要知道如果整個制度的方面已錯，英雄的力量反而把我們引到更深淵潭裏去。還有對於基督徒是否需要愛國也還沒有弄清，因為他們以為基督教是超世的。但是目前的中國是被壓迫者、受欺辱者，所以我們的愛國就是愛公道、正義，也就是擁護基督的主張，所以我們必須愛國。再者，基督徒到底可用武力否？這也是個沒有弄清的問題，故大半人陷於猶豫不決中未能斷然參加救國運動，任你別人怎樣幹，自己願意落伍。

（二）怎樣會認識不清的？其原因是由於傳統基督教的麻醉性所致。基督教來自西方，故一批傳教的牧師與西洋資本社會是勾結的，故其目的是維持現狀，同時教會的經濟來源，大半是政府，故教會對於經濟的操縱者自然不敢冒犯，因此對於比較激烈的運動便以逃避的方法躲開。既然基督教徒對於先進激烈的青年抱懷疑態度，故宗教的本身不知不覺地跌入反動的陣線裏去。情形如此，我們怎樣來改變我們的方針呢？最好的方法就是拿耶穌做榜樣吧！你看他對於時代的認識是何等確切，他更能以勇敢的行動表現他所立的原則，並且他是革命的，進取的，他的思想與行為搗亂了當時社會的現狀，更能以生命當作改變人類思想方法的最高代價。他不但將宗教與個人生活連成一起，並且與政治也打成一片。甘地說：「不單宗教與政治須連在一起，正義與國家民族亦當打成一片。」這句話把基督的精神描寫得最透徹，所以我們基督徒對於國難是不能袖手旁觀的，我們該利用我們的辦事認真，服從紀律和能持久的積極精神來與義勇救亡的志士們攜手，走上為正義而戰的道路。

印度圓桌會議

艾德蒙・霍華德

艾德蒙・霍華德（Edmund Howard）是《字林西報》[1]的主筆。原編者稱，「看了這篇演講你就可以知道《字林西報》的度」。本講演由正在滬江大學社會學系就讀的學生劉良模筆錄。

本文摘自國家圖書館館藏滬江大學學生自治會一九三一年三月十五日出版的《滬大周刊》第六卷第二號。

今天我所有的時間很短，而要講的題目卻很大，所以一時不知從何處著手。我還是從圓桌會議[2]的起因說起罷。

---

1 《字林西報》（North China Daily News），又稱《字林報》，前身為《北華捷報》（North China Herald），曾經是英國人在中國出版的最有影響、歷史最久的一份英文報紙。1850年8月3日，英國商人奚安門在上海創辦《北華捷報》周刊。1856年增出《航運日報》和《航運與商業日報》副刊。1864年《航運與商業日報》擴大業務改組為綜合性日報獨立出版，改名《字林西報》，獨立發行。《北華捷報》作為《字林西報》所屬周刊，繼續刊行。該報曾發表大量干預中國內政的言論。主要讀者是外國在中國的外交官員、傳教士和商人，1951年3月停刊。該報的特點有：內容主要為行情、船期、廣告等商業信息；重視時政新聞和言論，有很強的政治性；重視時政新聞，1872年起與路透社遠東分社簽約以及時報導國際新聞，廣聘在華傳教士為通訊員以收集國內新聞；重視言論，始終為外國侵華行徑辯護，打壓中國人民反侵略、反封建的鬥爭。

2 1930年3月，甘地發動了第二次非暴力不合作運動，印度全國積極回應，英國政府殘酷鎮壓，甘地被捕，印度人民則報以更大規模的鬥爭，英國當局無法控制局勢。為緩和矛盾，英國宣佈將在倫敦舉行圓桌會議，討論印度地位問題，呼籲各黨派領

（一）圓桌會議的起因。是由孟德鳩（Montagieu）意見書內提出的，當這意見書提出來的時候，反對最烈的便是甘地和他的信徒。

（二）印度現在政府的困難。印度現在政府所有的困難，第一是關於立法院方面的困難。印度現在有一個立法院，印度人民正可以利用它來申述他們的意見和要求他們的權利，然而印度人民非但不擁護這個立法院，並且極力反對它。立法院代表的只有三十個州，而反對它的卻有一百個州。兩方相持的結果，當然是立法院失敗。照理講起來這個立法機構應該解散，但是它不能解散，因為它是英國皇帝所派定的。第二個困難是經濟方面的困難。在銀價一天天跌下去的時候，印度政府雖有很多利民政策，但是因為經濟困難的緣故，遂致不能實行。許多人責難印度現在政府，他們實在不知道辦事的難。

（三）圓桌會議的產生。在一九二四年英政府曾派遣西蒙調查團[3]去研究印度的狀況之後，他們的報告書也提出圓桌會議的辦法來。在經過兩次提出之後，英政府也漸漸覺得這個辦法有採用的可能，所以延至最近的現在，便召集印度圓桌會議。圓桌會議的目的，是在了解印度人民的意見和研究治理印度的各種方法。有人以為英政

袖參加，並開始同獄中的甘地及尼赫魯父子談判，但談判破裂。1930年11月12日至1931年1月19日，討論印度改革的第一次圓桌會議在倫敦舉行，甘地領導的國大黨無人參加。西蒙調查團報告書成為會議討論的主要內容，同時亦成為印度政府法案（1935）的主要藍本。1935年，英國通過了《印度政府法案》。

3 英國政府派往印度研究修改管理制度的「調查團」，由英國自由黨人、下院議員J.西蒙率領，故名。英國《1919年印度政府組織法》第84款規定，該法實施10年後，將派一個專門調查團前往印度，研究進一步完善印度行政管理體制問題。1927年11月，西蒙接受委託率領由英國工黨、自由黨和保守黨的8名下院議員組成的調查團赴印。其具體任務是：研究印度行政管理體系的效果、教育普及程度、英屬印度立法機構的發展狀況、建立責任制政府的可能性，以及在地方立法機關中設立下院等問題。1930年6月，發表西蒙調查團報告書。該報告書建議：廢除印度政府組織法中規定的雙重管理體制；在保持選民單位制的條件下稍許擴大居民選舉權；實施省自治；建立某種類型的全印聯邦政府。報告書未規定給印度以自治領地位。

府因印度狀況越弄越糟，所以才召集這個會議，其實英政府並沒有這個意見。所以這個時候召集，乃是一件「適逢其會」的事情。

（四）圓桌會議之議決案。圓桌會議兩個最重要的議決案便是：（1）與緬甸的分離；（2）在印度中部組織一個負責的中央政府。這兩個議決案和西蒙調查會的提議恰恰相同。然而議決雖然議決了，辦還是要由印度人民自己進行，英國政府只能以行政的資格在旁邊指導。

（五）印度統一的阻礙。統一印度，有兩重最大的阻礙：

1　回教徒和印度教徒的衝突。印度現在有七千萬回教徒，同時有二萬萬印度教徒。這兩種人是完全不同的。回教徒人數雖少，卻兇猛善鬥，加以兩種教徒素有宿怨，所以時起衝突。這兩種人的對峙，獨如十八世紀的天主教和新教徒的對峙一樣。這兩種人是不通婚的。例如有一個回教的少年和一個印度教少女發生了戀愛。他們倆是同學，並且都是受了很高的教育，所以他們的發生戀愛是極自然的。但是他們沒有結婚，因為他們的父母不准他們，所以他們倆私奔了。在選舉地方代表的時候，印度教徒是多數黨，可是他們一點政治常識也沒有，竟至不許回教徒參加，然而回教哪裏肯讓，於是又起衝突。

2　印度的獨立邦。印度除了英屬印度之外，還有三分之一是獨立印度。他們不受任何勢力的管轄，他們有他們自己的酋長，像這樣的獨立邦約有一百二十個。他們和英屬印度的外交，都是用英皇的名義訂定，不用現在印度政府的名義。現在印度要組織聯邦政府，不知他們那些獨立邦肯不肯合作。

（六）結論。圓桌會議是不是一個成功的會議，我現在不敢斷定，這全看印度的代表回去，能否使印度各邦同意他們。假使聯邦政府成立了，我們還要看它是不是一個強有力的政府。

講後問答：

問（女同學）：印度近日婦女運動狀況若何？

答：印度婦女運動在近三年中有極大的進步，然而沒有解決的問題還多。她們最大的阻礙並不是英國政府，她們最大的阻礙是印度的男界。

問：先生以為印度在短期內有一個自治政府是可能的事否？

答：印度本來沒有自治。原因是種類太雜，言語不通。他們歧視其它種族裏面的人，比歧視我們白種人還厲害，然而我還認為印度的自治是一件可能的事。可是要在最短的期間成功，卻是很困難的。

問：圓桌會議為什麼不請甘地先生參加？

答：圓桌會議曾經請甘地參加，然而他拒絕了，我覺得甘地只能給人「inspiration」[4]，他不能做領袖。他領得人家不知所從。他大約有四百萬信徒，我知道一個很有造就的青年，因為信仰他的主義便放棄大學，做暴動敵人的勾當，所以甘地只是毀壞別人家的前途而已。他所抱定的主義是一種不合實用的哲學。

問：圓桌會議的代表是怎麼選舉的？

答：由政府派定。

問：那一點兒也不合乎民治政治。

答：當然不合。因為在印度無民治可言。

---

4 啟示、激勵、鼓勵。

當前東西方之間的關係[1]

高恩

高恩（Rev. H. H. Gowen, 1864-1960），著名亞洲問題專家。一九〇九年，高恩在華盛頓大學設立東方歷史文學系，一九二六年開始教授中文。英文版《滬江大學月刊》一九二三年五月第十二卷第四期頁二十一記載：高恩是華盛頓大學中國史教授，當時正在中國旅行。本文係高恩在中國旅行期間的一九二三年四月二十七日在滬江大學的講演稿。本文的記錄整理者Woodrow Ging 即滬江大學教育系學生金武周（1923年畢業）。

本文摘自華東師範大學圖書館館藏英文版《滬江大學月刊》第十二卷第五期。

人們常常在東西方間設置一道障礙，好像世界就是這樣分割的，而且彼此間存在著不可逾越的鴻溝。相反地，無論是從人文的角度，從國際上合作的角度，還是從人類間的活動和互動來看這個宇宙，就只有一個世界。差別會趨同，分歧會融合，而且分歧的存在有助於組織的完善。文明是普遍存在的，而人的個性是相通的。雖然世界上的事情千差萬別，紛繁複雜，但其蘊含的道理比我們想像的要簡單得多。

首先，這個問題的經濟原因很重要。各個國家都忙於運輸和溝

1 本文由上海海洋大學教師杜義美翻譯。

通，其根本的目的是滿足人們的需求。任何時代，人們都有私有財產，政府對經濟的需求都很急迫。任何行政制度下，公共稅收都來自商品的納稅，特殊的核定額和企業稅。中國也履行著同樣的社會角色。絲綢和茶葉是中國吸引外國消費者的兩大拳頭產品，是大有發展前途的產業。

地理位置對一個國家的發展同樣重要。那些地理位置優越的國家是幸運的，除了擁有漫長的海岸線，廣闊的航道，他們還擁有肥沃的土壤。氣候狀況是影響環境的要素之一，太潮濕或太乾燥都不利。中國除了廣闊的可耕用土地外，還有豐富的地下資源。亨廷頓（Huntington）[2]在他的《亞洲的脈搏》一書中就預言，中國會有美好的未來。

一個國家的教育或文化水準是其文明的標誌。只有普通老百姓受教育了，人民的素質才會提高。傑出的人才來自不同的學校，而統治階級都受過良好的教育。當大家都能很容易地享受教育機會時，這個國家才會朝更高的文化層次邁進。最重要的是，書籍和報紙是國家的血脈，是國家存在和發展的源泉。

沒有宗教就沒有一個國家的存在。宗教，不論其形式或派別，都代表一種信仰，而且在很大程度上代表其民族的思想。政府若不能保護普通老百姓的信仰就會加快其衰落。信仰就是生活本身，它不僅僅是知識、智慧或其它東西。

中國擁有上面提到的一切有助其繁榮進步的要素。中國處在周朝時，西方文明才開始起步。當西方政體還處於無助的幼稚期，中國政

2 亨廷頓（E.Ellsworth Huntington, 1876-1947），美國文化地理學家和地理勘探家，地理環境決定論代表人物之一。生於美國伊利諾州，早年就讀於伯洛伊特學院、哈佛大學和耶魯大學，主要研究氣候、地形等地理環境與歷史變遷、人類活動以及文明分佈的關係，強調氣候對人類文明形成與發展的作用。

體已達到全盛期。她擁有燦爛的歷史，現在到底是什麼禁錮了她的發展？當時又是什麼樣的原因迫使其簽署賣國條款，答應讓步？中國絕對沒有走投無路。優良的地理位置，智慧虔誠的人民，悠久燦爛的歷史，這些不爭的事實傳遞著這樣的信息：黑暗即將過去，希望就要升起。跟其它國家一樣，只要國民擁有團結合作、無私忘我的精神，中國就會發展壯大。團結就是要為大家謀利益，而非只為一己私利。中國傳統的美德教育要讓位於團隊精神、互相合作和思想開明的觀點。這樣，中國就有希望。一味崇拜過去的輝煌毫無意義，因為「新瓶必須裝新酒」。

要想讓各國和平共處，我們這個新的共和國也要像其它國家一樣學習以下三個方面的功課。首先，要拓寬視野，培養新的國際意識。「要視其它民族為世界大家庭的一員，以友好的態度對待他們，把他們看成與我們有相似或相等權利的鄰邦。我們甚至要思考和鄰邦採取共同行動，共同合作為世界謀福利——我們以前把這種態度看成是對自己祖國的溫柔背叛。」民族主義必須讓位於宇宙觀。最近的那場戰爭是一次世界大戰，是為了消除小紛爭，擯棄狹隘的民族意識而戰的[3]。沒有哪個民族可以獨自生存，因為各民族是相互依賴的。每個國家都在以其有效的方式（農業、製造業、採礦業等）為實現和平幸福這個共同的目標而努力。中國不能再閉關鎖國。日本正為實現其自私的物質利益走上歧途，但她不會永久得利；當荷蘭人擅自提高胡椒價格牟利時，英國人最終佔了上風[4]。我們心中要有「大世界的概念」。

3 本講演時間是1923年4月。高恩（Rev. H. H. Gowen）此處指的應是第一次世界大戰。

4 為了壟斷和殖民地間的貿易，維持英國殖民地對英國的依賴，限制殖民地的經濟發展，同時排擠海上貿易主要競爭對手荷蘭，1651年，英國發佈「航海條例」，規定，凡是進入英國的貨品，必須由該產品生產國或英國的船來運送。這些規定排擠其次，只有當所有人都有了全新的民主責任感，世界才能真正和平。按伍德魯・威爾遜先生的話說，「讓世界因民主而安全」[5]。真正的民主只存在於人們的智慧中；投票和選舉對一個民族而言，危害遠超過益處，除非選舉那些正直且遠見卓識，講原則的人士來參與。但是歷史與文獻一次又一次地被錯誤傳授，老師教出來的學生毫無個性而言。關於世界歷史、人類以及柔情的文學是教育的唯一成果。此外，真正重要的是偉大的個性，要有堅強的意志力去學以致用，擁有突出品質，而非簡單地獲取知識或信息。只有當人性中飽含對基督教的信仰，我們的夢想才能實現。

這又讓我們產生了另一種愛國精神——被激發的民族主義情懷。當代民眾與原始社會的人大不同。應該用外部意識代替內部衝動。最佳的民族主義形式不是以犧牲成百上千人的利益來改善其國民狀況，而是通過各種有效途徑來服務民眾，通過社會內部，採取有效措施，進而最大限度地為整個民族謀福利。我們並不滿足於休戰協定，而是想獲得長治久安，消除各種攻擊性或防禦性紛爭。意大利當時之所以衰退，是因為其民眾不團結。猶太人沒有國家，是因為他們把自己看成是「上帝的特選子民」，他們完全忘記了基督教的服務他人原則——不是別人服務你，而是你服務他人。撇開服務意識，一切東西都會失敗。埃及人修造的金字塔表明其擁有非凡的體力，而正是這非凡的體力毀了他們。毫無疑問，上蒼賦予中國各種優越的條件，但如

了荷蘭在國際貿易中的作用，危及荷蘭的海上利益，跟向荷蘭宣戰沒什麼兩樣，終於導致了1652年的第一次英荷戰爭。結果，荷蘭戰敗，被迫承認這一條例。

5 美國總統伍德魯・威爾遜在對國會的宣戰演講（War Message to Congress）中強調，「世界應該讓民主享有安全」。一戰期間，德國曾保證不再突然襲擊他國的非武裝船隻，但在1917年初重新開始了毫無節制的潛艇進攻，其中包括擊沉了幾艘美國商船。威爾遜對德國的政策忍無可忍，遂於1917年4月2日發表了關於宣戰的演講，請求國會批准宣戰，最終將100多萬美軍投入世界歷史上最血腥的衝突之一。

果她不具備自下而上的服務意識，其未來，乃至全世界的未來，將會和古埃及一樣的黑暗。如果其民眾的個性和高尚的品質不被激發出來，中國只能倒退到堯舜禹時代，永遠也不會邁進二十一世紀。

豐富的思想、樂觀向上的態度以及美好的願望體現了基督教的主旨，這足以讓全人類成為一個大家庭。

美國憲法的起源[1]

達徹

本文摘自華東師範大學圖書館館藏、一九二一年十二月出版的英文版《滬江大學月刊》第十一卷第一期頁二十四～二十八。內容為社會學系學生潘恩霖（Pan En Ling）所記。講演者達徹（J. Scott Dutcher）的生平不詳。

達徹教授參觀了滬江大學，並做了題為「美國憲法的起源」的演講。

他首先講到了英國人在美國建立殖民地的歷史，及美國的獨立戰爭。後又講述了美國的十三個殖民地是如何聯合起來並起草憲法的。這種聯盟雖然也叫聯邦，與其說是一個國家政府，倒不如說是十三州的結盟。各州有其自己的法律條文，相互間只存在外交關係。後來這種狀況令大家都不滿意，因其無法控制各州的政府機構，而且貿易制度的差異也使得州際的貿易很難展開。

一七八六年，各州代表在馬里蘭州（Maryland）首府安納波利斯市（Annapolis）召開會議，旨在統一各州行動，批准對貿易和關稅進行統一的國家控制。但那次會議不太成功。

第二年，他們又在費城召開會議，與會代表要麼有英國血統，要

1 本文由上海海洋大學教師杜義美翻譯。

麼受過英國教育，都具有實際經驗。大多數人都曾擔任過各州的要人，深知各州法律的優勢與弊端。他們具有開明的大學教育背景，並且一些人還專修過法律和政治，有些人還是訓練有素的職業律師。他們中有一人特別值得一提——佛吉尼亞州的詹姆士·麥迪森（James Madison）[2]，他是該會議的負責人，保有會議記錄，為我們今天了解當時會議的情況提供了依據。除了三四個人，與會的代表都期望借這次會議達成共識，但也有人懷疑成功的可能性。

在達徹教授看來，代表們把會議記錄秘密保護起來是明智之舉。他們選舉華盛頓為會議主席，與會代表暢所欲言，互相討論。經過深思熟慮，歷時兩個月，以基本法的形式確立大約三十個議案，並作為憲法初稿交給委員會。委員會討論出詳細章程，起草了憲法，並在大會進行新一輪的討論，對其進行修改。

之後，修改好的版本交由另一委員會潤飾，使其更淺顯易懂，並確保內容更充實。這些工作都由莫里斯（Morris）[3]獨立完成，他仔細斟酌每一個用詞，彌補漏洞，對零亂的語言進行很好的銜接，使之順理成章。當此版本交還大會時，每一個字、每一個符號都經過了篩選。這樣，一七八七年九月十七日，憲法終稿通過了大會的最終認可。

接著，達徹教授分析了憲法所涵蓋的內容及未涉及的方面。制定

2 詹姆士·麥迪森（James Madison, 1751-1836），畢業於普林斯頓大學，美國的第4位總統（1809-1817），被稱為美國「憲法之父」。

3 古維諾爾·莫里斯（Gouverneur Morris, 1752-1816），美國政治家和外交家，以執筆撰寫美國憲法序言著稱於世。出生於紐約，在紐約的國王學院（King's College）（現為哥倫比亞大學）獲得學士學位後，繼續研習法律，1771年獲法學學位。後即投身於公共辯論，逐漸成為一名專業撰稿人和知名的公共演說家。1787年，莫里斯當選制憲會議的賓西法尼亞州代表。在會上他先後發言173次超過與會的其他任何代表，主張建立一個強有力的中央集權政府。莫里斯負責起草合眾國憲法並最後定型，美國憲法中不少措辭的確定要歸功於他。

憲法的本意是修訂聯邦章程條款，而非取而代之，但結果，憲法的很多地方都進行了增刪和修改，跟原稿大不一樣。

該憲法是兩大因素的產物，即經驗和折中。大多數通過的條款都選自各州實踐中運行良好的法律條文，還有些是取自他國，對其成敗都進行過仔細嚴格的研究。有些是殖民地本身的經驗之談，有些是英國歷史所提供的實例，其中也有一些反面的歷史教訓。代表們為了避免暴政，防止權力過分集中，還對每一項權力實施核查或牽制措施。

但有些問題靠經驗無法解決，只能通過折中的辦法來實踐。比如，代表們就州政府與聯邦政府之間的權力分配比例不能達成一致，通過相互妥協，問題最終和平圓滿解決。加拿大、德國都曾遇到過類似的問題，但解決之道都不如美國此舉。之後，又有各州間權力分配的問題。面積小的各州堅持權力均等，而面積大的各州堅持按面積和人口比例分攤權力。很多國家對類似的難題束手無策，但無一採取美國此舉，即美國採用參眾兩院代表各州，按人口比例選出兩院代表人數來均衡各州權力。之後又有奴隸和自由人的問題（這在當今美國已沒什麼意義），但所有的這些和其它問題都得到了圓滿解決。

以上所有問題對當今的國際關係具有直接而重要的意義，比如不同國家間權力的分配、奴隸的問題等。

接下來，達徹教授談到了憲法裏沒提及的議題。該憲法不含任何改革思想，一切都來源於經驗，沒有試驗性、靠機遇、風險性的東西。達徹教授認為這是一個明智之舉。美國議會不像英國議會那樣具有至高無上的權力，這也許是因為代表們根本沒有這方面的知識和經驗（那時還沒有這方面的出版物）。憲法裏也沒提及民主問題，既無對其表示支持也無反對。美國的民主是在憲法的指導下發展起來的，但憲法裏也沒有關於民主的理念。因為全民參政是不可能的，沒有個體被賦予公民所擁有的所有權利。制定憲法的人都是有產階級，有相當的財產。對他們而言，重視財產的保護是自然而然的，而忽視低層老百姓的權益也是很自然的事情。

達徹教授重複強調，該憲法不是推陳出新的檔，但正是這份有點保守的檔才誕生了首個聯邦政府——它疆土遼闊，人口眾多，安全措施到位，各州權益平等。

憲法完稿後交由各州大會審議通過。一七八八年七月，十一個州同意採納。一七八九年，華盛頓任總統，執政聯邦政府。後來又有兩個州加入聯邦政府。過去的兩百年裏，在質和量上，美國都取得了長足進步。美國的快速發展充分證明該憲法是成功的。

對中華民國當前政局的態度[1]

李錦綸

本文為一九二二年十月八日李錦綸（Frank. W. Lee）在滬江大學青年會上所作的演講。記錄者為金武周（Woodrow Ging）。

本文摘自上海理工大學檔案館館藏、一九二二年十二月出版的英文版《滬江大學月刊》第十二卷第一期頁九～一一。

今晚，大會主席讓我來談談基督徒學生對中華民國當前的政治局勢應持何種態度。

人們對基督教的固有概念是天國獨立於地球之外，以為真正的基督徒應該遠離朋友，親戚和家人，去過一種非物質的，與世俗世界相脫離的生活。但現實情況並非如此。耶穌因講道反對愷撒帝國而被人指控，當他被迫對支付貢金問題做出回應時，他說：「那只是把愷撒的東西拿給愷撒，把上帝的東西還給上帝。」如今的法利塞人期望得到一個明智的政府，得到和平與安全感，但卻不願為此做出犧牲。他們想讓別人為此拋頭顱灑熱血，而自己則靜等享受。但基督教不允許人們有這樣自私的念頭，耶穌就為救贖許多人而甘願犧牲自己。為此，我想談談教會學生應該如何面對這些問題。

似乎我沒有必要去評判中華民國當前的政治局勢。你們也可從每

1　本文由上海海洋大學教師杜義美翻譯。

天的報紙上看到相關報導。她正處於騷亂之中，危機重重。可這與我們基督徒學生有何關係？對在座的各位又有何影響？我們又該做出何種反應？

教會教育是為了服務社會，不是為了一己私利、一碗米飯，否則沒必要花費十八到二十年的時間來學習；也不是為了買漂亮的房子，好看的衣服和美味的食物而浪費自己的時間和精力，而是為了培養自己服務社會的能力。

什麼樣的政治局勢才使得我們學生焦慮不安，不得不採取罷課的方式來表達自己的憤慨？我們有六千五百萬學齡兒童，可只有五百萬兒童有學上，那麼多人失學將意味著什麼？這是軍閥主義造成的，是對國家的詛咒。我們不需要過於臃腫的軍隊使自己免受外敵入侵。華盛頓會議[2]就解散了很多海陸軍。任何國家都無權侵略他國。試想一下，假如當今仍然是強權當道，我們那樣的軍隊能抵禦外敵嗎？裁軍的呼聲仍不絕於耳，兩天後的遊行示威[3]將揭示眼下軍隊在人們心中的地位，也將昭示人們普通學生的力量。作為基督徒學生，我們要強烈抗議任何犧牲人民利益的軍閥。

政治局勢用另一種方式影響著學生們。當今的學生將是明天的棟樑，肩負著未來的使命，必須對中國眼下的經濟危機發表一下自己的

---

2 華盛頓會議（1921-1922），第一次世界大戰後，美、英、日等帝國主義國家為重新瓜分遠東和太平洋地區的殖民地和勢力範圍，由美國建議召開的國際會議，亦稱太平洋會議。華盛頓會議實質上是巴黎和會的繼續，其目的是要解決《凡爾賽和約》未能解決的帝國主義列強之間關於海軍力量對比和在遠東、太平洋地區特別是在中國的利益衝突，完善第一次世界大戰後的帝國主義和平體系。會議期間簽訂了《美、英、法、意、日五國關於限制海軍軍備條約》（即《五國海軍條約》）等三項條約。

3 在國際裁軍呼聲的壓力下，世界各國都醞釀裁軍。此出應指滬江大學學生也將參加要求政府裁軍的示威遊行活動。但尚未找到相關的記載。

看法。中國正在償還日本、蘇聯、法國及其它國家的債務，這對中國人民來說確實是沉重的負擔。一九一五年，中國政府把原本屬於人民的巨額資產拱手讓給日本人[4]，好像這是他們自己的私有財產。這一切都是過去官員犯下的錯誤，我們再也不能允許現在的政府官員犯同樣的錯誤了。中國在很多問題上已輸給對手，究其原因不完全是因為對手的不公正行為，而是因為那些自私的賣國賊。如今，我們的家人乃至我們的後代都將因這些貪官污吏的腐敗行為而背上沉重的負擔。而這些官吏（大部分在上海）中飽私囊，置辦家產，過著奢靡的生活。從道義上講，這對中國人民是很不公平的，它不像西方國家裏子女只須償還父母的債務。在中國，父母死後孩子必須承擔所有的一切。這點上的確如此。中國的一切都屬於人民。在我的家鄉廣州，水路系統、電話及其它資產都已抵押，只有將其收入用於為人民謀福利，否則就不能獲得貸款。我的意思是說只要是為人民謀福利，任何貸款都應支持。

我們基督徒學生還面臨一個特殊的任務——教育那些沒機會受教育的人。君主制度下，人民是否有知識並不那麼重要，實際上，統治者寧願老百姓愚昧無知，以便於其統治。而在民主制度下，如果老百姓愚昧無知，他們就失去了選舉權，很容易被反對派鼓動而做出不利於自己的事情。即使在美國這樣的民主國家，也有很多人並不瞭解選舉的意圖。中國的情況就更嚴重了，如果講民主，現有政府就會處於風雨飄搖之中，因此官員們非常害怕看到老百姓受教育。但我們的基

4 此處應指「二十一條」。1915年1月18日，日本趁第一次世界大戰期間歐美各國無暇東顧之機，秘密向袁世凱政府提出了企圖滅亡中國的21條要求。如果「二十一條」實行，中國就要淪為日本的附屬國，中國的主權將喪失殆盡。北洋政府迫於日本武力威脅，於5月9日部分答允了「二十一條」。但中國人民強烈的憤慨和反抗使其不能完全付諸實行，此後歷屆中國政府均未承認其為有效條約。

督徒學生要儘量利用自己的空餘時間幫助建立穩定的民主共和政府，而其先決條件是普通大眾都能讀會寫。

中國現在烏雲密佈，但很快就會陽光普照。只要我們基督徒學生能真正肩負起愛國使命，遵守耶穌基督的教義，保家衛國，中國就會強大起來。無知的勞苦大眾被妄想粉碎中國的軍事機器們牽著鼻子，自己還茫然不知。你們學生肯定很期待這次的示威遊行，旨在讓政府裁軍，讓中國更美好……。

中華文化思想叢書 A0100022

滬江大學學術講演錄　上冊

編　　者　上海理工大學檔案館
責任編輯　蔡雅如

發 行 人　陳滿銘
總 經 理　梁錦興
總 編 輯　陳滿銘
副總編輯　張晏瑞
編 輯 所　萬卷樓圖書股份有限公司
排　　版　林曉敏
印　　刷　百通科技股份有限公司
封面設計　斐類設計工作室

出　　版　昌明文化有限公司
桃園市龜山區中原街 32 號
電話 (02)23216565
發　　行　萬卷樓圖書股份有限公司
臺北市羅斯福路二段 41 號 6 樓之 3
電話 (02)23216565
傳真 (02)23218698
電郵 SERVICE@WANJUAN.COM.TW
大陸經銷
廈門外圖臺灣書店有限公司
　電郵 JKB188@188.COM

ISBN 978-986-92898-2-5
2016 年 4 月初版
定價：新臺幣 520 元

如何購買本書：
1. 劃撥購書，請透過以下郵政劃撥帳號：
　帳號：15624015
　戶名：萬卷樓圖書股份有限公司
2. 轉帳購書，請透過以下帳戶
　合作金庫銀行 古亭分行
　戶名：萬卷樓圖書股份有限公司
　帳號：0877717092596
3. 網路購書，請透過萬卷樓網站
　網址 WWW.WANJUAN.COM.TW
大量購書，請直接聯繫我們，將有專人為您服務。客服：(02)23216565 分機 10

國家圖書館出版品預行編目資料

滬江大學學術講演錄 / 上海理工大學檔案館編. -- 初版. -- 桃園市 : 昌明文化出版 ; 臺北市 : 萬卷樓發行, 2016.04
　冊 ;　公分. -- (中華文化思想叢書)
ISBN 978-986-92898-2-5(上冊 : 平裝)
1.言論集
078　105003042